商务印书馆文库

财政学与中国财政
——理论与现实

上　册

马寅初　著

商务印书馆
2006年·北京

《商务印书馆文库》编纂大意

本馆自1897年始创,即着意译介西学,编纂课本,以昌明教育、开启民智为务。

迨五四新文化运动起,学界亟需高等书籍,本馆张元济、高梦旦诸先生乃与蔡元培、梁启超等学界前辈擘画宏图,组编诸科新著,以应时需。是为本馆出版学术著作之始。

尔后数十年,幸赖海内外学人伐山开辟,林林总总,斐然可观。若文学,若语学,若史学,若哲学,若政治学,若经济学,若心理学,若社会学以及其他诸科学门类,多有我国现代学术史上开山之著、扛鼎之作。学术著作的出版使本馆进一步服务于中国现代教育事业的培植和民族新文化的构筑,而分享中国学界的历史光荣。

五十年代以后,本馆出书虽以移译世界名著、编纂中外词书为先,而学术著作的出版亦未曾终止。近年来已先后有多种问世,今后拟更扩大规模,广征佳作,以求有为于未来中国文化的建树。

转瞬百年。同人等因念本馆素有辑印各种丛书的传统,乃议无论旧著新书,凡足以反映某一时期学术思想、某一流派学术观点、某一学科新的建树、某一问题新的方法以及其他足资长期参阅的作品,均拟陆续选汇为《商务印书馆文库》而存录之,俾有益于文化积累而取便学林。顾兹事体大,难免力不从心,深望各界读者、学界通人共襄助之。

商务印书馆编辑部
1997年10月

此书献给母亲

北京大学教材

目　录

自　序 …………………………………………………… 1
这篇自序为本书各章之锁钥,故体裁与一般不甚相同,阅读时应当作本书第一章。兹将序文中款项录后:
一、《通论》之轮廓与凯恩斯学派之主张 ………………… 3
　（一）不自愿失业之存在 ………………………………… 3
　（二）生产投资与储蓄 …………………………………… 4
　（三）边际消费倾向与资本的边际效能 ………………… 5
　（四）利率政策 …………………………………………… 6
　（五）储蓄者与投资者是两个不同之人 ………………… 6
　（六）公共工程与赤字预算 ……………………………… 7
　（七）如何达到充分就业（在生产要素流动性甚大之假定下） ……… 8
　（八）在极端资本主义的国家分配不均贫富悬殊为恐慌之最大的
　　　　原因 …………………………………………………… 9
二、凯恩斯的《通论》与凯恩斯学派的主张于中国是否适
　　用？ …………………………………………………… 10
　（一）中国农村中无所谓自愿失业与不自愿失业之分 …… 11
　（二）储蓄者与投资者在中国农村中同是一个人 ……… 11
　（三）边际消费倾向与资本的边际效能 ………………… 12
　（四）利率政策 …………………………………………… 13
　（五）生产要素的流动性与充分就业 …………………… 13

1

（六）分配不均贫富悬殊 ………………………………… 14

　　（七）恐慌 ……………………………………………………… 15

　　（八）公共工程 ………………………………………………… 17

　　（九）赤字预算 ………………………………………………… 17

三、结论 …………………………………………………………… 20

第一篇　超然主计与联综组织

第一章　预算之编制、核定与审议 …………………………… 25

一、预算统制与主计三联制 ……………………………………… 25

二、预算的编造与统制仰仗于会计统计的地方 ………………… 27

三、决算的成立亦仰仗于会计与统计 …………………………… 28

四、五种会计与五种预算 ………………………………………… 29

五、办实物预算亦非有统计不可 ………………………………… 31

六、预算问题的讨论集中于下列三点 …………………………… 32

　　（一）谁编预算？（编制预算之权责应谁属？）………………… 33

　　　　（甲）主张编制预算之权责应属于主计处 ………………… 33

　　　　（乙）主张编制预算之权责应属于财政部 ………………… 35

　　　　（丙）余的意见 ……………………………………………… 37

　　（二）何时编预算？ …………………………………………… 39

　　　　（甲）二十六年预算法中所规定的预算编制程序 ………… 39

　　　　（乙）以上预算编制程序之缺点 …………………………… 41

　　　　（丙）编制预算最敏捷的通则 ……………………………… 42

　　　　（丁）三十七年之修正预算法 ……………………………… 43

　　　　（戊）假预算 ………………………………………………… 45

第二章　预算之编制、核定与审议（续）……………………… 47

六、预算问题的讨论集中于下列三点(续) ………………… 47
  (三)怎样编预算? …………………………………………… 47
    (甲)我国以往编预算的方法 ………………………………… 47
    (乙)编制预算需要三种参考资料与五项原则 ……………… 48
      (子)第一项原则——注意预算的弹性 …………………… 49
      (丑)第二项原则——预算与行政计划配合 ……………… 49
      (寅)第三项原则——估计岁入岁出的标准 ……………… 49
      (卯)第四项原则——革除"虚收实支""实收虚支"及"虚列收支"的弊病 …………………………………………………………… 50
      (辰)第五项原则——采量入为出呢,抑量出为入呢? …… 52
    (丙)入不敷出时预算上应如何补救? ……………………… 55
      (子)统筹支配与经费流用 ………………………………… 55
      (丑)预备金制度 …………………………………………… 56
        1.第一预备金 …………………………………………… 57
        2.第二预备金 …………………………………………… 57
      (寅)追加预算 ……………………………………………… 60
        1.追加预算的含义 ……………………………………… 60
        2.追加预算发生的原因 ………………………………… 61
        3.追加预算的流弊 ……………………………………… 61
        4.公库制与追加预算 …………………………………… 62
        5.追加预算之限制 ……………………………………… 62
    (丁)编制预算时如何运用百分比 …………………………… 62
      (子)百分比预算与施政计划 ……………………………… 63
      (丑)支出预算中之政务别与用途别 ……………………… 63
    (戊)编制预算应包括什么? ………………………………… 66

3

（子）生产性支出列入预算 66
　　（丑）近十余年来我国财政之新转变 69
　　　1.舍放任主义而采干涉主义 69
　　　2.厉行三行两局一库之专业化 69
　　　3.新旧派的打法（新派的打法造成赤字财政） 71
　　　4.财政收入将以国营事业之余利为主乎？ 73

第三章　联综组织与超然主计 77
一、行政三联制与三计制（简称三联与三计） 77
二、联综组织与超然主计的关系 80
三、联综组织之推行 82
四、以联综组织替代一条鞭组织 84
五、关于超然主计之法规大致粗具 85
六、联综组织下各系统之发展难趋一致 86
七、国库充实方可推行联综组织 87
八、超然主计不能完全实现的原因 90

第四章　公库制 93
一、我国公库制之施行 93
二、公库与国库省库等之区别 95
三、公库与金库之区别 96
四、公库之种类 96
　（一）官厅公库 97
　（二）行政公库 97
　（三）统一公库 98
五、特种基金之处理 99
六、委托代理制 100

七、银行存款制 ·· 101

八、我国公库制度之演变、进步与缺陷 ······················ 103

  （一）征收机关之抵解坐支与拨付 ························ 103

  （二）何谓统收统支满收满支 ······························ 104

九、公库金集中管理之例外 ···································· 106

十、邮政机关代理公库 ··· 108

十一、中交两行曾为名义上之代理国库者 ··················· 109

十二、公库存款之种类及支款之程序 ························ 109

十三、支票之签发不能普遍适用 ······························ 114

十四、法令之相互抵触 ··· 115

第五章 审计监督 ·· 120

一、审计监督渗透行政、立法与司法监督而行使 ············ 120

二、审计制度之扩大与技术之精进 ···························· 121

三、审计部分厅掌理审计事务 ································· 122

四、直接送审之特殊情形 ······································ 124

五、就地审计之不彻底 ··· 125

六、政府之活动与职务已由政治推及经济 ···················· 126

七、三种机关 ··· 128

八、公营事业之突飞猛进 ······································ 129

九、经济事业的预算与计划相配合为总预算之一部分 ······ 132

十、审计应推及于公营事业 ···································· 134

十一、公营事业何以迁延预算的编制 ························ 136

十二、公有营业机关与公有事业机关账目的审核 ·········· 137

十三、审计监督之鲜成效 ······································ 138

十四、充实审计职权 ·· 140

第六章　决算 …… 143
一、决算为事后之财政终结报告 …… 143
二、决算之编造 …… 144
三、联综组织的精神表现于决算 …… 146
四、审核决算时应注意的各点 …… 147
五、决算之最后审定权应属于立法院 …… 148
六、总决算难成立之原因 …… 150

第七章　一般对于超然主计与联综组织之批评 …… 153
一、预算不切实际 …… 153
二、岁出预算追加频仍 …… 154
三、机关随设随裁，随扩随缩 …… 154
四、分配预算改编频繁 …… 155
五、机关长官任用之私人横加阻碍 …… 155
六、公库制度只具外形 …… 156
七、各种报告表册太多，浪费人力物力 …… 156
八、书面审核，无补实际 …… 157
九、总决算难编 …… 158
十、主计之超然尽失 …… 159
十一、最高或上级决策机关的事务过于烦琐 …… 160
十二、余的意见——制度驾理想王国之上，事实沦十八层地狱之下 …… 162

第二篇　中国税制与赋税体系

第一章　中央税与地方税之划分 …… 167
一、中央与地方权限之划分 …… 167

（一）中央集权制——大一统制 …………………… 167
　（二）省的地位——省级财政取消归并于中央——结果 ……… 168
　（三）中央与地方均权之呼声——适应环境 …………… 169
　（四）不实行均权制,中央之集权必有地方之滥权 ……… 171
　（五）民主政治下之省的地位 …………………… 173
二、中央与地方之财政关系可自下列七端观察之 ………… 174
三、各级政府之税收应与职务配合 ………………… 176
四、国地财政收入如何分配 …………………………… 178
　（一）税源之划分 …………………………………… 178
　（二）特定税收之分给 ………………………………… 179
　（三）补助金 …………………………………………… 180
　（四）我国补助金与协助金之来历 …………………… 183
　（五）美儒赛里格曼所主张国地税收划分的原则 ……… 185

第二章　中央税与地方税之划分(续) ……………… 186
五、历次地方财政收支系统之演变及其影响 ……………… 186
六、今日省财政之地位 …………………………………… 189
七、财政收支系统划分之进步 …………………………… 193
八、乡镇财政 ……………………………………………… 193
九、个别税源应如何划分 ………………………………… 195
　（一）租税之应划归中央者 …………………………… 195
　　（甲）所得税 ………………………………………… 195
　　（乙）关税 …………………………………………… 196
　　（丙）盐税 …………………………………………… 196
　　（丁）遗产税 ………………………………………… 197
　（二）租税之应划归省者 ……………………………… 198

7

　　　　（甲）营业税 ································ 198
　　　　（乙）按成分给制可以补救划分后之困难 ········ 199
　　（三）归县市者 ································ 201
　　　　（甲）土地税 ································ 201
　　　　（乙）契税 ·································· 205

第三章　中国赋税体系 ································ 206
一、第一种分类——所得税财产税与消费税 ············ 206
二、第二种分类——对人税与对物税 ·················· 207
　（一）对人税 ······································ 208
　（二）对物税 ······································ 210
　　　（甲）营业税 ·································· 210
　　　（乙）土地税 ·································· 210
　　　（丙）资本税 ·································· 211
　（三）对物税为对人税之补助税 ······················ 211
三、第三种分类——直接税与间接税 ·················· 212
　（一）以转嫁与归着为分类之标准 ···················· 212
　（二）通常租税转嫁的场合 ·························· 214
　（三）以弹性为分类之标准 ·························· 214
　（四）以公平与普遍为分类之标准 ···················· 217
　　　（甲）直接与间接，公平与普遍，相互配合之理由 ·· 219
　　　（乙）如何达到公平与普遍的目的 ················ 222
　（五）中国的赋税体系表 ···························· 223
　（六）最良的税制应以所得税为核心，以间接税等辅助之 ·· 224
　（七）从反面看（有补助税而无核心则如何） ·········· 230
四、现行中央税制之重心在消费税系统 ················ 231

8

五、现行之税制偏重于财政原则忽略经济原则与社会
　　　原则 ·· 232

第三篇　赋税各论

第一章　关税 ··· 239
　一、过去的史实 ··· 239
　　（一）在过去吾国海关进出口税则之缺点 ············· 239
　　　（甲）吾国关税在过去为完全协定税 ················ 239
　　　（乙）吾国关税为浑一税 ······························ 240
　　　（丙）税则表太粗 ······································ 240
　　　（丁）货价亦要协定 ··································· 241
　　　（戊）子口税之不公平 ································ 241
　　　（己）陆路减税 ··· 242
　　　（庚）四国新约 ··· 242
　　　（辛）杂货箱 ·· 242
　　（二）修改税则之困难及关税自主之奋斗 ············· 243
　　（三）关税自主之过渡 ····································· 246
　　（四）施行不完全自主关税之结果 ······················ 247
　二、现阶段的情况 ·· 248
　　（一）关税征金及海关金单位 ··························· 248
　　（二）现阶段之进口税则有根本修订之必要 ·········· 251
　　（三）走私之可惊 ·· 254
　　（四）差别外汇与差别贸易 ······························· 256
　　　（甲）差别外汇 ··· 256
　　　（乙）差别贸易 ··· 257

第二章　关税(续) ………………………………… 259
三、今后之展望 ………………………………… 259
(一)今后我国应采之关税政策 ……………………… 259
(二)保护关税之种类与目的 ……………………… 261
(三)修订关税税则之技术问题 ……………………… 262
(甲)关税政策与关税税则配合起来之技术问题 …… 262
(子)单一关税税则制 ……………………… 262
(丑)复式关税税则制 ……………………… 262
####### 1.最高税则与最低税则制 ……………… 263
####### 2.国定税则与协定税则制 ……………… 264
(乙)关税政策与货品配合起来之技术问题 ………… 264
(四)今后我国应采单一税则制呢,抑采复式税则制呢? … 266
(五)课税之标准 ………………………………… 267
(六)中美关税与贸易协定 ……………………… 268

第三章　盐税 …………………………………… 270
一、盐税制度 ………………………………… 270
(一)赋税系 ………………………………… 270
(二)营业系 ………………………………… 270
二、商专卖制 ………………………………… 271
三、就场征税与专卖制之比较 ……………………… 273
(一)两制相同之点 ……………………………… 273
(二)两制相异之点 ……………………………… 273
(甲)就场征税 ………………………………… 273
(乙)专卖制 ………………………………… 274
(三)两制在场产上的比较 ……………………… 274

（四）两制在运销上的比较 …………………………………… 276
四、在战时新盐法不能施行之理由 …………………………… 278
五、专商引岸制因不适应战时环境而解体 …………………… 280
六、盐专卖制度中之官收问题 ………………………………… 281
七、战时食盐之增产 …………………………………………… 284
八、盐专卖制下之盐价 ………………………………………… 286
　（一）场价之核定 …………………………………………… 286
　（二）仓价之核定 …………………………………………… 287
　（三）仓价划一之重要 ……………………………………… 289
九、盐专卖制下之囤储问题 …………………………………… 289
十、食盐之零售办法及其利弊 ………………………………… 290
十一、盐税的分析与食盐负担之重 …………………………… 294
十二、从专卖而到自由买卖——就场征税 …………………… 296

第四章　货物税 …………………………………………… 298

一、统税之来历种类及推广 …………………………………… 298
二、统税之性质与征收统税之原则 …………………………… 300
　（一）统税之性质 …………………………………………… 300
　（二）课征统税之原则 ……………………………………… 301
三、统税应多设级数 …………………………………………… 301
四、货物税制之改进与演变 …………………………………… 302
五、统税与战时消费税之关系 ………………………………… 303
六、征收统税之方法 …………………………………………… 305
七、货物税何以采出厂税与出产税的形式？ ………………… 306
八、货物税如何计算 …………………………………………… 308
九、举办新税之困难 …………………………………………… 310

十、举办新税不如整顿旧税与扩大旧税(以统税为例)……… 311
十一、举办新税应考虑的各点 ……………………………… 313
十二、战时消费税之取消 …………………………………… 315

第五章 田赋 …………………………………………………… 317

一、中国地税之混乱情形 …………………………………… 318
二、厘定田地等则为整理田赋之首要任务 ………………… 319
三、农地与耕地之区别 ……………………………………… 322
四、地籍整理 ………………………………………………… 323
　(一) 土地清丈 …………………………………………… 324
　　(甲) 关于土地清丈之技术问题 ……………………… 326
　　(乙) 由清丈重划而发生之种种问题 ………………… 330
　　　(子) 土地重划后之补偿问题 ……………………… 330
　　　(丑) 土地清丈后之所有权确定问题 ……………… 330

第六章 田赋(续) ……………………………………………… 333

四、地籍整理(续) …………………………………………… 333
　(二) 土地陈报 …………………………………………… 333
　　(甲) 浙江办理土地陈报之结果 ……………………… 333
　　(乙) 各省办理土地陈报之结果 ……………………… 334
　　(丙) 土地陈报有益说 ………………………………… 337
　　(丁) 总归户 …………………………………………… 338
　　(戊) 户领丘册(即总归户)与丘领户册 ……………… 341
　　(己) 推收 ……………………………………………… 341
五、契税税率高罚则重影响了推收 ………………………… 342
六、限田制 …………………………………………………… 345
七、合作租佃制 ……………………………………………… 346

12

第七章　厘金与营业税 ………………………………… 351
一、厘金之起源与种类 ………………………………… 351
二、厘金之不可不裁 …………………………………… 352
三、以营业税替代厘金 ………………………………… 354
四、营业税与厘金之比较 ……………………………… 356
五、旧营业税法所定课征之标准 ……………………… 357
六、何以纯收益在地方上不适为课征营业税之标准 … 358
七、三十一年之修正营业税法把纯收益一项标准删除 … 360
八、三十六年之营业税法恢复纯收益额取消资本额为
　　课税标准 …………………………………………… 361
九、县市地方政府之营业牌照税 ……………………… 363
十、特种营业税 ………………………………………… 364
十一、新旧营业税法之比较 …………………………… 365
十二、营业税之查估办法与简化征收 ………………… 366
十三、普通营业税之三大缺点 ………………………… 367
十四、新税源之开辟 …………………………………… 369
十五、以交易所之交易税补普通营业税之缺点 ……… 371
十六、普通营业税(一般交易税)何以有存在之必要 … 372

第八章　所得税 ………………………………………… 375
一、所得税起于战时 …………………………………… 375
二、我国之分类所得税 ………………………………… 376
（一）所得税暂行条例下之分类所得税 ……………… 376
（二）三十二年所得税法之重大修正 ………………… 378
（三）三十五年四月十六日公布的修正所得税法 …… 379
　（甲）谁是纳税义务人 ……………………………… 379

（乙）税率 ·· 380

　　（丙）比例税率全额累进税率超额累进税率 ············ 380

　　（丁）法人所得税与个人所得税分开 ····················· 382

　（四）所得税之征收方法 ·· 383

三、过分利得税 ··· 384

　（一）过分利得税之意义及课征利得税之理由 ············ 384

　（二）非常时期过分利得税条例 ································ 386

　　（甲）课税范围 ·· 386

　　（乙）税率 ·· 387

　　（丙）营利事业过分利得税之计算法——举例 ········ 388

　　（丁）财产租赁过分利得税之计算法——举例 ········ 389

　（三）非常时期过分利得税法 ···································· 390

　（四）对工矿业与商业课以同一之过分利得税 ············ 392

　（五）所得合资本额百分比为课税之标准乎？ ············ 393

　（六）所得合资本额百分比与资产重估问题 ··············· 394

　（七）资产重估以物价指数为折合之标准乎？ ············ 397

　（八）所利得税与查账制度 ······································· 399

第九章　所得税（一续） ··· 401

三、过分利得税（续） ··· 401

　（九）简化稽征 ·· 401

　　（甲）什么叫做简化稽征？ ································· 401

　　（乙）上海工商界反对查账赞成简化稽征的理由 ···· 403

　　（丙）简化稽征之要点 ·· 407

　　（丁）所利得税简化稽征的解释及批评 ·················· 408

　（十）三十七年度营利事业所利得税稽征办法 ············ 413

14

（十一）本年仍定为过渡时期 …………………… 416
　　（十二）整个所利得税制度之不合理 …………… 416
　　（十三）合作社与公营事业之免税问题 ………… 418

第十章　所得税（二续） …………………………… 422
　四、分类所得税与综合所得税 ……………………… 422
　　（一）分类所得税之目的在收入,综合所得税之目的在公平 …… 422
　　（二）各国之分类所得税与综合所得税 ………… 424
　　（三）中国之分类所得税与综合所得税 ………… 425
　　（四）财产租赁出卖所得税 ……………………… 427
　　（五）综合所得税中之财产出卖所得与农业所得 …… 431
　　（六）综合所得税之减免项目 …………………… 434
　　（七）综合所得税课征的客体——起税点太低 …… 436
　　（八）综合所得税之税率及其级数 ……………… 438
　　　（甲）税率、级数及计算公式 ………………… 438
　　　（乙）计算综合所得税——举例 ……………… 439
　　（九）举办综合所得税之条件未备 ……………… 440
　　（十）以户为单位 ………………………………… 441
　五、三十七年四月一日公布之修正所得税法 ……… 442
　　（一）特种过分利得税废止 ……………………… 442
　　（二）关于分类所得税之修正 …………………… 442
　　（三）关于税率之修正 …………………………… 442
　　（四）关于税级数字之修正 ……………………… 443
　　（五）关于估缴税款之办法 ……………………… 444
　　（六）关于税法之合并 …………………………… 444

第十一章　遗产税 …………………………………… 445

一、遗产税成立之理由 ……………………………………… 445

二、遗产税暂行条例 ………………………………………… 446

三、遗产税法 ………………………………………………… 446

四、反对遗产税者的理由 …………………………………… 447

五、总遗产税制与分遗产税制 ……………………………… 449

六、遗产包括什么？ ………………………………………… 453

七、遗产之调查与估价 ……………………………………… 455

八、属地主义与属人主义兼采 ……………………………… 457

九、赠与视同遗产 …………………………………………… 460

十、遗产税税率 ……………………………………………… 461

第十二章　复税与逃税 …………………………………… 463

一、复税 ……………………………………………………… 463

（一）关于遗产税之复税问题 ……………………………… 463

（二）关于所得税之复税问题 ……………………………… 465

（三）关于营业牌照税之复税问题 ………………………… 465

（四）关于营业税之复税问题 ……………………………… 467

（五）关于通过税之复税问题 ……………………………… 467

二、逃税 ……………………………………………………… 468

（一）为什么要逃税？ ……………………………………… 468

（二）不合法的逃税 ………………………………………… 469

（三）合法的逃税 …………………………………………… 472

（甲）由于定义之不确定而逃税 ………………………… 472

（乙）由于通货跌价而逃税 ……………………………… 472

（丙）由于行政效率太低而逃税 ………………………… 474

（丁）由于交易不给发票而逃税 ………………………… 474

(戊) 由于法人不课综合所得税而逃税 …………………… 475
(己) 豪门资本与官僚资本企图中的逃税 …………………… 476
　(子) 公司设立登记采属地主义 …………………………… 476
　(丑) 修正公司法何以不利于豪门资本与官僚资本？ …… 476
　(寅) 本国公司不营业之源流 ……………………………… 477
　(卯) 过去外国人在华营业所得之利益 …………………… 478
　(辰) 美国反对修正公司法之理由 ………………………… 479
　(巳) 美国反对理由之不成立 ……………………………… 479
　(午) 逃税的途径不止一个 ………………………………… 481
　(未) 国防会议修正公司法重付立法院审议之经过 ……… 482
　(申) 外人遵守中国修正公司法之利益 …………………… 483

第四篇　征实与专卖

第一章　田赋征实征购与征借 …………………………… 487
一、田赋征实须以翔实的赋籍为根据 ……………………… 488
二、战时各省田赋征收实物暂行办法要旨 ………………… 488
三、抗战时期田赋征实之种种利益 ………………………… 489
(一) 不致引起纷扰 …………………………………………… 490
(二) 不致因米价上涨而受田赋上之损失 …………………… 490
(三) 不致引起通货膨胀 ……………………………………… 490
(四) 产销得其平衡 …………………………………………… 490
(五) 简而易行 ………………………………………………… 490
四、田赋征实之害 …………………………………………… 490
(一) 违背进化原则 …………………………………………… 490
(二) 有违农时 ………………………………………………… 491

（三）人民负担加重 ……………………………………… 491
五、田赋征实之弊——粮弊最多粮官最肥 …………………… 492
　　（一）粮官之舞弊方式，浮收短报搀砂搀水等等 …………… 492
　　（二）土地陈报所造成之种种错误 …………………………… 493
　　（三）复查丈量土地人员之勒索舞弊 ………………………… 493
　　（四）经办田赋人员之弄权渔利与乡镇人员之朋比为奸 …… 494
　　（五）征收处之故意延宕以遂其浮收侵吞之伎俩 …………… 496
　　（六）征收处不以簸失的稻谷交还老百姓 …………………… 496
六、对大粮户行累进制 ………………………………………… 497
七、对小粮户应予以种种便利 ………………………………… 498
八、征购 ………………………………………………………… 499
　　（一）粮食库券 ………………………………………………… 499
　　（二）搭发粮食库券之流弊 …………………………………… 500
　　（甲）增加国库负担 …………………………………………… 500
　　（乙）不利于小粮户 …………………………………………… 500
　　（丙）容易引起怀疑心理 ……………………………………… 501
　　（丁）大粮户低价收买 ………………………………………… 501
九、征购改为征借 ……………………………………………… 501
十、粮食之仓储 ………………………………………………… 502
十一、平衡供求 ………………………………………………… 505
　　（一）接管及清理积谷 ………………………………………… 505
　　（二）调查大户存粮 …………………………………………… 505
　　（三）粮商登记 ………………………………………………… 505
　　（四）节约消费 ………………………………………………… 506
十二、棉田征实 ………………………………………………… 506

十三、田赋征实滞纳处分 ·· 508

第二章　专卖 ··· 511

一、专卖起于战时 ··· 511

二、独占的种类 ·· 512

三、专卖政策之决议实施与一般原则 ······························ 512

四、专卖由于间接税缺乏弹性 ·· 513

五、消费税盛行之国家适用全部专卖制或局部专卖制 ······· 514

六、专卖与专利之区别 ··· 516

七、专卖与公卖之区别 ··· 517

八、实施专卖应选择何种消费物品 ································· 518

（一）虽重课消费税而消费数量甚大者生产集中

　　　而易于管理收购者 ··· 519

（二）专卖物品必须择其无若何弹性者 ························· 521

（三）专卖物品宜为易于标准化者 ································ 522

（四）专卖物品为消费物品，具有应取缔之性质者 ········ 524

（五）特产品 ·· 524

九、举办专卖之主要目的与副目的 ································· 525

十、专卖制之优点 ··· 525

（一）从财政收入方面观察 ··· 526

（二）从国策方面观察 ··· 526

（三）从课税技术上观察 ·· 526

（四）从社会利益方面观察 ··· 526

十一、专卖制之缺点 ·· 527

（一）公务人员经营专卖事业之不相宜 ························· 527

（二）专卖需要大量资金 ·· 527

19

（三）与民争利 ······································· 528
　　（四）专卖物品不能满足各式各样之嗜好 ················ 528
　十二、专卖物品价格如何决定 ···························· 529
　十三、专卖取消之原因 ································· 530

第五篇　公债

第一章　公债与租税 ······································ 535
　一、平时的公债问题 ··································· 535
　　（一）关于公债的新旧学说 ··························· 535
　　　（甲）关于公债之旧学说 ··························· 535
　　　（乙）关于公债之新学说 ··························· 537
　　　（丙）新学说之基本根据 ··························· 538
　　　　（子）经济饱和论 ······························· 538
　　　　（丑）储蓄超过投资之现象 ······················· 539
　　　　（寅）公债新哲学并无危险性 ····················· 540
　　（二）余对于公债与租税的意见 ······················· 541
　　　（甲）在紧急时公债与租税的比较 ··················· 541
　　　（乙）发行公债之利与不利要看当时之实际情形而定 ··· 542
　　　（丙）发行公债之公平与否应看后世能否得到享受以为断 543
　　　（丁）公债能使人民团结之说是错的 ················· 543
　　　（戊）公债可发与否要看由借贷而得之福利是否大于牺牲 ··· 544

第二章　公债与租税（续） ································ 546
　二、战时公债问题 ····································· 546
　　（一）筹集战费之主要方法与辅助方法 ················· 546
　　（二）租税公债与纸币之比较 ························· 548

（三）租税与公债在战时财政上的比较 ………………… 554
（四）在中国的战时财政上公债与租税的区别消失 ……… 558
（五）如何使公债消化 ……………………………………… 561
（六）内国公债不能推销之恶结果 ………………………… 563
（七）内国公债不能推销之原因 …………………………… 568
（八）金公债 ………………………………………………… 569

第三章 公债 …………………………………………………… 571

一、公债之分类 ……………………………………………… 571

（一）英国公债之分类 ……………………………………… 571

（甲）广义的与狭义的 …………………………………… 571

（乙）永久公债与定期公债 ……………………………… 571

（丙）永久公债与流动公债 ……………………………… 572

（二）中国公债之分类 ……………………………………… 572

（甲）有确实抵押品之内外债与无确实抵押品之内外债 ……… 572

（乙）内债与外债 ………………………………………… 573

（子）北京政府时代之内债与外债 …………………… 574

（丑）中国外债之特色 ………………………………… 575

（寅）内债与外债相互配合之利益 …………………… 582

（丙）公债与库券 ………………………………………… 583

（子）债与券的区别 …………………………………… 583

（丑）关于发行库券的规则 …………………………… 584

（寅）在中国库券与公债无甚区别 …………………… 584

（卯）用短期库券来吸收已膨胀之通货可乎？ ……… 585

（辰）发行库券原是安定金融的办法，不是稳定物价的办法

…………………………………………………… 586

21

　　　　(巳) 主张发行短期库券者之理由 ················· 587
　　　　(午) 现在的金融市场与银本位时代的金融市场不同 ····· 588
　　　　(未) 增减存款准备率比较重贴现与公开市场买卖有效 ···· 589
　　　　(申) 港沪投机的猖獗非国库券所能扑灭 ············ 590
第四章　公债(续) ··· 594
　二、公债之整理 ··· 594
　　(一) 无确实担保内外债之整理 ····················· 594
　　　(甲) 在北京政府时代 ····························· 594
　　　　(子) 整理债务之原则 ······························· 595
　　　　(丑) 整理债务之范围 ······························· 595
　　　　(寅) 整理债务之办法 ······························· 597
　　　　(卯) 整理债务之基金 ······························· 597
　　　(乙) 在国民政府接收北京政府遗下的债务整理案之后 ···· 598
　　　(丙) 当时余对于整理的意见 ······················· 600
　　(二) 国民政府对于内债之整理——统一公债 ············ 602
　　　(甲) 统一公债发行之原因 ························· 602
　　　(乙) 统一公债不减息之理由 ······················· 605
　　　(丙) 统一公债发行之办法 ························· 607
　　　(丁) 公债减息之要求 ····························· 609
　　　(戊) 公债减息之办法 ····························· 611
　　　(己) 统一公债之真正用意 ························· 613
　　(三) 省公债之接收与整理 ························· 614

第六篇　地方财政

第一章　地方财政 ··· 619

22

- 一、何谓地方？ …………………………………………… 619
- 二、关于县市自治财政之各国立法例 …………………… 620
- 三、依纲要县级预算之编制执行与考核 ………………… 621
- 四、县预算中的虚收实支实收虚支与虚收虚支 ………… 622
- 五、县财政收不敷支之原因 ……………………………… 623
- 六、其他预算外之支出 …………………………………… 626
- 七、新县制下管教养卫四项支出的比较 ………………… 627
- 八、地方财政其他的缺点 ………………………………… 630
  - （一）营业税未能发挥大效果 ………………………… 630
  - （二）整个县市财政制度缺乏完整精神 ……………… 630
  - （三）审计机构尚未遍设于全国各县 ………………… 631
- 九、田赋征实归县市接收可以使县市财政趋于平衡否？
  …………………………………………………………… 632
- 十、地方事业何以要归地方民众自己去办？ …………… 633

第二章 地方财政（续） …………………………………… 635

- 一、县财政之五项税收 …………………………………… 635
  - （一）屠宰税 …………………………………………… 637
  - （二）土地改良物税（房捐） ………………………… 639
  - （三）营业牌照税 ……………………………………… 641
  - （四）使用牌照税 ……………………………………… 642
  - （五）筵席捐及娱乐捐 ………………………………… 643
- 二、地方税收在法律规定之范围内何以应予地方以斟酌实施之权？ ……………………………………………… 643
- 三、营业牌照税与使用牌照税实是规费性质 …………… 645
- 四、全部土地税归县两种牌照税归省的主张 …………… 646

五、从国税中拨给县市之税收 …… 648
　(一)财政收支系统——实施纲要 …… 648
　(二)三十一年后县市之重要税源 …… 649
　(三)三十五年后新制度下县市之重要税源 …… 650
六、中央对县市之补助金 …… 651
七、所谓"因地制宜"税 …… 653

第七篇　其他问题

第一章　税务机构的调整 …… 659
一、对于税务机构的一般舆论 …… 659
二、征收机构之种种弊病 …… 661
三、财政部拟订的统一征收办法 …… 661
四、中央税务机构依然分立 …… 662
五、调整为名任用私人 …… 664
六、税务机构裁并之经过 …… 664
　(一)主张裁并者之理由 …… 665
　(二)反对裁并者之理由 …… 667
七、征收机构应如何统一——统一于何一级政府? …… 670
　(一)征收机构并入县市政府组织之内 …… 670
　(二)各县市设立税务局直隶于省 …… 670
　(三)自中央以至省县市建立一个统一征收机构系统 …… 671
八、由中央控制的统一征收机构能否节省经费增加便利 …… 673
九、调整征收机构的两全之道 …… 675

第二章　摊派与贪污 …… 676

一、摊派 ································ 676
　(一) 摊派制之缺点 ······················ 676
　(二) 何以商人要求摊派 ··················· 676
　(三) 包征制用于屠宰税 ··················· 677
　(四) 包征之弊多于利 ···················· 679
　(五) 摊派与苛杂孰利? ··················· 680
　(六) 各式各样之摊派——要钱、要物、要力、要命 ··· 682
　(七) 规费与陋规之别 ···················· 684
二、贪污 ································ 686
　(一) 贪污之形形色色 ···················· 686
　(二) 刑法对于贪污之处分 ················· 687
　(三) 大贪官尽漏法网 ···················· 688

第八篇　结论

中国财政制度的历史背景与社会环境 ·········· 693
　一、治人而食于人的劳心者与食人而治于人的劳力者 ··· 693
　二、粉饰的宪政解除不了人民大众的痛苦 ········ 695
　三、确能为人民说话争利之第一届国民参政会 ····· 697
　四、历代的开国帝王利用人民的力量为自己打天下为士大夫
　　　阶级维持权益 ······················ 698
　五、孙中山之领导国民革命并促士大夫自觉 ······ 699
　六、国民党领导国民革命所以失败的原因 ········ 700
　七、以上所述的结论用统计数字证明 ··········· 701

自 序

(引言与自序合并)

(这篇自序为本书各章之锁钥,当作本书第一章。)

我在授课的时候,常对听讲的学生说,社会科学与自然科学有一极大不同的一点,即我国大学中之理工学院,因我国科学落后,不妨选用西文课本为教本,参考书当然应用西文书本,至于社会科学,如经济一门,参考书不妨中西书籍互用,教本则必须用国文原本(并不指译本而言)。盖外国教本皆根据外国的实际情形,社会环境,以及历史背景写成的,以之用于中国的大学,非特不易使学生领悟,且要发生极大的流弊。例如余在美国读书的时候,曾选读过银行学与货币学,讲授者皆是著名的教师。美国的一般银行业务部大概都有收款课(Receiving Teller)与付款课(Paying Teller)两部分,存款时,收款与记账全由收款课办理,是一个手续。支款时将支票或存折交与付款课,付款与记账亦全由付款课办理,亦是一个手续。在中国则无论存款或支款,收款与付款之手续,划归出纳课办理,是美国之一个手续在中国则化为两个,在银行用人较多,在顾客要等候多时。若问以何以有分成两个手续之必要,则归因于"制与衡"的作用(Checks and Balances),使两部工作,即两个手续,相互牵制以防舞弊,用意良善,未可非议,盖国情如此,不得不然也。但一肚子装满着西洋学识的我,回国之后,见了这种种情形，心理上起了一种极大的反感，于是，余不能不就中国的实际情形，重加一番考察与研究，可以说痛下工夫，把中国的实情与西洋的学理配合起来，遂想出比较适合于中国的学识，用短篇的演说稿出之以飨读者。尔时一般对于经济问题尚不甚注意，故书本不甚适合一般胃口，只能以短篇文字出之（大多数已包含于四本演讲集之中）。余现年六十有七，费了四五十年的工夫，而所得者不过如此，不禁有人寿几何之感。

余以为经济理论可以分为纯粹理论（Pure theory）与经验理论（Empirical theory）两种。我们从泰西搬来的理论，既不以中国的现实为对象，可以视同纯粹理论，是一种训练思想的宝贵工具，它不仅训练了我们的思想，且教了我们研究的方法，可以说纯粹理论包括了经济哲学与经济学方法论两部分；读了这两部分，我们所得的益处，确实不少。至于经验理论，就是经验的经济理论，是中国的经济学者，就一定范围，在一定的立场，把内容复杂包罗万有的国内经济事实搜集起来提炼净化之结果。在提炼之时，就要用从西洋学来的方法，那么影响我们的经验理论的主要因素，不外乎客观的经济事实与主观的研究方法。

余对于治经济学的感想既如此，故着手著此书之前，既有把关于财政之纯粹理论与现实合冶一炉，得出一种经验理论，使读者容易明了，不致发生理论与事实脱节之感。社会是一个大实习室而学校是一个小训练所，在训练所中所学的，必须与实习室中所做的趋于一致，庶不违反"学以致用"之原则。余总以为中国研究经济学的青年，应多注意中国的实际情形，社会环境，与历史背景。我们生在这个社会之中，决不能离开这个真实社会，而高谈空论。但我们同时亦生在这个时代，与这个时代的潮流亦不能脱节，故事实与理论有合冶一炉之必要。今日的新古典学派,已大受凯恩斯学派(Keynesism School)的攻讦,几乎驳得体无完肤。凯恩斯的大著《通论》在欧美固纸贵洛阳,而在中国亦大受我国学者的欢迎,论坛上一提到凯恩斯的言论,几乎无人不奉为金科玉律。以时代而论,《通论》代表时代的新思潮,吾人不能不读;但以空间而论,它是根据英美的情形而写的,与中国的情形可谓风马牛不相及。故此书适用于研究高等经济学者,而对于初学者,不但不适用,亦不能用,更不宜用。兹将《通论》的轮廓述之于后,以觇其是否于中国有用。

一、《通论》之轮廓与凯恩斯学派之主张

(一)不自愿失业之存在

凯恩斯氏之名著《就业、利息和货币通论》,出版于1936年,因资本主义国家的失业问题解决至感棘手,故氏从事于就业、利息、与货币等问题之研究,其关系为全部的,非限于任何一部分失业问题之解决,故自称其书为通论,希望资本主义国家均能得其理论之助,以达充分就业之目的,使不自愿之失业(Involuntary unemployment)没有存在。盖失业问题之所以严重,因不自愿失业者太多故也。自愿失业问题,无关宏旨,不加以讨论。譬如本书著者本人,不愿在大学任教,系本人自己之决意,必已熟筹慎虑,方愿辞去教职,自无问题发生。若因被迫失业,生活不能预筹保障,问题就大。凯恩斯因批评正统派,不免得罪其老师马歇尔氏(Prof. Marshall),此时马歇尔氏虽已逝去,而其卫道之门人如知名之庇古教授(Prof. Pigou),即以其违夫子之言,起而反诘。马歇尔氏对于古典派之学说有所修正,故后人称他的学派为新古典派(Neo-classi-

3

cal School);然有若干点,仍继承古典派之余绪。古典派以充分就业为前提。据萨伊氏(Say)的说法,供求自趋于平衡(Equilibrium)。譬如甲产米,乙产布;甲的供就是米,乙的供就是布;甲以米供乙,乙以布供甲,无异甲以米求换乙的布,乙以布求换甲的米。故两方之供求必趋于平衡,决无失业之理,而古典派的学说,即假定充分就业以为前提。不料凯恩斯的异军特起,对于古典派这个假定,猛予攻讦。他以为资本主义国家的经济,以不充分就业为常态,充分就业是例外;供求双方势力,非必常能相等,因不自愿之失业者,几于无时不存在也。

(二)生产投资与储蓄

人民之所得(先是实物所得)来自生产,能生产才有所得。所谓生产,在资本主义国家,是指劳动、资本、土地、与企业四种要素合作而言,生产之结果为实物。若以此生产之实物,直接分配于参加生产之四种人,即成此四种人之实物收入。此项实物,一部分供消费,一部分供投资。如农夫生产谷子,除供本年度食用外,酌留一部分作明年之种子,以供明年再生产之资本(投资)。唯实际上之分配,常借货币为媒介,参加生产者之所得为货币所得;所得之用途,不外两端:1.支用,2.储蓄。支用是为消费;储蓄是为投资。如下图所示(见下页):

第二图之货币所得,就等于第一图之实物所得。假定参加生产者支用货币所得五分之四以购买实物,则他们的货币所得减少了五分之四,社会的实物亦必比例的消费了五分之四。不过,就货币言,称之为支用(Expenditure),就实物言,称之为消费(Consumption),二者在表面上是二桩事,实则一也。其余的五分之一

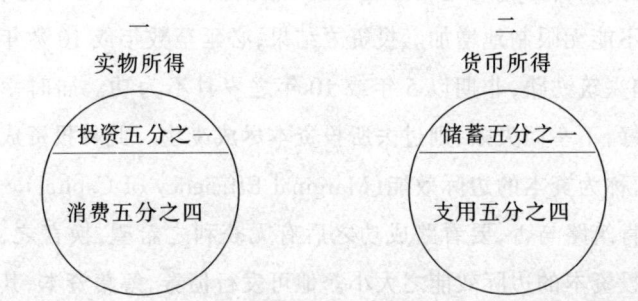

一	二
实物所得	货币所得
投资五分之一 消费五分之四	储蓄五分之一 支用五分之四

的货币所得,作为储蓄,则投资者所投之资,亦必使之等于这个所储之数——五分之一,故实物上的五分之一要使之等于货币上的五分之一。如投资少于五分之一,则剩余下来的实物,等于废物,陷于生产过剩,货弃于地的状态,物价必跌,生产之企业家不免亏本,工厂倒闭或歇业或减少产量,则工人之不自愿失业者更多。故问题的关键,在使投资等于储蓄。但在资本主义,生产高度发达的国家,欲使投资等于储蓄,是一桩不容易的事,何以故,请看下节。

(三)边际消费倾向与资本的边际效能

参加生产者之所得愈多,其消费率将愈小。如月得千元者,支用800元,储蓄200元(省2成);月得万元者,不会用8,000元,省2,000元,或仅用7,000元,省3,000元(省3成);月得10万元者,或用6万元,省4万元(省4成)。因此我们可以得出一个结论——即所得愈多,支用(即消费)之数额虽仍增多,而支用额(即消费额)对所得额之比例则有减少的倾向。换言之,支用额之绝对数虽增加,而相对数则减少。此种趋势,称为边际消费倾向(Marginal Propensity to Consume)。故所得多者,消费倾向减少,即支用数额减少,而储蓄数额比例的增多。结果社会愈富,消费有相对地减少之趋势,储蓄有相对地增加之趋势,愈使投资不易等于储蓄,因为投资不能无限制地增加。投资之结果,必延至数年或10数年之后;例如兴筑铁路,非期以5年或10年之岁月不为功。届时幸而成功固好,不幸而失败,则过去所投资本尽成废物。此种投资成效之大小,称为资本的边际效能(Marginal Efficiency of Capital)。企业家之肯筑路与否,要看路成功之后有无获利之希望,换言之,要看他所投资本的边际效能之大小。他可发行债券,筹集资本,其利率如低于预期之资本的边际效能,尚合算,否则不合算。美国的凯恩斯学派,甚至说美国的经济发展已达饱和点,投资的门路已绝,足见资本之边际效能很低。凡比较有利之事业,皆已投资尽净,故欲推进投资,必须另有办法。

(四)利率政策

资本之边际效能既低,势必降低利率,方可促进投资,且必须使利率降至边际效能之下,方有利可图。中国资源丰富,投资之机会甚多,资本之边际效能必甚高,但利率亦甚高,故一社会之投资为资本之边际效能与市场利率所限制。如边际效能与市场利率相等,投资即不能推进。此为投资之关口,凯恩斯称之为瓶口(Bottleneck),犹水已装满至瓶口,无法再加矣。故欲推进投资,只有两个办法,非将技术水准提高(边际效能提高)即将利率降低,俾储蓄者与投资者易于接近。

(五)储蓄者与投资者是两个不同之人

从上面看来,问题之焦点是如何使储蓄等于投资,因储蓄者与投资者在资本主义国家,往往是两个不同的人。储蓄者未必能投资(例如经营企业),投资者未必自有储蓄,即有或亦不足够,于是设法募集巨资(向储蓄者借款)。但两人之目的并不一致,储蓄者的目标在利息,投资者的目标在利润,其利害是不一致的。

(六)公共工程与赤字预算

倘吾人能把技术水准提高,资本之边际效能仍可提高,如机器之生产力加大,以同一时间同一劳动而能产更多之实物,与更多之收入。市场之利率如不跟踵提高,投资之机会自可增加。倘技术水准不能提高,私人投资无利可获,唯有政府负起责任,举办公共工程,以维持工人之就业,并能消费过剩之实物。在这种不景气的时期,人人视投资为畏途,人力物力皆无出路,不得不由政府出面来救济市面的不景气,以政府的支出来弥补私人支出之不足,以免除消费不足或生产过剩的现象,兼以救济失业。因此原以收支平衡为原则的财政,至此不能不以赤字预算为准绳。于是在财政学上有所谓"财政新哲学"出现了。虽凯恩斯没有讨论赤字财政,但循他的思路而推展,非至赤字财政不可。

今日英美正在讨论什么叫做公共工程政策,目的在以公共工程为消除商业循环的不二法门。当工商业活跃时期,公共工程必须延缓,以待工商业渐趋萎缩时再行举办。政府的行为,须反乎私人企业之所为,因后者的动机是在获利,而前者则在求安定。

(七)如何达到充分就业(在生产要素流动性甚大之假定下)

充分就业的意义,可以从不充分就业方面反证出来。原来失业可分作不自愿失业,自愿失业,与临时失业三种。如社会在现在物价与技术水准之下,以资本100万元从事生产,假定其边际生产力与利率相等,若中央银行采低利政策,膨胀通货提高物价。又假定工资不变,则工人之实际收入减少。如物价自100上升至130,企业家以为有利可图,或扩充规模,或新设企业,多雇工人,此多雇之工人即为从前之不自愿失业者。现在之实际收入低于从前,此多雇之工人尚愿就业,则从前实际收入多时,彼等岂有不愿就业之理,而事实上竟告失业者,迫不得已也,其为非自愿失业可知。故当物价提高,货币工资不变之情形下,就业工人逐渐加多。此加多之就业工人,即为前此之不自愿失业者。物价如继续增高至140,企业亦继续扩充,就业人数随之扩充。就业工人愈多,即不自愿失业之人愈少,直至最后,物价虽再提高,就业人数已无法再加。企业家欲扩大规模,添雇工人,非增加货币工资不可,而以增加工资的方法所添雇之工人,大抵皆从挖取他处之工人而得,则劳动这个要素的流动性一定很大(Mobility of labor)。久而久之,一国之内,已无不自愿失业之人,即已达到充分就业之境地。故工资开始提高时,即为充分就业之明证,故1.技术不进步,2.物价高,3.工资亦高,4.通货膨胀四者为充分就业时最易并发之现象。以上即为不自愿失业变为充分就业之一说。

自愿失业性质不同,如集体议决罢工、怠工、或其他感情作用,不愿为资本家雇用,而解除雇佣契约,因而失业者,均为自愿之失业。此种自愿失业,无论何时,皆所不免。再如从甲地迁至乙地觅取工作或从甲业转到乙业,不免暂时失业,中间不免闲散。又如因疾病,灾害等之意外事变而发生之失业,均为临时失业。临时失业与自愿失业均无关宏旨,关系最大者,厥为不自愿失业。

(八)在极端资本主义的国家分配不均贫富悬殊为恐慌之最大的原因

美国所最怕的,是有周期性的经济恐慌。自独占事业逐渐兴起,自由经济的领域愈益缩小,生产操在大企业家之手,对于劳动阶级采取榨取和高压的手段。劳资之间分配不均,富人用不了,贫人买不起,因此有生产过剩货弃于地之患。我们在上面已说过,所得愈大的人,其用于消费的比例愈小,这是必然的,因此富人的所得,苦无出路,有钱无法用掉,所以剩余的物资更无去路。至于穷人,他所居的地位适相反;富人用不了,贫人买不起,此皆由于分配不均所致。剩余物资,既无法推销,于是物价跌落,营业亏折,工厂关门,更多工人失业。工人失业之后,他们的购买力愈小,于是物价愈跌,没有关门的工厂也关起门来了。失业者更多,购买力更小,影响了其余不关门的工厂,圈子越弄越大,最后波及银行,因银行放出去的款子收不回来,亦不免于倒闭。美国1929至1933年的大恐慌,竟波及中国和日本,因为美国既陷于恐慌,对于中日的出口货,当然不感兴趣,所以不来买了。

二、凯恩斯的《通论》与凯恩斯学派的主张于中国是否适用？

以上所述的,是完全根据于极端资本主义,高度工业化的英美两国的情形而写成的,以之介绍于中国人民,不啻纸上谈兵,不切实际。我国是一个落后的农业国家,而农业经营几全数为小农经营。无论如何,现阶段中国社会的生存,是寄托在这个小农经营。人民的生活,是植根在农村;不论对外抗战,对内党争,兵员的补充,粮糈的征集,均须仰给于农村。甚至于军器的制造与购置,亦须以农村出产的物资,到外国去交换军火的成器与原料。当然我们的社会要向前飞跃的,决不会停留在以农业为基础的社会形态之中,可是,我们社会的飞跃,不论经济的、政治的、文化的,都要以现阶段的农村社会为基础。

在现阶段的农业社会里面,人民与土地发生极密切之关系,使其乐定居而恶迁徙,尚勤朴而恶游惰,性情稳重而不浮嚣,体格强健,繁衍力强。这几种美德,皆系从农业生活中产生出来的。但从另一方面视之,农业社会亦有种种不利于发展之特性。其最著者,有下列种种:1.农民重传统而轻改革,无以促进社会之进步。2.安贫守朴,少奋斗的精神。3.知识水准低,乏创造的能力。有此各种缺点,社会遂无发展之活力,故从来统治者莫不重农而抑工商,即所以利用此两种相反之性格,竟使农业社会之种种弱点,成为我国经济组织上的严重问题。即在国民心理上,亦形成过于重视农业之普通观念。对今后工业之发展,可发生消极的阻止作用。但我们欲改农业社会为工业社会,亦当循序进行,不能一蹴而几,不能以西洋最高最新的学说来应用于中国。

兹就以上所述各点,分别予以批评如下:

(一)中国农村中无所谓自愿失业与不自愿失业之分

中国的小农经营与英美的工商业经营,性质大不相同。在中国的小农农场,经营主偕其家人躬亲耕作,以雇工从事耕作者为数不多。据卜凯所作中国土地利用调查,我国耕地约有93%属于私人领有,其余7%属于政府,教育团体,慈善团体,寺庙,宗族等单位。农地并非完全属于农民,有一部分属于非农业之人民;而全体农民中领有土地者,亦仅限于一部分。据估计,我国农户中自有土地之自耕农,约占46%,全无土地而佃地耕种之佃农,占30%,自有兼租入土地之半自耕农占24%。可是无论自耕农,佃农,与半自耕农,资力薄弱,田场窄狭,多赖家庭劳工耕作,雇工无多。雇农亦为无地农民,我国雇农户数约占乡村住户总数1.57%。由此可知我国农场中的劳力主要由家庭分子自行供给,经营主与劳动者结为一体,无所谓自愿失业与不自愿失业。

(二)储蓄者与投资者在中国农村中同是一个人

在英美资本主义国家里,因储蓄者与投资者是两个不同之人,他们的目标不一致,前者的目的在利息,后者的目标在求利润,故二人的利害亦不一致。故欲使投资等于储蓄,确是一个难解决的问题。如投资少于储蓄,则剩下来的实物,等于废物,陷于生产过剩,货弃于地的状态,企业家不免亏折,劳工不免有不自愿的失业。但在我国的农村中,储蓄者就是投资者;农民所生产的,以谷类为主,一部分供家庭的消费,或另有一部分供出售,还有一小部分作明年之种籽,以供明年再生产之资本(投资)。即以肥料而论(亦是资本之一种),如人便牛粪猪粪,皆是他的家庭所自储的,用不着向他人去买化学肥料。职是之故,凡高度工业化的国家要减低利率使投资踊跃,或由政府举办公共工程等种种学说,皆成废话。

(三)边际消费倾向与资本的边际效能

我国农耕兼采粗放与集约两种方式,普通大农经营采前一种方式,小农经营采后一种方式。我国的农耕,既是小农经营,自用集约耕种,不过我国耕种的集约为劳力的集约,非资本的集约,因农家在一定地面上投施人工虽多,但于帮助人工工作之设备每嫌太少。英国农学专家汤纳(R.H.Tauney)先生,战前曾来华研究我国小农问题,亦谓我国农业为"投资不足,投劳过多"(Undercapitalized and overmanned)。我国农耕所以采此方式者大抵由于地少人多所致,非对此有限土地作较高程度之利用,难以供养,足见中国之资本有很高的边际效能,有利之事业,到处皆是,只患资本不足,何患资本已无可投的门路。此与美国的经济发展已达到饱和点的情况,大不相同。

至于边际消费的倾向,在高度工业化的国家如英美两国,消费额对所得额之比例,有减少之倾向,储蓄额对所得之比例,则有增加之倾向。但中国之情形适相反。据卜凯战前调查华北及东南六省农家之结果,平均每一农户全年之生活费用仅有228元。此项费用之用途分配,食物一项约占60%。又用于食物、房租、衣着、油灯燃料四项生活必需用途者共占83%,用于其他用途的只占7%。用于生活必需消费之部分甚多,即表示农民生活程度特低,因费用于满足必需消费者愈多,即余下可资作其他高等文化享受者愈少也。在此情形之下,如能设法增加农民之收入(所得),则用于其他高等文化享受者(如儿女学费等)必随之俱增,消费额只有增加,一时决无减少之趋势。

(四)利率政策

在极端的资本主义国家里,因资本之边际效能很低,势必降低利率,方可促进投资,且必须使利率降至边际效能之下,企业家方有利可图,因企业家之目的在谋利润。我国之农业经营,与农家之生活,有切身利害关系,其目的与其谓为在于谋利润,毋宁谓为在于求生存。即令农场无利润可获,甚至遭受损失时,亦恒继续经营。此在各地乡村殆为常见之事,良因人多地少而工业又不能容纳,农民除务农外殊难另觅谋生的出路,故农业经营虽无利润,究仍可取得低微收入,勉图养活,决不能如资本主义国家之企业家,一旦无利可获,即相率停业,致使不自愿失业之人数增加。

(五)生产要素的流动性与充分就业

我们在上面说过资本极端发达的国家如何达到充分就业的目的。企业家以增加工资的方法添雇工人,而所添雇的,大都皆从别处挖来,则别处的劳动者一定可以自由迁移,方可被挖,足见劳动这个要素在英美却有流动性。但此不能求之于中国。中国的小农以农耕为惟一谋生方法,舍此很难另觅职业,其经营农场,富有黏着性,即遭遇亏折亦恒继续从事而不离弃。至于自耕农则自有小地产,更不愿轻易迁移。且在家庭农场制之下,农场与家庭结为一体,家人同在一处工作,特富人生乐趣。家庭农场亦可令全家人工悉得工作,不必远离家乡另觅职业。可知劳动这个要素在中国富有黏着性，无甚流动性。全家人工既得工作，无所谓自愿失业与不自愿失业，既无失业，亦无所谓充分就业。

资本主义国家之大农经营，类能应经济情势之变化而伸缩其生产。遇农产价格腾涨，经营利益提高时，则扩张生产；遇价格跌落，利益降低时，则予收缩，此大农经营之利也。其弊则在雇工之有增减。我国小农既以农耕为惟一谋生途径，即遇经济情势逆转，亦难收缩生产，虽少顺应经济变迁之能力，然终不致于失业。

（六）分配不均贫富悬殊

我们在上面已说过，在极端的资本主义国家里，分配不均，贫富悬殊，是恐慌之最大的原因，因为生产操在大企业家之手，对于劳动阶级采取榨取和高压手段。结果，富人用不了，贫人买不起，以致发生恐慌。但在中国的广大农村中，情形又不同了。中国的分配不均，不在劳资之间，乃在地主与佃户之间。我国之农业经营为家庭农场；在租佃农场，土地，资本，劳力，与组织管理四种要素之供给者，为地主出土地，为佃户出资本，劳力，与组织管理，故其所得之分配实为地主与农户之两股分配。如在自耕农场，则此四种生产要素，悉由经营之农户自备，农场所得，全部归于经营者所有。此与在资本主义之大农经济结构中，农业系由资本家租地雇工经营者，大不相同。在它国，资本家是中心人物；在我国，地主是显著人物。但地主只出土地，不出资本；低利政策与他无关；增加工资，使分配稍均，更与他无涉。今日各处所行之二五减租，倒是对症良药，因为我国小农地租受习惯与契约之支配，不如资本主义之大农经营以竞争为重要因素。因有竞争，所以地租能紧随经济情形之变化而自动地涨落。我国之小农地租，因受习惯与契约两种势力之支配,非用政治力量以改善之,无法使其低落。所谓阶级对立,是在地主与佃户之间,不在资本主与劳力之间。

(七)恐慌

我们已说过在高度工业化的资本主义国家中,因贫富大相悬殊,富人用不了,贫人买不起,恐慌逐步地蔓延,最后波及于全国,以致影响全世界。在中国农业经济的现阶段,这样的恐慌,决不致发生。因经营的主要目的在求生存,不在谋利;即遇经营不利,亦恒继续生产,不能收缩,亦不肯收缩。在资本主义之工商业经营,当经济情势逆转时,必行收缩以免亏折,因此引起失业与恐慌,此其一。

我国农产供农家自己消费者占一大部分,其剩余部分之运销,普通又多以产区附近为范围,一般农民皆在本地市场中出售,甚少自运远地销售者。合作运销在战前曾有少数地方试办,以棉花运销较著成效。此项工作,仍待发展,但只限于国内,输出国外者只占少数。良以生产以粮食为主,此为国内众多人口生活所仰赖,自必就地供给人口之需要,不致多运远地。农产运销之地域范围既不广泛,即遇国际贸易阻绝,或国内各区域间货物流通遮断,亦不致使近产销售遭受极严重的打击,农业经济受害不致甚大。证诸连年外战与内战之经验,似与此种论断相符合,此其二。

在物价跌落时期,容易发生不安的现象,无论何种企业,皆受打击。但我国农场生产供家庭消费之部分颇大,且农工多为家工,故受物价与工资跌落之影响大大地减少,此其三。

中国可说是天然的农业国,幅员很广大,气候土壤在全国各地颇多不同。即在同一地方,因季节之不同,气候和雨量的差异,所生产的农作物种类很多。为适应各种不同的气候,不同的土壤,以及不同的雨量,即食粮的种类亦有数十种,其中最著者有稻谷、小麦、大麦、荞麦、高粱、玉米、粟米、大豆、黄豆;其中小麦为北部及西北部人民的主要食粮,稻米为南部及西南部人民的主要食粮。其余各种粮食作物,我们概称之为杂粮。在主要食粮生产不足的时候,或在主要食粮不能生产的地方,人民都食杂粮,其营养价值不亚于稻米和小麦。所以人民所需要的食粮,都可以不必由市场购买,而由其自力供给。吾谓地域维持着自给自足状态,即此之故。因此在战时,我们不必作全面的供应,也不必采用计口授粮的办法,以作彻底的分配管理,只要能够使都市消费区民食的来源不致缺乏,决不至发生粮食的恐慌。

中国农业经济之所以能自给自足,还有一个大原因。不但生产食粮的种类很多,即各种食粮收获的季节均不同,加以中国农民异常耐劳,在主要食粮耕种之前,或收获之后,多兼种其他杂粮。所以大多数的土地,每年都有两次以上或两种以上的收获。因此在全中国境内,差不多一年四季,无论在春季,在夏季,在秋季,在冬季,都有不同的粮食收获。即不幸某个时期有水旱虫害等灾害发生,其影响只及于一种或数种食粮,和一个或数个地方,不会演成全面性的歉收与恐慌。

我们知道在平时广东天津上海等大都市,每年有若干担洋米,或若干担洋麦输入,但查其数量,不过等于全国粮食产量百分之一,而且大部分还是因为平日吃洋米的习惯不易改移,或因为海运较便,并不是因为国内绝对没有方法供给。粤汉路通车之后,湘米推销于广东,大大地减少广东进口的洋米数量。即此一端就足以证明中国人的食粮,不必仰给于外国,此其四。

在高度工业化的国家,由于生产力的加强,和生活水准的提高,一般人的购买力,大都用于购买有高度弹性的奢侈品;无弹性或弹性甚少的必需品,在全部支出中,只占全部费用的小部分。反之,在中国无弹性或弹性甚少的必需品,则占全部费用的极大部分。高度弹性的奢侈品变动甚大,常受经济衰荣的影响,而无弹性或弹性甚少之必需品则不易受到影响。结果在英美等国,由于消费者费用的波动增加了他们经济的不安定性,在中国,因为奢侈品费用在全部支出中占了微不足道的成分,起不了什么作用,足以增加经济的安定性,此其五。

以上五点是农业国家如中国者不会遭遇恐慌之原因。

(八)公共工程

在极端的资本主义国家里,在不景气的时候,人人视投资为畏途,人力物力皆无出路,不得不由政府出面来救济。但当工商业活跃时期,公共工程必须延缓,以待工商业渐趋萎缩时再行举办。这种说法,在理论上是合逻辑的,不过在中国实行起来,困难重重。在中国百废待举,没有一桩大规模的工程,可以随举随停的;最重要的工程,莫过于运输与交通,水电与水利(尤其是治河)。试问哪一种可以在商业繁荣时保留下来,以待补充工商业衰落时之不足?

(九)赤字预算

要举办公共工程,在财政上就要破坏收支平衡的原则,势必走上赤字预算的道路。在英美,固可以利用公共工程之自偿力以收回公债,于财政上不致发生危险。但在中国,当政治不上轨道的时候,这个方法,施行起来,含有极大的危险性。不要说政府直接参加投资,即政府对农工商所做之贷款,已足以造成通货的恶性膨胀。政府直接参加投资,予贪官污吏以搜括侵蚀之机会,间接向农民投资(详下),予土豪劣绅,地痞流氓以囤积居奇之机会。在英美赤字预算或可产生有自偿力之生产事业,于国民有益。在中国赤字预算之运用,造成人力物力之浪费,徒饱私囊,未裕国帑,害多而利少(详见审计监督一章)。此皆由于政治不上轨道之所致也。

今日我国所施行之财政政策,采取积极的干涉主义,就是"用财政力量推动金融发展;再用金融力量,扶助经济建设;再基于经济建设之推进,充裕财政,奠定财政之基础,不啻将财政、金融、经济打成一片"。美国罗斯福总统的新政策,是用政府的力量与信用,发行公债,投资于公共工程,使国民所得增加,国家经济繁荣。可是公债的作用,在吸收社会的积储(在今日的中国,称为游资)用之于生产事业;而这种事业,皆自有清偿之能力。国民富裕,税收增加,公债自易收回,故政府以财政的力量,推动经济事业,有利而无害,或利多而害少。这样的干涉政策,是很适应时代之需要的,但不能说可以推诸四海而皆准。若以之原封不动地移之于今日的中国,则其结果,决不能如吾人之所预期。中央预算上往往编列大宗救济经费,以扶助人民与经济事业。此项救济费的支出,有直接间接两种。直接的救济费,即发放于被救济者,不再收回。间接的救济费,是采取贷款方式,接受救济者,仍应将资金返还于政府,不过利率较低,期限较长而已。政府办理此项贷款,普通都是委托于银行代办,因银行处理贷放,比较专门,其效率自较一般机关为高,而委托办理,费用亦较节省。至银行方面,承受委托贷放,其贷放资金可与其原有资金统筹调度,以增强金融力量。此即所谓"用财政力量,推动金融发展"者也。

所谓银行,就是国家行局,而国家行局所贷放之资金,并非自民间吸收来的积储,亦非国家行局吸取来的存款,乃是出于印刷机的转动。这样,只有加强通货膨胀的程度,使市场筹码加多,物价上涨,与政府推行干涉政策的目的适相背驰。另一方面,接受贷款者所获得的利益,由于物价的急剧上涨,正当生产预算不能确立,生产无法推进,所谓"再用金融力量,扶助经济事业"之计划,完全落空。除囤积原料借获不当利得外,于事业基础并无补益,故政府舍放任主义采干涉主义的后果,徒使少数企业者苟延残喘于一时,对于生产本身起不了什么作用,徒然养成那些边际以下企业的依赖性。边际以下的生产事业愈多,社会的生产要素愈被他们劫夺以去,边际生产力自然降低,社会物资的总产量反而因之减少。同时,在此物价剧烈波动的时候,生产事业因资本的有机构成高,资金周转率缓,其利润率远不及商业部门,而比较投机所得,更是望尘莫及。甚至许多企业往往在产品出售之后,所得货款,不足以购进原有同等量之原料,反不如囤积物料以待善价而沽之为愈。在此情形下,国家行局贷出之资金,是否真正流入生产部门,从事生产,真是一大疑问。政府贷款但求其不助长投机,影响物价,已经是难能可贵的了。如满以为"再用金融力量,扶助经济建设"以促进生产,未免是太天真的想法。所以"用财政力量推动金融发展",徒使金融益加紊乱,通货益加膨胀。欲"再用金融力量,扶助经济建设",结果反使经济转形萎缩。所发展的,只是货币的流通速率,所扶助的,只是臃肿的虚资本。这是把外国的理论原封不动移用于中国的结果。譬如一年一度的农贷,已成政府重要庶政之一,但是否真能嘉惠农民,不无疑问。且物价飞涨,游资泛滥,农民资金是否先转入市场,参加投机,兴风作浪,实堪密切注意。历来从农

贷发生之主要弊端,可归纳为下列数项:

1. 贷款机关于选择贷款对象时,往往不甚注意,以致多数资金流入土劣之手,作为个人升官的政治资本,使农贷增加生产作用的意义尽失。

2. 土劣得到之后,可作为转手贷与农民的高利贷资本,使农贷发生加深农村盘剥的作用。

3. 亦可离开农村汇入都市而做成囤积居奇的投机资本,不但丝毫无裨于农业生产,或农民地位,且为物价继涨助长威势,益使社会经济入于更不稳定的状态。加以农贷的数目不小,三十七年的农贷总额定为15万亿,但闻贷款的方式是尽可能采用实物贷放的。

或以为如此虽不能有利于农民,但可协助政府掌握物资,以平抑物价。2,000万亩的粮食和1,000万亩的棉花,既经政府贷款,借得粮贷或棉贷者,到还款限期,就须按照其所借,将亩数应有的产量的粮食或棉花,存入指定仓库,再由政府贷以农仓贷款。俟此农仓贷款满期时,即须将所存入的粮食或棉花卖给政府,政府掌握此大量粮食棉花,即可作平抑物价之用。但这一问题,须分两层来说。第一大量收购物资,未必是平抑物价的办法。我们只要看每一次粮价飞涨,总是粮食大量收购的结果,就可知道。先大量收购,刺激物价上升,然后再设法加以平抑,则又何必多此一举。此即赤字预算之结果。

三、结论

本书所讲,是中国的财政;中国的财政,是赤字财政;而这个赤字财政,一部分可归因于外国学说原封不动地移植于中国的结果。

综合以上所述,可知凯恩斯的大著以及凯恩斯学派的学识移植于我国,实有格格不入之弊。外国的名著,固有阅读之必要,但比较外国经济名著更重要者,实为中国本国的经济事实与现状。我们应就本国经济实况,参加学理,加以整理,得出一个轮廓,使读者一目了然,并指出其症结之所在,俾执政诸公有所参考,或有所依据。若再就与本国社会环境与历史背景毫无关系之外国学说加以详尽的讨论与争辩,实是一种精力与时间的浪费。著者谨本斯旨,写此一书,名之曰《财政学与中国财政》(理论与现实)。

是书于三十七年七月初旬始脱稿,九月间即出版,其所以如此迅速者,半由于得助于商务印书馆经理李伯嘉先生之督促印刷,半由于得助于中华工商专校学生汪君士信、吴君明霓(女)、朱君彤芳(女)、吴君月明(女)、任君菊龄(女)、沈君燕萍(女)、徐君志康、汪君迪元、陈君永宽、黄君祖舜、王君兆和、李君秀瑛(女)、徐君式枚(女)、吴君修沛(女)、张君文传、程君明福、王君炎庠、王君化彬、邱君盛周、姚君文言、萧君涌祥等之分头担任缮写与校对,用志数语,以表感忱。财政评论社许性初先生与中国经济研究所方秉铸先生源源接济参考资料,亦为是书完成之一因,用并叙及,以志谢忱。

第一篇

超然主计与联综组织

第一章 预算之编制、核定与审议

一、预算统制与主计三联制

何谓预算统制？这个问题富有兴趣。所谓预算统制，就是预测国家全部的行政活动，造成一个以数字表现的事前计划，作为指导，监督批评一切行政活动的有效工具。本来在复杂的日常生活当中，自然而然会需要一个事前的计划前来作未来生活的准绳。这种事前的计划，当然包括预测的成分，因此不独国家行政需要有预算，就是其他包含复杂生活的地方，亦莫不需要有预算。不过在产业未曾发达的时代，预算制度先被国家所采用，直至20世纪以后，资本主义的社会，渐渐发展与成熟，大资本主义与大规模经营主义次第出现，于是产业界中便痛感亦有采用预算制度的必要。

但预算统制，应以正确而有力的预计数字为前提，任意的估计数字，决不会发挥统制的功效。所以预算统制的能否得用，全视预算数字的正确与否为依归，而如何求得正确的预计数字，便是预算统制最大关心的事件。因此预算统制的第一个条件，就是预算数字与实际数字的比较与研究，必须要有定期的会计报告，分析预算数字与实际数字的变动情形，作为修正预算或拟定下年度预算的张本。实施预算统制之时，对于报告书中的变动分析，颇为尊重。依应用科学的原则，凡有变动发生，便应探究其原因，而将原定预算设法加以纠正。

预算根据正确数字编成之后,其运用的过程,可以划分为三步:1.就是预算的编制,所谓岁计是也。2.预算的执行,而执行必依赖会计。3.预算的考核,而考核非有统计不可。岁计会计统计三者相互关联,不可或分,其因果关系,有如连环,即统计产生岁计,岁计产生会计,会计又产生统计。预算的编造,乃是预算统制前半部的重要事项。预算编造的良否,关系于预算制度的命运甚大。如果预算编造发生错误,那末预算统制便会失其功效,必须根据统计资料编制施政计划;根据施政计划,编制预算;根据预算,办理会计,根据会计记录,制造决算报告,因以产生统计报告;再根据统计报告,察知政事之进展,再编造施政计划及预算,此即所谓主计三联制。所以编制预算,应以事实作为根据,即是基于过去的实际数字。同时几年当中的统计数字亦很重要,因为根据这种统计数字,不但可以考核施政之成绩,并且可以明白未来的趋势。由会计部分得到了实际数字,再根据统计所得的未来趋势,增减修订,便可获得合理的数字,以为决定施政计划及编制预算之基础。所以岁计、会计、统计三者必打成一片,不能须臾离也。此种相互关系,亦有称之为三计之连环性。职是之故,为使预算数字与会计上实际数字比较方便起见,预算科目的分类及其名称,应与会计科目的分类及其名称,相互一致。

不过话又要说回来,编制平时预算,则以上所说的,都是有力的根据,必须遵守的。但一到了战时,因物价波动及战局演变的关系,这个办法,就不适用了。参照前年度的决算,与上年度的预算,而编制预算,在平时欧美先进国家,多是如此办理的,因为平时政治上的变动少,依据前年度实际收入或支出的数额编制预算,比较正确切实。但到了战时,一年前的决算,事实和最近情况大不相同。这时决算数字,在编制预算时的重要性,就降低了不少。

二、预算的编造与统制仰仗于会计统计的地方

预算是事前提出的估计数字,惟这个估计数字,并不单是数字,乃是以事实为根据,这是预算制度的铁则。所谓以事实作为根据,即系基于过去的实际数字,编造预算,而这种实际数字,是由会计部分供给的。同时几年当中的统计数字,亦很重要。根据几年当中的统计数字,可以明白未来的趋势,而会计部分的数字,则可表现以往的活动。由会计部分得到了实际数字,再根据统计所得的未来趋势增减修订,便可编制合理的预算。我国古代亦知利用会计统计之方法,以推定不可预知之数字。周官王制"以 30 年之通制国用",所谓 30 年之通,就是 30 年之平均数也。所以要实施预算的统制,必仰仗于会计统计的帮助。估计数字,经过预算委员会审议修正,成为正式预算之时,即可作为统制活动的标准,用以测量财务活动之能率。这个预算,可以指导公务人员发挥团体的精神(Esprit de Corps),援助部门之间的协调化,借收预算统制的效果。

预算编成以后,预算统制的工作就马上开始,须由各机关之公务人员,协同最高主管人员,努力于预算的执行。实施预算统制的时候,公务人员的同心协力,当为必要,因为预算统制的本身,不是自动的统制工具,同时预算统制制度,亦不能单独自动统制。若要预算统制发挥其功效,必先使各关系人员明了预算的内容。各机关公务人员对于本部门的预算了解后,便可考虑执行的方法,努力以求其完成。公务人员有了努力完成的目标,加以预算又系基于

过去的事实而编成,执行得宜,自然变成协调化。

三、决算的成立亦仰仗于会计与统计

不过公务人员对于预算是否努力去执行,还是不得而知,所以必须将预算数字与实际数字比较研究,方可求得差异分析。这个实际数字,只有会计部分可以供给;所求得的差异分析,可以使吾人明白预算的执行,已达到了怎样的一种程度,便可完成有效的统制。但预算数字与实际数字比较研究,在预算执行当中,应该要迅速办理,如果迟迟推行,必会减低预算统制的功效,因为在预算统制当中,对于原定预算的修正,在预算年度中,一定要办到。如果比较研究迟迟进行,变动分析便不能依限求得,决算亦无成立的希望,欲编造下年度的预算,困难自多。所以关于预算数字与实际数字比较研究的报表,可以将预算期间分为若干较小的期间,按期提出于预算委员会。如采用 12 个月为一预算期间,似可每二三个月提出一次。在预算委员会定期开会的时候,最高主管长官便可依据表列的预算数字与实际数字的差异,追究其根源,判明其理由。这个以相互比较所求得的差额,可以用百分比率,表现出来,于必要时,尚可用图表的方式,详细说明变动的关系。

依理想,预算数字与实际数字应该一致,但是理想终究是理想,在复杂的社会中,若要两数不差毫厘,实不可能,尤其是性质上不易预测的事业,更是如此。不过两数发生差异以后,不能听其自然,必须将两者的差异分析研究。如果数额较小,即表示预算统制相当成功;如果数额较大,便是不得成功。必须以决算与预算相比较,方可知其成功与不成功。如不成功,应即基于特殊的原因,将原有科目的数字,于编制下年度预算时,加以更正。这一种差异,不论其大小,都应仔细考究其原因,以得合理的说明。所以预算考核有两重目的,一是变动分析,一是预算修正,而变动分析,是预算修正宝贵的资料。

四、五种会计与五种预算

我国会计法规定,政府会计分为五种:即总会计、单位会计、单位会计之分会计、附属单位会计、及附属单位会计之分会计;而依预算法之规定,预算亦分为五种:即总预算、单位预算、单位预算之分预算、附属单位预算、及附属单位预算之分预算。查会计与预算分类相同的原因,大抵由于预算统制的进展,仰仗于会计部分帮忙的地方甚多。会计部分可以供给有关过去财务活动的数字。同时预算统制,必须依据报告书表上面以预算数字与实际数字比较研究的变动分析,作为修正原定预算的基础。这一种报告书表的编造,亦系会计部分的力量。为使预算数字与实际数字的比较研究方便正确起见,预算科目的分类及其名称,应与会计科目的分类及其名称,相互一致,所以实施预算统制之时,必须具有健全的会计制度。由此可知预算统制,若要收得其功效,必须要使预算与会计紧凑配合,成为一个整齐完备的制度。

总会计者,为各级政府之会计,所以统制记录而产生综合报告者也;换言之,总会计系将各级政府会计事务,作综合统驭之记录。依会计法之规定,中央、省、县各级政府之会计,各为总会计。故我国总会计有中央总会计、省总会计、县总会计三级,所有中央政府、省政府、及县政府之下,所隶附之单位会计、附属单位会计、及分会计等,均分别由中央总会计及省或县总会计加以统驭综合。故一级政府之总会计,应包括该级政府财务活动之全部。

单位会计有两种:一为在政府总预算中有法定预算之机关单位之会计,一为在政府总预算中不依机关划分而有法定预算之特种基金之会计。法定预算云者,谓在政府总预算中有独立表示者而言。现制中之总预算分款项目三级,则凡在总预算中列为一目者,即谓有法定预算者也。机关单位云者,指本机关及其所属机关之全体而言,无所属机关者,本机关自为一机关单位(如立法院)。本机关为该机关单位之主管机关。特种基金云者,谓已指定特种用途之基金。预算上称基金者,谓已定用途而已发生或未发生之金钱或其他财产。岁入之供一般用途者,称普通基金,其供特种用途者,称特种基金。是故凡在总预算中,占有一目之机关单位,或特种基金,其自身之会计,即为单位会计,以其直接构成总会计下一个单位也。附属单位会计,多指公有营业机关及公有事业机关之会计而言,亦有两种:一为各级政府或其所属机关所附属之营业机关、事业机关、或作业组织之会计。此项作业组织,或公有营业机关,或公有事业机关,无论其为政府所直辖,或为政府机关所直辖,其会计均为附属单位会计,以此项会计之性质与前述之单位会计迥不相同也。为各机关附属之特种基金之会计,亦为附属单位会计。是以各特种基金,除构成公有营业机关,或公有事业机关者外,其在政府总预算中有法定预算者,即为单位会计,其在政府总预算中,无法定预算而附属于各机关经管者,则为附属单位会计。因此同一性质之基金,竟因其隶属关系之不同,而属于不同种类之政府会计。如此分类,事实上殊有不便,因为无论就预算之编制言,或就会计处理方法言,附属单位会计与单位会计之间,均有甚大之区别。因此附属单位预算与附属单位会计意义不同，为求一致起见，似应依照预算法之规定，将会计法予以修正。

附属单位会计下之会计，为附属单位会计之分会计。单位会计下除附属单位会计外，均为单位会计之分会计。

五、办实物预算亦非有统计不可

统计之重要，尚不止于此，有时要做一桩事，因统计数字的缺乏，就无法着手。他事不必说，只说若干人士所说的实物预算。数年以前，舆论的重心曾一度移转于实物预算之编制，就是编制预算，应以实际上所需要的实力数量为基础，否则在通货不断地膨胀时期，所编的预算，虽不能说是绝对不正确的，但按诸实际需要是决不相吻合的。物质预算（Material budget）先行于苏联。十年以前，日本政府为切实了解国内消费数量及统制进口物品起见，曾竭力仿效苏联之编制预算方针。我国在抗战期间，物价涨风，几无止境，对于预算之执行，发生极大之困难。因此论者颇多主张实物预算，以所需各种实物之数量，编列预算。我国中央考核机关，因钱币预算不能适应，曾有"应注意实物预算人工预算"之指示，似不复以货币价值表示，免受物价之影响。中央主计机关于办理三十一年度总概算期间，曾通知各机关，于编概算时，并附送实物数量表，作为审编总概算时之参考。在编审三十二年度国家总预算办法建议中，对于实物资料之征集，更有详细的叙述。编制实物预算之主张已见诸实际者，则有岁出概算实物数量表之编制，可为实物预算之具体表现。但理想终究是理想，很难成为事实，因为实物消费数量在过去，并无完全的统计可作为依据，尤其是军需物资和建设，器材的估计是一种极繁重的工作,没有统计,欲于极短期间内求得一合理的数字,以为编制预算之根据,在技术上都感觉到万分困难的。只得在岁入预算方面,稍做一些近似实物预算的工作,就是实行田赋征实政策。嗣后又有"棉纱面粉统税改征实物"的实施。从可知统计之重要矣。惟以政府掌握之实物,尚属无多,其较为普遍者,仅有粮食一种,其所需之劳力物力,仍须以货币为重要支付工具。所谓岁出概算实物数量,大致亦以粮食为限。此项实物数量表,所涉范围既狭,故只能作为概算之附件。至概算本身,则仍以货币价值表示,而非实物数量表所能替代,是所谓实物预算仅见端倪耳。

依吾人悬想,倘政府所需之一切物资,包括公教人员所需之生活资料,能悉数充分掌握,不虞匮乏,则以实物编制全部岁出预算,并从而执行之,当非难事;反之,政府果有十分充裕之财力,则各机关就其所需之物资,随时调剂其货币经费,以与物价涨风相凑合,亦非不可能之事。所以问题不在实物,乃在实力耳。

六、预算问题的讨论集中于下列三点

预算是国家奠定国基和开拓国运的图本,成为近年来学术界讨论的问题之一。但一考学术界关于预算问题的争论,似乎集中在三点:1.谁编预算? 2.何时编预算? 3.怎样编预算? 关于谁编预算的讨论,大别之则有两派:一派主张预算归主计处编制,另一派则主张归财政部编制。关于下年度预算,应在预算开始施行前几个月开始编制的问题,则很多人主张应将编制的期限缩短,将编制的手续简单化。这两个问题,大半是法律问题,尚易解决。至于怎样编制预算,大部分是技术问题,确是一个值得研究的课题。讨论时可以从两方面着眼,一是编制的原则,一是编制的技术。前者应从大处落墨,后者则应在细密处置重。

(一)谁编预算?(编制预算之权责应谁属?)

我国现行之预算制度,是以预算之职责属于主计处,而主计处则隶属于国民政府(现已改隶行政院),称之为超然主计制度,又称之为我国财政史上的创举。但亦有人主张将编制预算之权交给负财务行政责任的财政部,不宜另设机构,以致权责不清,影响财务行政效能。兹为客观的叙述起见,把双方的意见分析于后,以供参考。

(甲)主张编制预算之权责应属于主计处

编制预算之权责应属于主计处,主张此说最力者,为前立法委员卫挺生氏。他说:"主计机关在中央,必需隶属于负担全部政治责任之机关或长官,在地方,必须隶于省市县负担全省全市或全县全部责任之长官。预算权非仅为普通行政权之一种,乃为决定全部政治计划大权之一种,其权应属于负全部之政治责任者,不应属于担负局部之政治责任者,其理由甚为显明。……美国预算编制与核定之权,全在总统,其预算会计局隶于总统之下,此并世事例之彰明较著者,不可否认也。英国预算之编制,虽在财政委员会下之主计局(Treasury Department),其局长官向来皆以首相在国会内最得力之人员任之,是首相并未完全放弃其决定预算之权;重要题目,自有阁议决定,此亦事例之彰明较著者。……决算表示执行预算之结果,故总决算之核定权,亦应属于负全部政治责任者,因决算之公布,即不啻该负全部政治责任者对于人民所为之成绩报告。责任既由其负担,则事权不应属于仅负一部分行政责任者,其理由亦甚明显。……在主计处成立时,担负全国全部政治责任之机关,为国民政府本身。当时国民政府本身,在组织上,有担负全部政治责任之主席,佐之以共同担负全部政治责任之国民政府委员会(五院之院长副院长兼)。……故当时之隶属,原甚合理。至民国二十一年以后,国民政府改组,国民政府主席为不负实际政治责任之长官,国民政府委员会委员为不负实际政治责任之人员,五院各自对中央政治会议负责,因而中央政治会议为唯一负担全国全部政治责任之机关。但中央政治会议在体制上既非政府机关之一,又不直接对五院发生关系,其一切主张均由国民政府代为宣达或执行,国民政府事实上变成为中央政治会议之事务机关,而主计处又为中央政治会议事务机关中之事务机关。此种政治组织,是否为政治最好组织,其本身自成一重要问题。而在其体制下,主计处仍隶属于担负全国全部政治责任之机关而为其事务组织,则单就主计处论,其隶属当然合理"。

  从以上一段文字,可以知卫氏主张依照现今各国成例,凡共和国家预算机关,多直隶于大总统。依照我国现在政府组织,其地位自宜直属于国民政府。他以为预算关系国民政府五院及其他一切不属于行政院各机关之经费由行政院编造,即为以行政抑制其他机关,于分权之义有所抵触。卫氏并主张将岁计、会计、统计三计合设一总机关,直隶于国民政府。因为编制预算,必须应用会计方面与统计方面所得之结果,故设于一机关内,事务上可多得便利。

  民国十九年国民党中央执行委员会举行第三届第四次会议,全体通过设立主计处议案,目的在刷新中央政治,改善制度,整饬纲纪,确立最短期内施政方针,以提高行政效率。主计处为办理岁

计、会计、统计之总机关,应提高其地位,并扩充其范围,其理由为:

(子)国计关系国政盛衰,故历来良好之政治组织,皆隆重其地位,例如周时赋税征敛,属于大司徒,而制用会计则直隶于冢宰。汉时国家财政,分掌于大司农及少府,而主计则另设计相掌之。英美主计长官亦地位隆重,可见古今中外,均以此为监督财政之要着。按英制计相职,多以首相兼任,或以首相下政府党中最高领袖任之。美制则以反对党之最高领袖任之。

(丑)现今财政部中之会计司,本已将全国会计、岁计、统计事务,合并于一处办理,但殊难收效,其故如下:

1. 其机关隶于行政院之一部,无独立之资格,不能超然有所主张。

2. 其地位太低,不能指挥控制全国各机关之会计、统计行政,而保障其人员;对于全国各机关之岁计案,纵欲秉公增减,亦难免有扞格之虞。

3. 范围太小,不能充分用人,尤不能充分用高才人员,是以其事务只备形式,而无法认真办理。

4. 主计总监部,其地位最高,实权亦大,又可集中人才,由其维持全国各机关会计之独立,指挥全国各机关统计之分办合作,秉公斟酌损益全国各机关之岁计预算,则会计与统计及预算,皆易短期内纳入正轨。

(乙)主张编制预算之权责应属于财政部

以上所述是赞成派的理由。至于反对派的理由,亦十分充分。他们以为编制预算之权,应交给负担财务行政责任的财政部,不宜另设机构,以免权责不清,影响财务行政效能。此派可以王延超先生为代表。兹将其理由叙述于后:

（子）他们首先提及民国十七年甘末尔(Kemmer)顾问团的意见，该团曾拟订关于预算、会计、国库、稽察、审计各法草案及理由书，其中关于预算编制及度支监督，作下列之建议：

1. 设立主计总监机关，其长官由国民政府会议选任，并对国府会议负责，同时当然兼任财政部长。

2. 超然稽察与审计委员会，设主席一人，总稽察长一人，总审计长一人，皆隶属于监察院。

顾问团主张主计总监和财政部长，不但同为一人，并须同时为行政院之一员。现在主计处的规模，比原提案的主计总监部要小。但是这个机构的精神，和甘末尔报告书中的原旨，大有出入，致使主计处和财政部缺乏联系。

（丑）他们发现今日主计处机构本身尚有不少缺点，即主计处仅有汇编预算之权，而无核定预算之权。事实上主计处对于编制预算的职权，不过是一个空名而已。

其次主计处对于预算不负执行管理之责，其责任心未免较弱，往往不免曲徇各机关的要求，使预算数额增加不已，徒耗国帑。主计处既不负执行预算的责任，自然不会顾虑到预算执行时之困难，其责任心当然较弱。

第三，预算编制机关与财政部分离以后，财务行政权就支离破碎而不完整了。财政部既不负编制预算的责任，执行时更可借故推诿，结果，不是双方职权冲突，就是双方互相推诿，以致预算无人负责，不免造成财政紊乱的状态，有预算不亦等于无预算乎？

又有一位著名的财政专家说[①]："英国之财政部长权力，较其

[①] 钱健夫氏著：《财政的一统与均权》，载三十七年二月四日、五日大公报上海版。

他阁员为高,不但审核各部预算,控制各部经费,且有干涉各部行政之大权。我国政治制度虽与英国不同,然财政官署之权力太小,则为无可讳言之事实。盖财政之力量,一方面在推进其他行政,一方面又在控制其他行政,且常有强迫之意味。今日之财政官署,仅为支付机关,对于整个之支出,无法控制,故动见困难,而财政亦不易整理。其在地方,不但亦具此种痛苦,且复受中央之种种限制,本身之力量,莫由发挥。……在地方本身,因财务之审核,另有主计系统,故财政机关对于支出之监督权力至微。今后欲求财务行政之健全,则财政机关对于整个支出,实有先行审核之必要。衡以公经济量出为入之原则,财政机关亦应有此权力,并应随时考核其实际之用途,至少亦应与主计机关、审计机关合作办理。财政机关能明了各项支出之效用与进程,则因应调拨,方有确实之准则。今则财政机关不能发挥本身应有之机能,而审计执行任务之对象,则唯财政机关,重复束缚,即欲作'出纳总科',已不可能。生产者动辄得咎,消费者无人管理,殊非现代财政应有之现象。"

(丙)余的意见

预算统制运用的过程,可以分为三步:1.预算的编造,2.预算的执行,3.预算的考核。预算的编造,乃是预算统制前半部的重要事项;预算编造的良否,关系于预算制度的命运甚大。如果预算编造发生错误,那末预算统制便会失其功效。现在即就预算编造的各项问题,加以一番考察。

以上两派,一派主张预算应归主计处编造,另一派主张预算应归财政部编造,两派各有理由,无可非议。作者从编造的技术上着眼,主张兼采内部编造主义与外部编造主义。我们在别处说过,预算是事先提出的估计数字,问题不在估计,而在何人负责估计。关于这一点,可以分为内部编造主义与外部编造主义两派。前者主张估计数字由各机关内部加以编造,而后者则主张估计数字由外部的专家负责编造。内部编造主义,亦分两种办法:一种系由各机关各部门的主管人员负责编造,一种系由单独一个部分,例如会计课或稽核课,负责编造。若就预算统制的本质加以考察,在理论上,此等估计数字,当由各部门主管人员负责编造,较为妥适,因为预算须由各个部门,负责执行故也。如果责成会计课长或稽核课长编造,对于估计数字的确定,虽较为便利,但容易接受最高主管人员的干涉及意见,并且反映过高的理想,因而缺乏统制的能力,不能作为达成工作的目标。如果责成各部门主管人员负责编造,那末他们对于本部门的实际情况,完全明了,同时对于自己编造的预算,实施起来,亦能比较具有责任心,使一切行动,均可受其拘束。所以就内部编造主义言,当由各部门主管人员负责编造,较为妥适。于各部门分别编造之后,再由中央部门加以修正编纂,而成某级机关整个的预算。

外部编造主义则认为估计数字的拟编,如非具有专门知识,并受相当训练的人选,不易办到。所以必须请由外部的专家负责编造。所谓专家,不一定限于职业会计师。编造预算,必须求得整个政府各机关之间均衡化与协调化的估计数字,然后综合汇编而成整个性的计划。这种工作,最好由外部的专家担任,尤其是在预算统制制度刚刚开始的时候,更应如此。今日的主计处,既非支用机关,亦非税收机关,故岁入岁出,均与它无直接关系;从支用各机关与财政部视之,不啻是外部的专家集合体。故余主张维持现状,不必从事更改。

(二)何时编预算？

(甲)二十六年预算法中所规定的预算编制程序

我国预算法于二十六年四月二十七日修正,并规定自二十七年一月一日起施行。预算法施行细则于二十七年九月二十三日公布。两法中所规定的预算编制程序如下(三十七年五月一日立法院通过修正预算法详后):

(子)概算的筹划——中央主计机关、中央审计机关、及财政部,应于一月一日前一个月内,将财务上增进效能与减少不经济支出之办法及其他可供决定下年度施政方针之参考资料,呈报中央核定概算之最高机关(预算法第二十八条)。

(丑)概算之拟编——中央政府概算之拟编,可分下列五个步骤：

1. 中央政府应于每年二月一日前决定下年度之施政方针,令行全国各机关遵照拟定施政计划及事业计划,并各依其计划,按照中央主计机关规定格式,拟编下年度之概算。

前项施政计划、事业计划,应由各该管上级机关核定之。其新拟或变更之计划超过一年度者,并应核定其全部计划(预算法第二十九条)。

2. 中央政府概算拟编,自第二级机关单位开始,至第一级机关单位为止(预算法第三十条第一项)。中央各第二级机关单位之主管机关,应于每年三月十日以前,拟编各该机关单位下年度之岁入岁出全部概算,各缮具三份,呈送主管第一级机关单位之主管机关。中央第二级机关单位之主管机关,拟编该第二级机关单位概算。如需以下各机关单位之各项概数为参考,应于前项日期内酌定期限,通令其所属机关呈报。逾期不呈报者,均代为拟定概数,列入其概算(预算法施行细则第八条)。前项第二级机关单位概算,应设相当于1%至2%之第一预备金(预算法第三十一条第二项)。

3.中央各第一级机关单位之主管机关,应于每年三月底以前拟编该机关单位下年度之岁入岁出全部概算,各缮具二份,连同第二级机关单位概算二份,送中央主计机关。前项第一级机关单位概算,均应同时另备一份,依本法第三十二条第二项之规定交财政部(预算法施行细则第九条)。

4.财政部应于每年四月十五日以前,就中央第一级机关单位编送该部之概算岁入部分,及该部主管之各种岁入,拟编中央下年度岁入总概算,缮具二份,送达中央主计机关(预算法施行细则第十条)。

5.中央主计机关应于每年五月十五日以前汇集中央各第一级机关单位拟编之概算及财政部拟编之岁入总概算,编造中央下年度原编岁入总概算各一份,送中央核定概算之最高机关(预算法施行细则第十一条)。

(寅)概算之核定——中央核定概算之最高机关,应于每年六月十五日以前核定中央下年度岁入岁出总概算书,发交中央主计机关(预算法施行细则第十二条)。

(卯)拟定预算之编制——中央政府预算之拟定,也分三个步骤:

1.中央主计机关应于接到核定总概算书后十五日内,将各第二级机关单位概算核定各数,分别通知各第二级机关单位之主管机关编造拟定预算,同时通知各第一级机关单位之主管机关备查

(预算法施行细则第十三条)。

2.中央各第二级及第三级机关单位之主管机关,依本法第三十八条之规定,编造各该管拟定单位预算拟定附属单位预算,均应各缮具二份,于每年八月十五日以前送达中央主计机关(预算法施行细则第十四条)。

3.中央主计机关应于每年九月二十日以前,编成中央下年度岁入岁出拟定总预算数,连同第二级及第三级机关单位之拟定单位预算,拟定附属单位预算各一份送行政院。前项拟定总预算书,经行政院会议决后,应于十月十日以前,将该项总预算书连同原附各种拟定预算送立法院(预算法施行细则第十五条)。

(乙)以上预算编制程序之缺点

就以上的程序观察,不免有两种感想:1.层递太多,手续太繁重,由第一步"概算的筹划"始,其间经过"概算的拟编"与"概算的核定"二个步骤,直到"拟定预算的编制"为止,已经通过了不知多少曲折。最后又须中央主计机关编成中央下年度岁入岁出拟定总预算,送行政院,又须经行政院会议通过后送立法院审议,所绕的圈子似太迂回。在这个圈子之中,包括了第一级、第二级、及第三级机关单位和主计处。在抗战期内,中央各机关每每因避空袭,散布各处,辗转传递,决不能尽依预算法及预算法施行细则所规定之期限。(二)编制时期太早,概算的筹划,须于一月一日以前的一个月内开始,距离预算开始执行之时期共有 13 个月之久。在此 13 个月之内,变动频仍,难与下年度的实际情形相符合,执行起来,必不能尽如人意。所以自抗战以来,编制预算,几乎每年不能按照预算规定的程序进行。二十七年半年度预算及二十八年度预算是采用延长上年度预算办法,二十九年度预算有补救办法,三十年有编审三十年度预算变通办法,三十一年五月国防最高委员会又通过战时国家总预算编审办法。凡此种种,都是因情形特殊,不得不把法定的编制程序加以变通,足证手续太繁重,反使法律条文成为具文也,编审程序实有简化之必要,编制期限亦应缩短。但应缩短至几个月,亦有斟酌之必要。期限太长,则估计数字难望与将来之实际数字相符合,太短则无充分之时间以求预算内容之详尽。故各国编制预算之期限,因国情而异。英国的预算,在预算开始施行前6个月着手编制;美国的预算编制时期之开始,即在施行前8个月;日本预算之编制,着手于施行前11个月,足见我国编制之期限太长。

欲缩短期限,必须省略若干不必要的手续。例如"第一级主管机关,似无汇编所属各级概算之必要,为按照现行预算科目分类方法,第二级主管机关各管一类之预算。若由主计处将各类之概算整理汇编,即成为中央总概算,第一级主管机关只须于核转时签注意见,已足达到目的。若再由第一级主管机关汇编一次,不仅工作重复无用,且使编送期限延长。"自战时国家总预算编审办法颁行后,将概算之阶级予以减省,缩为5个月,自属进步不少。

(丙)编制预算最敏捷的通则

依王延超先生的意见,预算编制程序中最敏捷的通则,应如下列三个步骤:

(子)内阁决定方针——一个施政方针与政策,必经内阁先行决议。总负筹划财政责任的是财政部长。某部事业经费议决增加,财政部须说明其增加的限度,如内阁实行紧缩政策,则财政部要提出各部应当减少的数额标准。总之,每年编制预算时,均有变动发生,须先由内阁决定施政方针和政策,再由各部遵照办理。

(丑)各机关分别编制所需计划——内阁决定方针后,各机关分别编制其财政计划,因各机关事业的推动,所需经费几何,行政人员知之最为详细。各下级机关编制完竣后,送呈其主管上级机关,再转呈于主管部院。各部院对于下级机关预算,再加以详细审查,汇齐审定后,并经各主管部院行政长官认可后,即认为此项预算,是根据于行政方针而编制,由主管长官负责。

(寅)财政部的汇编及审核——各部预算汇齐于财政部,由财政部负编制总预算的责任。财政部对于各机关的经费数额,无论巨细,须逐目审查有无与法律违背之处?有无可节省之余地?经费增加的理由是否实在?数字的计算有无错误?均由财政部加以精密的总检查。通常各部希望膨胀本部的经费,对于本部所辖各机关的经费也是从宽审查的。惟有财政部的审查,和他本身的责任有关,多一部分经费,就要多负一部分筹款的责任。利害关系不同,所以它的审查,也比较实在。倘使审查各部预算时遇有各部反对的意见,则可以先行磋商。如有不能解决的争议,不妨在行政院会议中讨论。如此商定后的审查预算,就是财政部长负责的总预算,制成预算案后,提交行政院会议通过,就可以送交立法院审议了。①

(丁)三十七年之修正预算法

现在已实行所谓宪法,宪政之下,又有所谓责任内阁。故预算法不能不修正,主计处不能不改隶于行政院。修正预算法于三十七年五月一日由立法院通过,把编审预算之手续简化了不少。其程序如下:

---

① 王延超氏著:《宪政时期的预算编制问题》,载财政评论第十二卷第五期。

(子)中央主计机关,中央审计机关及财政部,应于筹划拟编概算前,将财务上增进效能与减少不经济支出之办法,及其他可供决定下年度施政方针之参考资料送行政院。

(丑)行政院应于每年五月底前拟定下年度之施政方针,呈请总统行令全国各机关遵照拟定施政计划,并各依其计划按照中央主计机关规定格式,拟编下年度之概算。此项施政计划,应由各该管上级机关核定之。其新拟或变更之计划超过一年度者,并应核定其全部计划。

(寅)中央政府概算之拟编,自第二级机关单位开始,至第一级机关单位为止。

(卯)各第二级机关单位概算之拟编,应按照各该单位主管机关之施政计划,由其主办岁计人员依据该机关长官所拟定之数额及理由编就之。其所拟或变更之计划超过一年度者,并应附具其全部计划,继续经费全额,及各年度分配数额。

(辰)第二级机关批阅单位概算及计划,应以二份送主计机关,同时以岁入概算一份送达财政部。

(巳)财政部应将各机关所送岁入概算,连同本部主管岁入概算,编入岁入总概算,送达主计机关。

(午)中央主计机关将各类岁出概算及财政部拟编之岁入总概算,汇核整理编成中央政府总预算案,呈行政院提出行政院会议(主计处已改隶于行政院)。

(未)总预算案经行政院会议决定后,交主计机关整编,由行政院于九月底以前提出立法院审议,并附送施政方针及计划案。

各级机关概算预算之拟编及核定期限,由行政院定之。

(申)总预算全案应于十二月十日以前由立法院议决,并于十二月十五日以前由国府公布之。其附属单位预算部分,分别以命令定之。

(戊)假预算

就以往情形而论,预算能否成立,其关键不在立法院之审议,乃在概算与拟定预算能否如期编送,尤其地方概算在年度开始后尚未奉核定者甚多。依预算法第四十六及第四十七两条之规定,若预算案有一部分未通过时,须有假预算之手续。此项规定,固甚合理,但程序太繁重,反不如以往预算章程之规定,延长上年度预算办法较为简单易行。故假预算虽然规定,于事实丝毫不发生作用,似可于修订预算法时取消之。且二十七年与二十八年两年度之预算,均为延长上年度之预算,其适用之办法,似可采用,作为预算未成立时之救济办法,不仅切合事实,且容易实行也。但修正预算法第三十九条仍有关于假预算之规定;预算案之审议,如有一部分未经通过,致总预算全案不能依期限完竣时(即不能在十二月十日以前由立法院议决,十二月十五日以前由总统公布),立法院应即编成假预算,并议决其施行条例,由总统公布之。其内容如下:

1. 恒久经济及原有继续经费。

2. 已经议决之新定继续经费。

3. 已经议决之岁定经费。

4. 其未经议决者暂依现年度之经费。

5. 不拟变更之原有收入。

6. 已经议决之收入。

7. 其未议决者除临时收入外,暂依现年度之收入。

总预算内未经通过之部分,应于假预算公布后一个月内,由行政院另行提出修正案送立法院审议,完成法定总预算,由总统公布之。假预算之废止日期,于该年度法定总预算之施行条例中定之。

第二章 预算之编制、核定与审议（续）

六、预算问题的讨论集中于下列三点（续）

（三）怎样编预算？

（甲）我国以往编预算的方法

昔者中央与地方预算之编制，或仅有预算而无施政计划，预算失其施政之根据；或预算编制在先，而施政计划产生在后，施政计划成为预算之附庸，两者不能协调；或虽有预算及施政计划之编制，但各自独立，不能配合无间，办理计政之人员，纯系机关长官任用之私人，因而办理计政之程序与方法，亦各自闭门造车，影响所及，预算不能及时编造，决算亦无从编起。会计之簿籍、科目、及记载方法，各单位亦互不相侔，统计方法之参差，统计工作之偏倚，更无论矣。因此不但彼此无从比较，预算极难推行监督；即财政亦失其确切之箴规，财政监督亦无从谈起，计政制度之紊乱，可以想像。

计划为预算之根据，预算为计划之外形，有计划而无预算，则计划落空；有预算而无计划，则预算无重心。在过去，我国编审预算，没有计划的根据，即或有之，亦不过一个机关单独之计划，向未闻有一个行政总计划。直至三十一年度预算编制时，始规定由中央设计局根据各院部会等所送计划及概算，汇编三十一年度国家总计划，惟事属创举，尚待日后之努力推展。所以在三十一年度以前编审预算,率皆参照以前各年度财务数字,斟酌损益,即比照前年度预算数字来推定本年度的预算数字。此谓之纵推法,仅为时间之比较。我国历年编审预算,多用此法。如三十二年度国家总概算编审原则第十项规定:"普通政务经常费,至多按三十一年度预算所列各费类总额加三成",即其一例。若于纵推法之外又辅之以横推法,使二法相互配合,则所编成的预算方有意义可言。横推法者,即就性质相同、组织相似之机关,互相推定其预算数额之谓。机关之间如有特殊情形,均须加以考虑,酌量调节。调节之后,其所占百分比,彼此均须相当,否则厚于此而薄于彼,显有不平。故把纵推法与横推法配合起来,于时间的比较之上,再加以空间的比较,则政务之轻重缓急立见,而所编成的预算,方可作为计划的数字表现,切实易行。惜我国过去所用的编审方法,只限于纵推法,不及横推法,莫怪各机关之经费,有过与不及之弊。

(乙)编制预算需要三种参考资料与五项原则

预算为国家施政方针之正式表示,不得不求其准确,使能表明整理财政的计划,作为实行统制财政的根据。所以编制时需要各种统计及一切资料。

(子)各种财政经济统计——例如国民每年所得统计、国富统计、各种税收比较之统计、公债统计、金融统计,以及物价统计、关税统计、专卖统计等等,均为不可缺少的参考资料。因此这几种统计数字,亟宜从速编制。

(丑)最近年度的决算报告及会计报告表——最近年度的决算报告及会计报表,是财务状况实际经过的数字记录,是为编制新预算所不可缺的资料。各机关如能按期编送决算报告及会计报告,预算编制,自能精确了。

(寅)已经核定登记的追加预算数及流用事项与计算书等——已经核定登记的追加预算数,是原预算数太少之表示;流用发生于此科目有余,他科目不足,因而把有余补不足。此种事实,都是编制下年度预算的参考资料。至于各月份的计算书表与月份分配预算表对照,均可表示原预算的数字和实际数字是否相符,足为编制新预算的参考资料。

以上几种统计与数字,固为编制预算所必需,但下列五项,亦须遵守,方能得到一个精确的预算:

(子)编制预算应注意弹性——日后的变化,无人能一一预料,故为防止经费的不足,预算中可以多列预备金,并规定性质相似的项目之间,不妨准其流用。但预备金的动用与项目间的流用,应加以适当防制,以免流弊。

(丑)预算应与各机关之行政计划相配合——下年度的行政计划,当然为编制预算的根据。没有计划的预算,不得谓为预算;没有经费预算的行政计划,亦不过是纸上谈兵,安得谓之为计划。

(寅)岁入岁出的估计应有标准——我国往昔的预算章程,曾有此项估计标准的规定。修正的预算法中,并无此项规定。查各国所适用的估计标准,约有四种:

1.以前年度实收数额为标准而预算的自动法,英文谓之 Automatic method。

2.以前年度实额为标准,加以增减的方法,英文谓之 The system of estimating increases and decreases。

3.就前年度的平均实数而加以增减的方法,英文谓之 Genetic method。

4.观察上年度决算的情形,推测本年度的变动,酌量决定各项数额的直接法,英文谓之 System of direct estimating。

编制预算如能依照上述几项方法办理,必能切合实际情形,执行起来,不致有多大困难,因为数字精确,不难做到实质上的平衡。

(卯)应照实际情形估计,决不虚列收支——中国的通病,是往往因入不敷出,虚列收支,以求形式上的平衡。有时因编送期限急迫,乃敷衍故事,削足适履,以求形式上的平衡。至日后发现经费不足,再来办理追加预算。此种恶习,亟应加以纠正,理应按照实际需要作一个估计,使能达到实质上的平衡。须知预算并非欺骗人民或粉饰太平的工具,乃是国家施政方针的表示。严格的说,与其编制欺骗人民的预算,还不如没有预算的好。

我国编制预算,向有"虚收实支"、"实收虚支"、及"虚列收支"三种弊端,以虚伪之平衡,掩饰实际之不平衡,以自欺欺人。"虚收实支"云者,于编制预算之时,在岁收方面,故意列入虚伪不可靠之数目,使之与岁出平衡。但届预算执行之时,实际所收之数,远在预算数之下,而支出则分文不能短少,要求依预算照支,演成入不敷出,于是种种怪现象出焉。有额定经费拖延不发者,有出重利借巨款以弥补者,有予各机关以差别待遇者,甚至有不顾行政效率之削弱,大事裁员者。"实收虚支"云者,在岁收方面确列实数,而岁出方面则虚列数额,大都超过实际所需之数,以期于支用时可以腾出一部分充作别项用途,由主管长官任意支配,或竟成为私人所有物。"虚列收支"云者,预算所列收支数额皆不确实,与实际收支数额相差太大,于是有"书面收支"之称,以示与"真实收支"有别。因收入是虚数,所以追加预算之提出成为惯例。因支出是虚数,则任意支用预备金,成为无法避免之措置,不问日后需要之急迫,只顾目前难关之度过,寅吃卯粮,未有不陷财政于困境者也。

或谓编制预算在中国,视同儿戏。一般习惯,有所谓"虚收实支"者。所谓"虚收",即凡可能作为国家收入的财源,无论实际上可收到与否,都随便编列进去,使表面上收支可以平衡。如于年度中可以在支出方面力事撙节,或勉强可以适合。就三十六年度的预算来看,在收入方面,除赋税外,尚列有国有财产及物资售价收入23,000余亿元,其中包括敌伪产业、美军剩余物资、黄金外汇售价、余粮废品废料变价等在内,占收入的第二位。又公有营业盈余及事业收入7,941亿余元,其中包括财政部主管各银行及中央信托局;经济部主管中纺公司、资源委员会;交通部主管招商局、铁路、航空、及其余各机关等收入在内,占收入的第三位。这样看来,这预算已把可能作为国家收入的财源,都编列进去了。著者仔细考虑,这种编法,有一个极大的矛盾,请申其说:

预算中把敌伪物资亦列入,其中包括有工业设备,政府究竟采用什么方法,安装设置起来,使得可以冒烟生产。为发达民营事业,为鼓励民间投资,并为弥补预算之不足,政府谅必移转给私人经营,当然不会无偿让与的。作价让与,就等于买卖行为,一面出资支付,一面得资收入,稍可弥补预算的赤字。但这种办法,是掩耳盗铃的办法,说穿了不值一笑。我们知道要设立工厂,一定要使固定资本与流动资本配合起来,方能冒烟生产。工业设备与厂房,都是固定资本的形态,他与流动资本的比例,不是一对一,便是二对一;换句话说,有了工业设备,还要有与工业设备价值相等的活动资金来配合,方能转动。私人不但须有资力偿付这批工业设备的代价,还须设法筹集巨款,以便建筑厂房,供给活动资金之用。依照目前的办法,私人可以一面筹资,向政府购买这批工业设备;但在另一方面,必向国家银行贷款,以为设置厂房及供给流动资金之准备。这样,政府一面由私人手中得到了一批购买工业设备的代价,另一面又对私人放出一批专备装置厂房、供给流动资金的贷款。如此一收一放,或一得一失,对于预算赤字,究有多少补助,不言而喻了。

又三十六年二月十六日颁布的"经济紧急措施方案",包括五个部门:第一个是关于预算平衡事项,其中列有四个办法:1.紧缩开支,2.严格征税并另辟新税源,3.加紧标卖敌伪物资及美军剩余物资,4.出售部分国营事业。第四个办法,在平衡预算方案中,好像会使中国财政有"柳暗花明又一村"的希望。然而一考其内容,不免会令人失望。第四个办法所列可以标卖的国营事业,据报载,包括中纺、中蚕、中华烟草公司,其全文是:"凡国营生产事业,除属于重工业范围及确有显著特殊情形必需政府经营者外,应即分别缓急,以发行股票方式公开出卖,或售与民营。"因此以上三个公司的出售,必须用发行股票的方式。如能筹得一笔巨款,固可弥补目前的一部分亏空;但国营事业的盈余,在三十六年度预算表中,列为7,940亿,国营事业一旦标卖,则其盈余决不能再作预算上的一笔收入。如此一得一失,对于平衡预算,究有多少补助,又不言而喻了。这种办法,吾无以名之,名之曰"杀鸡取蛋"。

(辰)要决定量入为出呢,抑量出为入呢?——于筹划概算时,必先决定预算总额数字。决定的方法,不外两种:即1.量出为入法,即以实际所需之费用,定为收支预算之总额。2.量入为出法,即以可能筹得之财源,定为收支预算之总额。所谓财源,包括赋税收入及赊借收入在内。两种方法,采用何种,第一要看一国之政体为何。在专制君主时代,一国财用,取之于民,用之于君,故行政从简,财政从约,预算以量入制出为依归。如改专制为共和,废君主而行宪政，则一国财用，取之于民，亦用之于民，预算遂偏向于量出为入之制。然此仅就大体而言。按之实际，政治理想，常向前进，而经济现实，则向后退，如今日之中国然。故凡现代国家所应有之财政制度，半为我国所不能有，即偶有一二，亦仅得其貌似，而未得其神肖。"橘逾淮而为枳"，势实使然。所以只看政体，尚嫌不足，还要看一国收入与国民财富之实际状况而定。大抵国民收入充裕，国富丰厚之国家，自以采用量出为入法为宜；而在财源枯竭之国家，除量入为出外，别无良法。现代国家在平时，多以量入为出，为理财之原则，事实上不能尽依支出之需要而谋取收入，故行政计划之能否推行，须视岁入充足与否而决定；否则有计划而无经费，即不能付诸实行，其结果与无计划等耳。中国在三千年前，已采用量入为出之制。周官王制"冢宰制国用，必于岁之杪，五谷皆入，然后制国用。用地小大，视年之丰耗，以三十年之通制国用，量入以为出。"盖人民务农，生产幼稚，负税之能力薄弱，不能竭泽而渔，故以量入为出相号召，以示与民休息之意。

所以行政计划之能否推行，要看岁入充足与否以为断，故岁入之与计划，不能分开研究；换言之，计划之能否施行，要看财政政策之是否健全，而健全的财政，要以经济条件为基础，尤其是地方财政的负担，必须由当地人民承受。假使人民的经济情形不佳，其税负能力必定很小。在目前，中央财政与地方财政同处于困难的时候，为了顾全民力负担问题，不得不主张量入为出。不过我国预算，如依用途别来分析，则俸给一项竟占百分之六十至八十，福利事业与建设事业，均难谈到，不得不停顿。若将事业与行政划分，前者采量出为入政策，后者采量入为出政策，则又与统收统支、满收满支的原则不尽相符。但社会的进展，要看事业的维持与推动，而事业必需的支出,总要列入预算,以符"用之有益"的原则。在下级政府,尚可恃上级政府之拨助,而上级政府之事业经费,除租税收入外,惟发行公债或利用外资是赖。此乃另一问题,另行讨论(详"公债与租税比较"一节)。有一位军人于讨论行政三联制大纲时,曾经说过:"军事计划,以国防需要为主,按计划配合预算,自然不能受普通理财原则之限制,要作量出为入的预算。至于行政计划,就大不相同了。因为行政计划,在时间方面,比较的不如军事的紧迫,故可以受预算的限制。世界上除了英国之外,都是采取量入为出的预算。因为行政计划,要受预算的限制,所以最先要知道国家有多少预算经费,然后办多少事业。或者因为收入短少的缘故,就要采取分期分区的计划。"照他的意思,有多少钱,办多少事,力量方能集中,始有计日程功之可能。

惟无论采用量入为出,或量出为入,最高之决策机关,须于筹划总概算时,统盘支配后,先予决定,以为核定施政方针之根据。有了施政方针,方能议定行政计划,再就行政总计划,按其政务之缓急轻重,分别中心工作、重要工作、次要工作、及通常工作,并依次决定其所需费用之百分比;否则,若先定计划,而后再筹财源,或有入不敷出之嫌,财政因此紊乱,亦难预测。

在此次大战之前,英国原是一个富庶的国家,所以英国财政学家于著述财政学时,往往先论岁出,次论岁入,而后再检讨公债、财务行政之类,就此可以看出他的心目中,着重于量出为入的原则。他们的看法,是个人的财政,应依照量入为出的原则,而国家的财政则反是,应以量出为入为原则。况量出为入,到了 20 世纪,已成了财政预算上不可击破的真理。在平时是如此,在战时更是如此。但余总以为凡国民收入微薄,国家财富式微的国家,只能向量入为出的路途上进行,战时的财政当然是另一问题。美国在1933年为克服经济恐慌与不景气,采用了罗斯福的复预算制度,包含通常预算与非常预算两种;将通常支出和非常支出分开;把政府平时的各种办公费用,如俸给、购置、杂项等等,算作通常支出,以政府一般的经常收入来应付;把紧急法案所要求的一切紧急费用,如农工的奖励和补助费、公共工程费和救济费等,算作非常支出,制成特殊预算(或称非常预算)。这种特殊经费,即复兴经济计划所需要的支出,是以举债的收入来应付;换句话说,就是以举债的方式,使非常计划的收支,趋于平衡。罗斯福所以敢大胆地实行复兴经济计划而以公债来应付,因为他明知一旦计划实施,经济情形即可恢复,国民所得增加,社会欣欣向荣,于内债未引起通货膨胀危害政府信用以前,就可以增加税收来收回债券。所以在美国采用量出为入的政策,不致发生恶结果。

但在中国则情形特殊。除战时预算外,如平时预算亦采用量出为入的原则,而以举债的方式来填补经常收入之不足,则结果未必一定能如吾人之所期待。试问今日之国有营业与国营事业,其能收支适合左右逢源者几何!据一般舆论的批评,国营事业的毛病,不外(一)效率太低,(二)服务不周,(三)组织庞大,(四)浪费过巨,而贪污之事,尚屡有所闻。在这种情形之下,而欲采用量出为入的政策,殊有考虑的必要。吾意在政治未上轨道之前,不如走向量入为出的路途为佳。

(丙)入不敷出时预算上应如何补救?

(子)统筹支配与经费流用

依预算法第五十四条之规定:"各机关之经费预算,其岁出用途别同门各科目中,有一科目之经费不足,而他科目有剩余时,经原核定分配预算之长官或机关核准,得流用之,但不得流用为用人经费",足见经费预算科目之间,已经核定之经费,可以相互流用。不过岁出用途别预算科目分为款项目节四级,条文所称"同门各科目",不知何所指而言也。指项乎？未免过于宽滥。条文既嫌含混,只得由中央主计机关加以解释,借以确定流用之范围。条文如此含混,莫怪各主管机关对于所属机关经费,有"统筹支配"之例。原经立法机关议决之项目,可以任意挪移,不免与立法意旨抵触,法定预算为之破坏,而取巧浮滥之弊,遂应运而生。"统筹支配"之例,固应予以取消,而条文亦应加以解释。

统筹支配之例,不仅见之于上级机关,即下级政府亦惯用之。依据县各组织纲要第二十一条之规定,县之财政支出,由县政府统筹支配。县之下,有乡镇,乡镇亦为公法人,其财政支出亦以乡镇统筹支配为原则。然乡镇究系县政建设之一部分,故其统筹支配,应受相当限制。吾人理想上的乡镇支出,事业费应多于行政费,建设费应多于维持费,而事实恰恰与理想相背。各乡镇仅仅应付行政支出及各项维持费,已感焦头烂额,必须用摊派去平衡收支,有何余力办事业、办建设？这是今日各乡镇的实况,也是最严重而最易为人忽略的危机。故统筹支配,在上级政府,自不应许其存在；而在乡镇,则因税源缺少,非统筹支配以为应付,不可也。

(丑)预备金制度

预算之有预备金,犹如银行之有发行准备金或存款准备金,不过后者因为是信用的保障,往往备而不用,前者是往往拿出来用的。预备金之所以有设立的必要,因为预算数字与实际数字每每发生差异。预算是事前估计的数字,理想终久是理想,尤其在政局不安全的中国。欲使预算数字与实际数字不差毫厘,实不可能。

况预算的编制和预算的执行,其间有若干时日的隔离,而政界风云,又瞬息万变,性质上每每不易预测,且不能听其自然。为未雨绸缪,特在预算中设一无一定用途的预备金,以示有备无患之意。在刚性的预算中灌入弹性的作用,借以调节法定预算与实际支出的差额。

预算法所规定的调节差额的方法,不外1.经费流用,2.提出追加预算,与3.动用预备金三种。但经费流用,易使原定的行政计划不能贯彻,办理追加预算,招致收支不平衡的恶果;如经费随时可以追加,收支当然不能平衡。惟预备金,因其作用在应付不易预料及新发生的事件,是专备政务紧急必要之支出,不能引起以上两种流弊,故为多数学者所称道。

预备金在范围上,有集中制与分散制之分。在总预算之外,另置预备金者,谓之集中制。各机关各于其经费预算之外,另置预备金者,谓之分散制。但集中与分散两制,常常并用,即于各机关各置预备金之外,复在总预算内另置预备金。

二十六年四月修正公布之新预算法,定有两种预备金如下:

1.第一预备金——各第二级机关单位概预算应设相当于1%至2%之第一预备金(第三十一、三十八两条)(三十七年五月一日立法院修正通过之预算法第二十八条改为2%至5%)。

2.第二预备金——总概算应设相当于1%至3%之预备金(第三十五条)(三十七年之修正预算法第三十二条规定总预算应设第二预备金,其数额视财政情形决定之)。

日本会计法,依据日本宪法的规定,于预算中亦设第一预备费、第二预备费两种,与中国预备金制度相类似。不过中国的预备金数额,不是固定的,乃是逐年按百分比编列的。日本的两种预备费数额,是固定的,不过这个数额,常视财政状况变动之情形而增减。近十余年内因一般岁出之激增,每年度第一预备费已由3,000,000日元增至6,000,000日元。第二预备金由5,000,000日元增至8,000,000日元。但动支两种预备金,须受极严格的限制,因为动支时,不得再流用其他经费。且此种预备金,用途迥异,如其中之一种有节余,另一种是不足,亦不得互相流用。

第一预备金与第二预备金之用途不同。预算内发生小额不足之数以第一预备金充之。故依新预算法之规定,动支第一预备金之条件为:

各机关执行分配预算,遇各科目之经费不足时,得请求动支之。

预算外如发生新事件,需用巨款者,以第二预备金充之。故依二十六年预算法之规定,动支第二预备金之条件为:

单位预算之主管机关,因下列情形之一者,得支用第二预备金:

A.本机关或所属机关依法律增加职务或事务,致增加费用时。

B.依法律增加新机关时。

C.所办事业,因重大事故,致费用超过法定预算时(第六十五条)。

三十七年之修正预算法所规定,与以上相同。支用第二预备金时,事后仍应提出追加经费预算。

从可知预备金是最宝贵的基金,第一预备金可视同第一道防线,第二预备金视同第二道防线,这是正确的看法。

至于动支预备金之程序,亦各不相同。动支第一种预备金时,除第一级机关单位之主管机关(即国民政府及五院)各由其长官核定外,第二级以下各机关单位之各机关,均应经该管上级机关核定,始得动支第一预备金,并应由核定机关分别通知中央主计机关、中央审计机关、及财政部。可知动支程序,是采由下而上之行政系统,不采预算系统。所谓预算系统,即由各费类之主管机关,将所属单位请款之用途及金额,备文函送主计处,核呈国民政府备案,并由府令行行政、监察两院分别转饬知照(即由行政院转饬财政部,由监察院转饬审计部),层递甚多,手续繁重,不如行政系统手续之简捷。但二十年十一月公布之预算章程,曾采用预算系统;二十六年公布之新预算法,舍而不用,以求第一预备金在战时迅速使用。故新预算法采行政系统,第一预备金,由上级机关或长官核定,即可动支。于此吾人有一疑问,所谓第二级以下各机关单位之各机关,为数不少,如第二、第三、第四、第五级机关单位。如谓经该管上级机关核定,就可动支第一预备金,则三级四级等下级机关均有核定动支之权,不免失之过宽,似应加以限制,以免流弊。在过去,往往于年度开始时,第二级以下各机关单位之各机关,纷纷请求动用第一预备金,或因有特种情形关系,格外通融。如此,第一预备金常瞬即动用净尽,及至日后实际需用时,反无款支拨,致所谓第一预备金,完全失其预备之作用。为求名副其实起见,第一预备金之动用,应加以严密之限制。

动支第二预备金之程序,比较严密,非经中央核定概算之最高机关之核定,不得支用(第五十六条)。支用第二预备金,事后仍应提出追加经费预算(第六十五条)。追加预算之拟定、核定、审议、及执行程序,均准用本法关于总预算之规定(第六十七条)。

三十七年之修正预算法第四十九条规定第二预备金由行政院

核准动支(因以后实行责任内阁制)。

日本预算法中所设之两种预备费,其动支条件与程序,与中国的预备金大同小异,大约如下：

1. 第一预备费——系补充预算中原列各科目经费不敷时之用。这种基金,常被称为经常预备金。

2. 第二预备费——为备作预算以外新生紧急事项之用。因此它被称为紧急预备金。

动支第一预备费之程序,颇为简单。各部遇有经费不足之事件发生时,各部长官(日本称各省大臣)得将情由与数额编成预算书,送经财政部长(日本称大藏大臣)核准后,即可动用第一预备费,可知第一预备费的运用,全归财政部统制。至于第二预备费的动支,则手续不如此简捷。各省遇有非常事件发生,得编成预算书,除经财政部长许可与内阁会议通过外,并须经天皇裁定,方能动支。

(寅)追加预算

1. 追加预算的含义

追加预算是对本预算而言,追加岁出数是在本预算以外支拨之数。本预算是在本年度前所编制而核定的基本预算,追加预算是预算执行时的产物,是在本预算上增添了新预算。举一个例,譬如某医师薪给为1,000万元,是为本预算,执行时即感不够,呈请增加100万元,是为追加。但在年度进行中,为适应派专家赴国外考察的需要,临时请求经费,此种非规定于本预算而凭空横生的新事件和预算,亦称为追加。其实后一种追加,与前一种追加,性质大不相同。所以追加之中,有些含有临时或非常预算性质的,一律标明为追加。所以正确地说,现在中国所谓岁出追加预算,就是指所有本预算以外的新增经费,请求完成立法程序者。

2. 追加预算发生的原因

追加岁出预算发生的原因,约略述之,有下列数种:

A.在非常时期,偶然发生之事故,层见叠出,追加经费,势所难免。此其一。

B.在财政制度不健全的国家,预算、会计、审计、公库四方面不能密切配合,运用起来,不能发生连环的效能,所以易生追加之流弊。此其二。

C.在通货膨胀时期,物价涨风甚大,原有预算,当然不敷开支,请求追加,亦意中事。此其三。

D.追加案件之多寡,须视政治安定之程度为依归。在政治安定的英国,追加事少;在政治不安定的法国,追加事便多。此其四。

3. 追加预算的流弊

追加预算,虽为不可避免之现象,然终须设法,使之逐渐减少,因为它可能发生以下种种不良的影响:

A.增加国库负担——任意追加岁出,必须加重国库负担,增多财政困难,这是应设法避免之事。

B.使原预算失掉统制作用——预算的最大作用在控制支出,废除浮滥。倘随便大事追加,则原预算的限制被破坏,财务行政的约束不严明,而预算统制的效力亦消失了。

C.使下年度预算不易编制——本年度预算作为编制下年度预算的参考,有时是唯一的根据。倘本年度的数字追加不已,编制下年度的预算,失却根据。

D.使决算无法编制——在岁出追加不已的时候,国库收支不能如期结束,故决算无法编制。虽然追加岁出,固有以上种种流弊，但亦不能肯定地说追加是应绝对避免之事。追加究竟是好是坏，吾人无法断定，须视其动机如何以为断。如动机纯良，用途正大，需要迫切，财力充裕，追加是有利无害的，反之，追加是不应该的。

4. 公库制与追加预算

自二十八年十月实行公库法以来，政府收支之处理已渐上轨道。八九年以来收支机关保管现金，滥支款项之积习，多已铲除。各机关年终剩余扫数解库。过去以剩余作为追加岁出财源之通融办法，亦被取消，因而减少了请求追加者之动机。所以自二十八年度施行公库法以后，预算制度，又迈进了一步。

5. 追加预算之限制

为使配合紧缩预算起见，追加预算之严加限制，实属必要。前行政院于546次会议通过之三十一年度适用之追加预算案处理大纲，其第二项规定追加预算之提出，限于下列情形之一：

A. 奉令举办之新事业，其经费未有预算者。

B. 奉令设置之机关，其经费未有预算者。

C. 奉令扩充之原有事业或机关，其经费未能在原预算范围内匀支者。

D. 遇有紧急事件，须即时处理，其经费未有预算者。

E. 前四项所需经费，应尽先就总预算所列该机关主管部分经费，及第一预备金应摊各项数目内，统筹支配，不足时得提出追加。

又三十二年度国家总概算编审原则第十三项，亦有"各机关临时经费之追加，应严加限制"之明文规定。足见追加预算之严加限制，实为当前理财之先决条件。

（丁）编制预算时如何运用百分比

(子)百分比预算与施政计划

计划为预算之根据,预算为计划之实践。苟有计划而无预算,则计划必无从实现;苟有预算而无计划,则预算亦失其重心。"苟计划与预算两者具备,而无百分比为之配合,则计划之执行,仍难得缓急轻重之宜。预算之运用,亦不免流于偏枯,故言百分比预算之效用:1.在主观方面,百分比预算实即总计划之化简法。总计划,是用文字表明,惟其中心所在以及各项目间轻重之程度,有非文字所能表明者。一经采用百分比法,显示其比例,则纲举目张,一览无遗。且预算为数字之编列,计划为文字之叙述,欲求计划与预算联系起来,必赖百分比为其间之津梁。2.在客观方面,百分比预算,可为空间、时间、人、事、财、物最正确之比较。如甲省与乙省经费各占总预算数百分之几,则为空间之比较。某机关本年度经费与上年度经费各占总预算数百分之几,则为时间之比较。甲机关与乙机关俸薪各占经费总数百分之几,则为人之比较。高等教育与中等教育之经费,各占教育文化支出总数百分之几,则为事之比较。无论岁出岁入,均以货币为计算单位,则为财之比较。甲机关办公用品与乙机关办公用品,各占其经费总数百分之几,则为物之比较。以上各种比较,又莫不赖百分比预算为明确之表示。3.在计划实施方面,各机关执行计划时,因适应实际情形,必须追加或追减预算,亦可利用原预算所定百分比,作为审核追加或追减预算之标准;易言之,即可用百分比预算,为限制追加预算之有效办法。4.在工作考核方面,百分比法既可用于事前限制之预算,亦未尝不可应用于事后监督之决算,而将预算与决算之百分比,加以比较,以考核其工作之效率。"

(丑)支出预算中之政务别与用途别

中央核定概算之最高机关,根据中央主计机关、中央审计机关、及财政部所供给之参考资料,决定下年度之施政方针,令行全国各机关遵照这个施政方针拟定施政计划及事业计划。这就是政府行政的总计划。有了总计划,就可按政务之缓急轻重,分别中心工作、重要工作、次要工作、及通常工作,依次决定其所需费用之百分比。例如本年度之中心工作为交通建设,即应首先决定交通建设经费应占岁出预算总额百分之几,然后再依次规定其他各项工作所需费用之百分比。此是支出预算中政务别之一种,于最高机关决定施政方针与总概算时适用之。例如二十七年中央确定抗战建国同时并进之最高国策,中央支出预算,乃有非常时期特别支出、建设事业专款支出、及普通支出之分。自二十六年度以迄三十年度,每年支出总额,均有显著增加,大致分为三类:用于非常时期特别事务者(军费、战费、及国防建设),约占全额 70%,即知其中心工作在抗战建国。

又以已决定之某种政务别费用,作为 100%,然后再就其所包含之项目,依其重要性,分别决定各该项目所需费用应占之百分比。例如本年度交通建设费用,已定为总额若干万元,应即将此总额作为 100%,然后将交通建设分析为航空建设、铁道建设、内河轮运建设、公路建设等等。再视以上各项交通建设之缓急轻重程度,而决定其所需经费所占之百分比。此又是支出预算中政务别之一种,于政府决定部分施政计划及拟定单位预算时适用之。

就纯技术之观点而言,以上两种支出预算中的政务别,是与预算法层层照应的。盖现行预算制度有总预算、单位预算、分预算等之划分,实与总的设计与部分的设计成自然之合拍。总预算,即为总计划之数字表现;单位预算分预算等,即为部分计划之数字表现,层层照应,相辅而行。

但无论何种交通事业,必需设立专门机关,以为推动工作之机构。而一个机关的全部费用,可依其用途别,分为俸给、办公费、购置、及杂项各类,即以该机关之全部费用作为100%,然后再决定以上各项用途应占全部费用之百分比。抗战以前,我国普通公务机关之用途别,大抵以俸给一项所占百分比为最大,大约占全部60%至80%,其他项占20%至40%。此是用途别之百分比,于决定各机关分配预算时适用之。

以上两种政务别与一种用途别,必须相互配合,其间脉络贯通,三法一体。合并运用,方可将行政的总计划表现出来,方可以看出行政的计划何在?中心工作何在?行政效率何在?没有政务别用途别的百分比,预算简直是"一盘烂账,愈看愈糊涂"。

中央各机关之支出预算无论矣。即以省而论,例如福建省的各县总支出,用于人员生活补助费者,达70%以上;用于保安及行政经费者,达8%以上。他如交通、教育、卫生、经济建设、社会救济等有关人民福利之事业,均难积极举办。试问行政效率何在?是政府取之于民者多,用之于民者少;不生产之支出多,生产之支出少。民众仅有捐纳,鲜获补助,富力逐渐消失,税源未有培养,收支益难平衡。凡此种种,皆可以从政务别、用途别的百分比预算上看出来。然如欲用百分比把预算与计划合而为一,则预算必需及时成立,以便执行。我国已往预算,类多不能及时,年度已过,预算犹未成立。至于内容,则讨价还价,折衷求全,其真能代表行政计划者,可谓绝无。兹亟应改变作风,使行政计划与精详及时之预算相配合。今后谈执行,则必根据预算,必受预算之控制,故预算之内容,尤须审慎周详,不可率尔操觚,任意涂鸦,只见数字之辉煌,不知计划之所在也。

从另一方面观察，各机关之事务，可分作两种性质：一属于通常事务，一属于推进事业。前者不论有无推进事业，其机关必需设置，其费用必需开支，乃属一般之管理。如中央政府本身之经费，司法机关与警察机关之经费皆属之，乃属固定性之管理费或用途，只须厘订按人计算之标准，列入预算，无需计划之拟订。后者乃为该机关拟订该年度应推进之事业，如交通部要建筑京沪路之双轨，财政部要办财务人员训练班之类，此乃属于每年不同之业务费，应将所拟之事业，需要若干时间完成，拟建筑轨道之长短，桥梁之大小，训练之人数，应用之文具纸张等等，分别翔实订入计划预算之内，以适实际。所以无须拟订计划之管理费，与有计划之事业费，两者性质不同，必须严格划分，方可使所作之事业计划，与预算配合，以期彻底。

(戊)编制预算应包括什么？

(子)生产性支出列入预算

在资本主义的国家，既采不干涉主义，一切生产事业，全归私人经营，故国家财政支出，仅限于国家机关经常费用，是一种不生产的费用。国家既不经营生产事业，则预算中并无所谓生产费用，故在消极主义盛行时代，固无所谓生产性质之支出。因此生产性质之活动资金，全归金融市场供给，而非生产性质之国家机关经常费用，划归财政支出范围之内。故财政与金融，截然两橛，泾渭分明，不能混为一谈。职是之故，中央银行是超然于财政之上，脱离财政部之羁绊。财政部长不得以财务乱金融。如发钞来弥补预算之不足，则为经济学说所不许，亦为舆论所不容。因此资本主义国家之中央银行，大抵是私人所组织，政府不与焉。今日放任主义已成过去之陈迹,干涉主义抬头;即以老牌资本主义国家自命的英国,亦已改头换面,采行温和的社会主义,先以英伦银行收归国有,继以交通事业划归国营,可谓为一种不流血的革命,因而昔日与财政分家之金融,至此亦不得不受国家之统制。我国为奉行三民主义之国家,当然不能例外,故四行二局一库(合作金库),皆是国家金融机关。事实上,财政与金融已打成一片。

近数十年来,理财者所共同遵守之原则,已趋向于生产性支出之费用,应在预算中占重要地位之理想。故国家经费之支出,应置重于国营经济事业,盖此不仅为国家资本累积所必需,自财政收入言之,亦具有重大之意义。十余年来,我国建设事业经费年有增加,虽在抗战财政百倍困窘期间,对于生产事业,曾拨大宗款项以供支应,斯其明证。普通国家财政之收入,皆以租税收入为大宗,如有不足,则以募债济之。我国之财政政策,已置重于国营事业收入之原则。但今日财政之收入,仍以租税为主,公债为辅。

社会主义之经济学者,以租税乃资本主义制度下之产物,负担难趋公平,贫民所受压力甚大,遂对租税加以抨击,主张以国营事业之收入代之。但自苏俄试行以后,世界各国尚无敢悍然废止租税者。盖在现阶段之经济社会,租税尚保有其重要性,不能遽尔根本推翻。故今日财政之收入,仍以租税为大宗,问题在国家如何运用租税政策,以发挥其长,而避去其短,使国库有充沛之财,而人民无征敛之苦,整个社会经济亦借以发荣滋长。近代租税原则之本质,固在于此,其目的在将经济自由发展之不良结果,予以矫正。迨将来国家资本充分发达之后,国家财政收入,仍将以国营事业之余利为主,其余租税与公债等收入,将居于次要地位。近十年来我国中央与省的公营事业之突飞猛进,已足以证明政府经济事业,在整个经济界中,已居于领导的地位。我政府所办之各种重工业,在整个工业中的比重,是日在增加。钢铁、冶炼、机械等基本工业逐渐长成,一反战前以纺织、食品等轻工业居先的现象。其次是公营事业的兴起,无论国营省营,能在广大的生产部门中,有着普遍的发展。在设备和产量方面,均跃居于领导的地位。这方面表现我国工业的构成,正起着一种蜕变;他方面显示各种事业之经营的主体,已由私营逐渐转趋于公营。

十余年前我国之国家岁出,根本无所谓建设费。例如二十二年度国家预算,教育文化费仅1,600余万元,建设费仅70余万元,尚不及上年之半。自翌年起,教育文化费,固有大量增加,而建设费增加之数,尤为巨大,并且另筹国营事业资本,为额甚巨。就当时财政情形观之,尤非易事。二十三年度教育文化费突增至3,300余万元,较上年增加1倍以上,至二十五年更增至4,400余万元。建设费二十三年度为3,500余万元,国营事业资本5,000余万元。二十四年度,前者为3,600余万元,后者为6,000余万元。建设费及国有事业资本,二者合计已达1亿余万元。二十五年度建设费为5,300余万元,国有事业资本为9,600余万元,共达1亿5,000万元。二十六年度,以财政基础渐臻健全,对于经济交通事业,积极兴办,拟具五年计划,另立建设事业专款预算,并规定每年筹足建设事业基金5亿元,以为策进各项经济事业之用。抗战发生以后,我国经济交通所以尚能应付,实有赖于战前之预立基础。

虽然,国营事业之突飞猛进,固为一桩可庆之事,但一考他的现状,并综观各方面的批评,则大有令人失望之感,不仅效率太低,服务不周;且组织庞大,浪费过巨,比较一般私营事业,瞠乎其后,政治不良,于此可见一斑。至于因兴办国营事业而将财政与金融打成一片,有无流弊,请看下文。

(丑)近十余年来我国财政之新转变

1. 舍放任主义而采干涉主义

衡观世界经济史实,当资本主义初期,自由放任思想盛行,政府职权狭小,无为为治,故资本主义国家之财政设施,莫不采取消极政策。惟近数十年来,自由主义之流弊大著,即在资本主义之国家,亦不得不舍放任主义而以干涉主义代之。英国是一个最好的例证。其在社会主义国家更无论矣。财政政策自当从消极的放任主义,进而至于积极的干涉主义,于是倡政府万能之说,为政治之中心课题,尤为实现计划政治之宣传工作。万能政府的职务,不如个人主义盛行时,拘束于狭小范围之内,仅尽其"守夜警察"之责任,实更进求社会福利之保障,国家事业之统制,以诸葛亮之姿态,为阿斗(民众)而服务。故非政府有充分之权能,无从完成其繁重之任务。惟政府之权能是否足够,一方面固决定于宪法上政府职权之规定,以及政府与人民间权利义务之调和;然另一方面,实视政府之是否能妥善运用其权能以为断。譬如机器,徒有机件而无适当之推动力量,仍不能产生优秀之产品。我国过去在事实上虽未曾切实施行三民主义,但在理论上,终算是奉行三民主义之国家,而三民主义或新三民主义是最适合于中国之社会,在吾人视之,是一种最进步之社会主义。故此后之财政政策,应采取积极的干涉主义。所谓积极的财政政策,即是"用财政力量,推动金融发展;再用金融力量,扶助经济建设;再基于经济建设之推进,充裕财政,奠定财政之基础,不仅将财政金融经济打成一片,"而且相互扶助。

2. 厉行三行两局一库之专业化

欲用财政力量,推动金融发展,再用金融力量,扶助经济建设,非将三行两局专业化不可。中国、交通、农民三大特种银行,自十七年至二十五年期间,迭经政府予以厘订,明定中国银行为国际汇兑银行,交通银行为发展全国实业之银行,中国农民银行为扶助全国农村经济之银行,各专其业,分途并进,使矿工贸易各事业,均得向前发展。自抗战开始,三行均已各就其业务领域,发挥其功能。农业、工矿、交通、贸易,均获得资金之助,以适应抗战建设之需要。四行联合贴放,包括有粮食、盐务、交通、工矿、平市购销、及其他等六类放款,贴放方针则以"协助国防有关及民生必需品之生产事业为主"。至于农业金融方面,已离去初期之消极救济,而进入永久之农业建设。用途着重于水利之开发,及农业技术之推广。国策所系之土地金融,亦已由中国农民银行兼办。

二十一年废两改元之后,中央造币厂所铸之银本位币,虽归中央银行代理发行,然当时发钞银行尚有三十余家之多,而央行钞票在市面上之地位,亦不高于其他银行。二十四年法币政策施行,仅许中中交农四行发行钞券,实奠全国通货统一之基础。迨抗战军兴,中央银行改组储备银行之议未即实施,中交农三家仍准继续发钞。且为抵制敌人金融侵略阴谋起见,复准地方银行印制小额券币,就地流通,是以通货发行统一之工作因而颇受顿挫。民国三十一年后,由于抗战局势之演进,财政部为统筹通货数量,管理资金运用,并控制银行信用起见,乃自是年七月一日起全国钞券改由中央银行统一发行,至是通货发行始达一元化之目的。

钞券发行权集中于中央银行,本身亦是一种专业化工作,故亟兴进一步完成专业化的工作。同年(三十一年)重新分别调整四行业务;把国外汇兑业务划归中央银行集中办理;中国银行则改为发展国际贸易之银行;农民银行则改为发展农村经济,协助实现国民党土地政策之银行;交通银行则仍为发展全国实业之银行。此外并有改善省银行地位,设立县乡银行,敷设西南西北金融网。至是财政与金融打成一片之工作完成矣。

3. 新旧派的打法(新派的打法造成赤字财政)

各级政府之收入,依公库法之规定,应存放于代理国库之银行,既可节省经费,复可增加办事效力,且可与银行约定短期垫款,增进财政上调度之便利。公库重在统一集中,方可使财政有统筹调度之可能,而金融才能获得有效之辅助,因为公库对于库存款项,可以设法运用,以发挥金库力量,扶助经济事业。代理公库之银行,一面吸收社会不能运用的资金,一面利用政府的库存,以供给需要资金的各种生产事业的运用。又以某一地区的剩余资金,供给需要地区的运用。前者为各经济单位间的流通;后者为各地区间的流通。银行代收国家收入,就是代理国库;吸收社会余资,即系存款;对生产事业供给资金,就是放款;对于地域间资金的调剂,即系汇款。所谓以财政力量推动金融,即系委托银行代理国库,俾银行自由运用。所谓以金融力量扶助经济事业,就是以三项主要业务的方式(存款、放款、与汇款)来充分供给生产事业以资金。但所谓"供给资金"有广义狭义之分。旧派以狭义的打法,用之于需要短期资金之生产事业。这是商业银行之任务。各种生产事业,在其生产过程中,自购料制品,以及赊账运销,处处需要短期资金的通融,使生产得以圆滑进行。至于创业以及扩充设备,则有赖于长期资金的挹注。供给长期资金,是投资银行与证券市场的任务,其资金的来源,在以证券之发行吸收社会游资(即社会积储)。故长期资金,是以广义的打法,用之于创业及扩充设备,其来源并不在于印刷机之转动。此为健全的金融之转捩点。这是新旧派打成一片的方法。

依三十六年九月一日公布之新银行法,第二第三两章之规定,商业银行与实业银行完全划分。这样划分,大抵是启发于欧陆式的银行专业主义。不过依第五十条之规定,商业银行所得经营的业务,与第五十九条所规定实业银行所得经营的业务,几乎无所分别。所异者,一则偏向于普通业务的联络运用,一则偏向于"农工矿"及其它"生产公用或交通事业"业务的联络运用而已。但"普通业务"与"农工矿及生产公用或交通事业"的业务究能如何划分清楚?第六十条规定"实业银行所收之存款总额,应有65%运用于实业",所谓实业,是专指"农工矿"而言乎?抑包括"生产公用及交通事业"在内?其余35%存款是否可以放给其他顾客?中国之实业家,往往亦是商人。如上海之杜月笙氏,谓其是实业家,固可;谓其是商人,亦无不可。杜氏在金融事业方面所掌握的,计有中汇、浦东、国信、亚东、中国通商等银行。他是中汇的董事长,浦东的董事长,亦是国信的董事长。在贸易方面,办有中华实业公司、通济贸易公司;他亦未放弃大世界,因此他是一个商人。同时杜氏在实业界的力量更大,他是中国纺织公司的董事长,华丰面粉公司董事长,华商电气公司董事长,大达轮船公司董事长,大中华橡胶厂董事长。从这方面看,他是一个实业家。他既有商人与实业家的双层资格,他的存款如何划分?因实业家与商人的界限混淆不清,所以实业银行与商业银行的业务,亦不易划分清楚,因此有主张将银行划分为商业银行与投资银行为妥者。前者承做短期贴放,后者则经营长期投资,不吸收存款,其性质如美国之投资银行(Investment Banker),英国的投资银号,或证券银号(Investment House, or Bond House)。

自产业革命以来,生产事业的规模,日趋庞大,其所需资金决非少数人所能负担,必须向社会大众筹集。此项大量资金之筹集,非乞援于金融市场不为功。所谓金融市场,从狭义言之,不过是商业银行与票据制度;但从广义言之,则包括普通商业银行、投资银行、票据制度、与证券市场等。但募集公债与证券(社债与股票)的发行,要看人民有没有购债与购券的能力。人民购买力量大,公债与证券才可以发得多,这完全是一个人民经济力量的问题,无论你募债与发券的方法如何巧妙,其数量终是决定于人民经济力量的。

中国老百姓穷,经济力量微薄,买不起公债与证券,所以政府发行的公债,只能做到"发"的地步,不能达到"销"的目的。所以对生产事业放款,无论属于公营或私营,只能仰仗于印刷机的转动了。这是新派打成一片的方法,造成赤字财政。向凯恩斯派学习,但学得不好。由此观之,经济是财政的基础。经济有办法,财政才有办法;财政有了办法,即不致干涉金融,且能进一步扶助金融的发展。金融发展健全,乃可以扶助产业,增加生产,使经济有办法。这个循环作用,就是财政金融经济连环性的表现。至于长期资金,如人民自己无力供给,只得利用外资了。这是另一问题。

4. 财政收入将以国营事业之余利为主乎?

我们已说过,在近十余年来,我国财政有一个新转变,逐渐放弃自由主义而采干涉主义。自由主义之流弊大著,即在资本主义之国家,亦不得不舍放任主义,而以干涉主义代之。财政政策自当从消极的放任主义进而至于积极的干涉主义。又说我国之财政政策,已置重于国营事业收入之原则。今日财政之收入,虽仍以租税为主,公债为辅;但将来国家资本发达之后,财政收入,将以国营事业之余利为主,其余租税及公债等收入,将居于次要地位云云。但近来若干国营事业,将以各种方式出让给民营,现在已经进展到比较具体的阶段。这是一个极大的疑问。我们既要以国营事业之余利为财政之主要收入,自不应将若干国营事业转让给民营,因为一旦转让,就表示经济国策的转变。三十六年四月七日行政院颁布国营生产事业配售民营办法第二条,已把出让国营事业的种类,明文宣布。事业既经国营,为何又要出让给民营呢?最合理的解说,据我们的臆测,不外乎下列一种:根据根本经济政策,应归国营的事业,早已定有一个范围。可是在胜利之后,接收下来的许多非国营范围内的事业,如纺织业、水产业、蚕丝业、烟草业、纸业、面粉业、制药业、染料业等日用品轻工业,也暂时由国家经营着,而暂时收归国营的原因,曾被公开宣布为:"何必让商人发财,而不由国家赚钱呢?"因此原来非国营范围内的事业,因为可以赚钱,暂时收归国营。反过来说,如这些事业经营起来,定要赔本,依据以上的原则与逻辑,势非划归民营不可。结果国营事业与民营事业的划分,应以赚钱与赔本为标准。有利事业都应归国营,赔本生意,却应归民营。这种如意算盘,如奉为国策,无形中就把原来的国策转变了。这个新国策,在事业上的表现,就是为弥补一部分财政赤字,已把有利的事业划归国营了。

据国防委员会通过之第一期经济建设原则,石油厂是属于重工业一类,应归国营,倒不应出让。但依照公布的国营生产事业配售民营办法,石油厂竟会出让。大抵因为无力开发,或无利可图。这又显然表示原来的国策已抛弃了。代之而起的新国策,是生意经的国策。夫筹集巨额收入以填补一部分财政赤字,亦是应有的事,无可厚非。但可冠冕堂皇地说:根据根本经济国策,应归国营的事业，早已定有范围。现在出售国营事业的动机，是把超出国营范围外的事业，于适当时机出售民营，以便吸收市场游资，开辟有利途径，导之投入生产事业，一面尽可能填补一部分预算上不足之数。理由何等正大，何等光明！若一面要筹款，弥补预算的不足；一面又要争利，不肯让商人赚钱，又要马儿好，又要马儿不吃草，如何能行得通呢？游资固充斥，谁肯化本钱来接受赔本生意呢？据经济部刘次长的谈话（三十六年六月十四日金融日报）现已决定出让之国营事业，可值10万亿元，他并未指出这仅是与经济部有关的事业。但就这一数字而论，已不能算小，和政府已经公布的本年度收入预算数字几乎相等。如此巨额，怎样可以立时获得？至此章脱稿时止，还未到真正出售的阶段，将来的数字，恐怕还要成为天文学上更大的数字。试问民间哪里有如许的资力来购买呢？倘还要打一面筹款，一面争利的如意算盘，企图一箭双雕，恐怕全盘落空。

出让的国营事业，据三十六年七月九日行政院新闻局长于招待会中所报告的，包括1.中纺公司，2.中华烟草公司，3.中国纺织机器制造公司，与4.中国蚕丝公司。但问题尚未到最后解决的阶段；最大的难关，是在于估价问题。这个问题不解决，出让之事无法推进。在承受者估价不宜过高，在政府估价不宜过低。但通货正闹着不断的膨胀，今日所订的估价标准，过了几天，又成明日黄花了。原有的标准，决不适用。但估价是技术问题，无关宏旨。出让若干国营事业，借以提倡民营事业是原则。战后国营事业的范围，委实太大了，太广泛了，广泛到使民营事业不能立足。有些事业，根本不宜划归国营。若改归民营，不仅经费节省，且富力可以培养。现在如许广大范围的国营事业，早已超过了界限。将超过界限的国营事业,让出给民营,是提倡民营事业的意义,这是很对的,很值得赞许的。将出让问题以财政收入为主要目的,则发生不良的印象。一个国家的财政预算,需要依赖出售国营事业来平衡,终不是正当的作风。从财政史上观察,这样的做法,无异于败家子弟的做法,早已落后到一世纪以上。即使有非出售不可的苦衷,亦不应专着眼于财政收入。我们应当以吸收民间游资,导之投入于生产事业为主要目的。没有经济,哪有财政?"百姓不足,君孰与足。"藏富于民,培养税源,才是正常的办法,才谈得上"提倡"二字。

第三章 联综组织与超然主计

一、行政三联制与三计制(简称三联与三计)

一切行政设施,欲求其完成任务,必须于事前有精密之计划,是为设计;负起设计责任之机关为设计局。依据这个计划,切实施行,是为执行;负起执行的责任者,为各行政机关如院部会等。执行之后,再就其结果而加以严格之检查,是为考核;负起考核之责任者,或为上级监督机关,或为上级直辖机关,或为执行机关本身。不过执行之成绩,极为笼统抽象,而考核之范围亦至广。欲考核之精确,不仅须着眼于政务之量的方面,亦须同时置重于质的方面,如行政效率之高低,行政成本之轻重,皆须有精确之计算。因此各种行政事务,可分为设计、执行、与考核三级,于事前有设计,依设计而执行,再就执行之结果而加以考核。最后以考核之所得为下年度重新设计之张本。此种制度,谓之三联制。但三联云者,并非三个步骤联合而为一之意。分之则为三联,各有其独立之性质与任务;合之则为一体,有其共同之目标。三者分立,责任分明,否则混而为一,则行政之得失,效率之高低,将谁负其责?设计之不良欤?抑执行之不力欤?抑考核之不公欤?三者必居其一,然无法断定谁应负责。所以分立可以权责分清,不致逾越不及;联合则可分工合作,齐步迈进。必如是,行政三联制始能发挥其效能,表现其特质。

与行政三联制相辅而行者,为主计制。主计包括三计,即岁计、会计、统计是也。各保持其独立之性质与任务,但有其综合之联系。任何政府,必于年度前若干月,决定下年度之施政方针,再令其所属各级行政机关遵照拟定行政计划。这就是设计,而预算就是这个设计之数字表现。行政计划有行政总计划与分计划之分。因为有总计划,所以有总预算;因为各部会有部分计划,所以有单位预算与分预算。编制预算之责,由岁计负之。

如上所述,任何政府,必先依据计划编制预算,然后再根据预算,遵照执行,是为会计。所谓执行,或是机关本身之执行,或其所属下级机关之执行,皆须遵照预算之内容。预算之执行,就是行政计划之执行,故预算有其严格的拘束力量。欲发挥此项拘束力量,必有赖于健全之会计方法。过去会计工作,往往只有技术之运用,而无效能之表现。非真无效能也,实因会计上所供给之材料,不能为各方所善用耳。今后谈执行,必须根据计划,必受预算之控制,而预算之控制行政,当然有赖于会计工作。但会计方法,必须力求改进,务使预算科目,足以达预算控制行政之目标。

就会计之结果加以检讨考核,则必有赖于统计。如年度政绩比较表、政绩交代比较表、及各种事业进度表均是考核政绩之所需,尤非有正确之统计数学不可。可知考核与统计,又是不可分割者也。从可知主计制度之岁计预算,与行政三联制之设计,是一物之两面。主计制度之会计与行政三联制之执行,又是二而一,一而二的工作。主计制度之统计与行政三联制之考核,又是相互联系的东西。我们从此可以得出一个极正确的结论,就是行政三联制(设计、执行、与考核)必须借助于主计制,而主计制(岁计、会计、与统计)亦必须配合行政三联制;不然,两者皆不能发挥其效用,表现其特质也。不过为配合行政计划,必须有精详及时之预算。我国已往预算,类多不能及时成立;年度已过,预算犹未成立;至于内容则讨价还价,折中求全,其真能代表行政计划者,可谓绝无。其故无他,大抵主计制度是新创的制度,颇有朝气,遇事勇往迈进,不顾一切阻碍,而整个行政机构,老气横秋,萎靡不振,做事马虎,不肯认真。结果一个太前进,一个太落后。前进者要求迅速及时,落后者拖延塞责。结果方柱圆孔,扞格不入,不但行政事务因步骤过缓,感受牵制,即主计本身,亦无法前进,于推行上不无相当阻碍,因而不能尽量发挥其效能。今既创三联之制,以革新整个行政,而三联制与三计制之精神,又复先后一贯,则可使三计之预算与三联之设计(计划)合而为一,使二制齐步迈进,共同发挥。但预算必须及时成立,以便执行,且须将施政计划,尽可能范围,分类排列,与相关之预算科目相符合,一面复宜列举推行计划所需之经费及物资,使与预算联系。如是三联与三计,方可相互配合,脉络相通,精神一贯。此于民国三十二年度施政计划编制程式第三项中有明文之规定,足供参考。其所定施政计划之目次及内容如次:

(一)目录

(二)计划撮要　首应撮要述明过去办理中心工作,经过情形。机关如系新设者,应将设立缘起及其职掌,酌量陈述。其次应将本年度计划内容,撮要叙述。

(三)计划全文

甲、应参照现行预算编造程式,将计划分门别类,列为若干项目,并应尽可能使其所涉范围及排列次序,与相同预算科目之编列符合,以便对照。

乙、每一计划,应斟酌情形列述下列各点:

(子)创办缘起或过去办理情形。

(丑)本年度实施限度。

(寅)本年度实施方法。

(卯)本年度所需经费及其来源。

(辰)本年度所需物料数量及其来源。

(巳)其他。

(四)如有必要,可将与计划有关之图表、法令、及其他资料,列如附件,以供参考。

二、联综组织与超然主计的关系

联综组织,是我国为救济混一组织之弊端而创立之一种公务机关的组织,使各机关之行政、主计、出纳、与审计四种职务,各成一个系统,独立行使其职权,一方面互相牵制,防止财务上之弊端;一方面互相合作,借收动作敏捷之效。此即学者所盛倡四权分立之联综组织。一曰行政机构,就是命令机构,由主管财政之机关,执行财务行政上之收支命令,并办理税务、金融、币制、公债等之财政设施。二曰主计机构,即由主计机关主管岁计、会计、统计事务之机构。岁计事务,包括预算与决算两项。三曰出纳机构(即公库),即由公库机关,经管现金票据证券之出纳,保管移转及财产契据等保管事务之机构。四曰审计机构,即由审计机关主办事前事后审计及稽察事务之机构。此四种机构,各具超然独立之精神,同时又有分工合作之功效,揆诸政治上"制与衡"(Checks and Balances)的原则,殊属一致。其唯一的目标,不外乎利用联综组织,以促进财务行政之健全良好,可谓相互为用,相得益彰也。

所以会计人员的职权,是依据主管长官之行政计划编制预算,并登记收支事项,整理收支凭证,送交驻在各机关之事前审计人员查核。出纳之职权,是由代理国库之银行或邮政机关代掌,执行一切出纳事项。审计人员之职权,是审核由会计人员整理之收支凭证,于收支终结后,由会计人员编造之报告及决算。所以每一财务事项之发生,须经多数人员处理,舞弊机会,虽不杜绝,亦可减少。这四系人员的职权,虽同属于财务性,然各各不同。联综组织的用意是利用各系自私心理,互相牵制,互相辅助,以达监督财政之目的。主计人员以不肯从枉邀功,审计稽察人员以能发现过失邀功,出纳人员虽无意外邀功的机会,也不肯无端受意外的损失,而机关主管人员在平时受主计审计稽察出纳人员的监视,遇有这些人出了破绽,必不肯轻易放过。故四系人员,互相监督,非常严密。

"联综组织之妙用,在于上有集中管理之机关,下有散布在各机关办事之人员,上下联络一气。因有散布之人员而便于切实办事,因有集中之机关而便于如有计划的统制与有系统的训练。"超然主计在联综组织中不过是一个阶层,但处于重要地位。他有他的主脑组织,在各机关散布有岁计、会计、与统计的人员。岁计人员,办理各机关之预算决算,以免隔阂与不切实之虞,此散布之益也。他们的工作统受岁计局之监督与指导,所以办法划一,而各机关间的情形亦可明了,此集中之益也。在各机关办会计之人员,由中枢之会计局训练、监督、指导,则办法亦可划一,不致因办法不同而结果互异。其任免、迁调、与考绩之权属于主计处,则其地位亦有保障,虽秉承各机关主管长官之意旨行事,然不与他们同进退,足见其地位之超然。在各机关办理统计之人员,亦由中枢之统计局训练监督指导,其工作亦由统计局分配,以收划一之效。他们既散布于各地各机关,则对于各地各机关之观察与调查,必比较准确,虚伪自可防止,重复亦可避免。查各国办理统计,有由各机关分办者,亦有由一机关集中办理者。前者之利在切近实际,其不利在过于零碎,难以汇集。后者之利在容易造成一个全国系统,可以窥其全豹;其不利在不切合各方实际情形,不适于各机关之应用。我国之联综组织,可收各国两种办法之利,而无两种办法之弊。故联综组织之办法,兼顾学理与事实,在我国已成为一种固定的组织。

我在上面已经说过,驻在各机关之主计人员(岁计、会计、和统计人员,统称之为主计人员)虽在人事方面有其超然之地位,但在职务上,仍应接受驻在机关长官之指挥,秉承其意旨处理主计工作,但不能掣机关长官的肘,干涉或阻挠其政务权之行使。

三、联综组织之推行

计政之推行,可以改善我国之财政收支管理制度;如行之得其道,必能使财政焕发曙光。按我国现行制度,管理收支,采分权制。其职权之分配如下:

(一)为预算制度——我国预算法规早经订定,各机关收支均须编造概算,送经主计处审查,编送中央政治委员会核定(在过去中央政治委员会为核定概算之最高机关,今后行政院是最高核定机关)。核定后又须发交主计处,由主计处转交各机关编造拟定预算,提经立法院公布。自二十三年起,国家总预算成立,依理论,举凡一切收支,均以预算为依据,当非财政当局及各机关长官所能自由伸缩。

（二）为审计制度——我国办理审计,设有专部,照审计法规定,凡支出款项,必须由财政部照预算科目经费填发支付命令,送审计部核签,所谓事前审计是也。各机关支用后,应编造计算书送请核销,所谓事后审计是也。

（三）为会计制度——我国之会计制度,现采超然主计制度,由主计处主管。凡收支账目之登记,预决算之编制,均由主计处作合法之处置。

（四）为金库制度——自国民政府成立以来,对于国库收纳支付,早欲集中统一;十六年曾颁布金库条例;十七年成立中央银行,并规定总金库分金库事宜,由中央银行掌理;二十二年二月又拟定中央各机关经管收支款项,由国库统一处理,是国库主管机关对于库款之出纳,规定由中央银行经管,已渐入统一之途。惟各收入机关所收款项,未必完全解缴国库,仍多有依拨付坐支等方式在中途支出者。至各支用机关之经费,大部由上级机关颁发,因之国库主管机关及国库代理机关,只有承转会计之责任,实未收彻底统一集中之效,诚为财政收支管理制度上之一大遗憾。在财政收支制度完善的国家,以上四种机构是紧密地配合起来的,所以能发挥极大的作用。我国以公库组织之不健全,尚谈不到紧密的组织,犹如机器之缺少轮齿,不能转动自若;因此预算、审计、与会计三种制度,对于财政收支管理,不能发挥极大的力量。

公库法自二十九年一月一日起一律施行。依公库法之规定,以就地审计为依归,尤以监督国库收支之事前审计为原则。如公库法能切实施行,得更充分行使监督职权。因为无论岁入岁出,随时均由审计人员,驻库办理;财务行政,公库出纳,亦与该部监督取得密切联系。依法各机关之所有收支,概集中于国库;所有收入机关即不复有截留移用之弊。故公库法如能切实施行,实为财务上之一大善政;不然,所谓就地审计、事前审计,徒有其名而已。

惟就地审计,尚未普遍推广,重要事务难免稽压。如能普遍推行,对于各机关计算书类之单据,当可随时审查,不致积压太多,以致无从着手,而影响决算之编造。

四、以联综组织替代一条鞭组织

现行主计制度下之人员,在职务上甚有保障,进退升黜,可以不受机关长官之威胁与影响,故对主计工作,可以保持严正态度。此即所谓"超然主计"。但所谓超然,并非孤立之意,与外界不相往来。超然主计之真谛,无非为主计人员者:在消极方面,立身行事,不受非法之牵制,更不受非法之干涉;在积极方面,以光明正大,不偏不倚之精神,厉行法定之主计职权,如是而已。所以,各机关办理主计之人员,与各驻在机关之行政人员、出纳人员、与审计人员处于互相联系之地位,在工作进行上,可以互相合作;在弊端发生上,可以互相牵制。故各机关之主计机构,非位于所在机关系统之外,仍为所在机关内部组织之一部分,与其他有关部分,联立并在。此即所谓"联综组织"是也。我国各政治机关向采一条鞭的组织,机关内的行政长官,不但主持内部一切事务,并且握有进退机关内一切人员之全权。在这种一人独裁制度之下,舞弊非常容易,因此任用私人,串通舞弊。实行超然主计制度的用意,在使各机关办理预算会计决算之人员,得独立行使其职权,所有账簿表册,已有专人管理,以防各机关主管长官任用私人,串通朦蔽。故在超然主计之下，主计人员的任免、迁调、训练、考绩，概由主计机关负责主持，不受驻在各机关长官之干涉。目下一般机关长官，已少推荐会计人员之情事，多知委派会计人员，为主计机关之法定职权。同时在机关交替时，请由主计机关更调，主办会计人员亦皆认为于法不合，多知道主计机关是事务机关，所以主计人员亦是事务人员，必使其立于超然的地位，得以安心服务，不受长官好恶及政潮起伏的影响。所以往昔主管长官交代时，将账册席卷而去之不良习惯，革除殆尽。又过去主管长官办理交代，往往穷年累月，不易清结。此种情事亦以会计负责有人，减至最少限度。近年以来，联综组织日趋于严密与完整。不但各地审计机关与人员时时增加，而由于审计法之修正，审计之程序亦日趋于便捷。主计人员执行职务时，当可获得更多之合作与维护。二十八年十月实行公库法，联综组织之空白一环又因而弥补。今后各机关"经手三分肥"之弊病，可以逐渐消灭，主计制度之功用更易实现。

五、关于超然主计之法规大致粗具

主计制度于民国二十年始正式成立，迄今已有 17 年之历史。在此 17 年当中，主计制度之进展，不可谓迟缓，各级主计多已次第树立，其机构亦已渐趋健全，工作颇具成效，各种法规章则亦逐渐充实。因预算为施政计划之结晶，故在预算方面，有修正预算法于二十六年公布，其施行细则于二十七年公布，于二十八、九两年之间，又公布预算科目实例书表及各种注意事项等等，故卒能舍预算章程而代以预算法也。三十七年五月一日，立法院又通过预算法修正案。决算为预算实施之结果，故在决算方面，正式决算法于二十七年公布,其施行细则于三十年公布,故卒能舍决算章程而代以决算法也。会计为记录财务变化与事业变化之工具,亦即为事业与行政之管理工具,故在会计方面,有中央之总会计制度及中央各机关及所属普通公务单位会计制度之一致规定,和暂行公有营业会计制度等等,凡此均于三十三年以前设计完成,并不断修正,足为中央及地方各机关设计会计制度之模楷。统计为行政设施与预算编制之重要参证资料,必须力求推广,故在统计方面,有主计当局所拟订之各机关汇送全国统计报告表格及公务统计方案等。在过去主计制度之所以未能推行,固由于各种法令章则之未备,尽人皆知。兹者重要法规已大致完成,规模粗具。就预算言之,其编造核定审议,成立及执行,均各有一定之法定程序。民主政治发扬之国家,非但支用公款,须以法定预算为根据,即征收赋税,其未经过法定程序者,亦不得向人民收取,而所收取之款,亦不得交与经征人员,须依法交付于国库,或代理国库之银行。

六、联综组织下各系统之发展难趋一致

监察院下之审计部或审计总处,只是一个审计行政的首脑机构,必其在京内外各机关内增设许多分支审计机构来担任技术工作。但在过去,审计系统的发展,不及主计系统之迅速;审计机关的增设,不像主计系统一般的普遍。在过去,审计部对于地方财政之监督,因限于人力财力,未能普遍实施;故过去的审计机构,只设置到省市(院辖市)为止。今后为配合县地方自治财务的发展,应该推及县市(省辖市)。现在行政三联制既被采用为吾国政治上一种基本原则,自应把主计、审计两系统同时由中央直贯到地方基

层,但办起来不知有若干障碍。全国有如许县份,各自独立,不相统属;加以县财务行政混乱异常,账簿凭证,参杂不齐;公库制度有名无实,收支之执行,未必依据预算法案,不肖之徒,因而从中舞弊,毫无顾忌。但"麻雀虽小,肝脏俱全",今后审计机关亟应以地方财政之监督为努力目标,使县财政立上正轨。中央审计机关责任綦重,事务繁杂,恐精神上不能贯彻到县市基层;勉强为之,收效不宏。查县各级组织纲要规定县参议会有议决预算决算之权,不如把自治财政之监督暂时划归县参议会办理,比较中央审计机关之书面审计,必切实多矣。欲使审计发生积极效能,必须将审计对象由书面扩展到实际。将来宪政实施之后,监督地方财政之权固属于县议会,各议员对于各该省县之财政比较熟悉,各该议会又为"治权"机关,故地方财政监督赖议会之力颇多,中央审计机关似应与地方议会取得联系,则双管齐下,事半功倍。

世界最民主最公开的地方审计制度,当推英国1879年后施行之制度,所有区审计员,是由卫生部长委派,分赴各划定区域,执行审计职权,并于审查账目之前,公开通告人民于一定期间内前往查阅账目;选民如有意见,可以任意提出。如有不法支出,审计员有权予以剔除,并要求赔偿损失。这种制度,如我们认为容易收效,是值得研究的。

七、国库充实方可推行联综组织

这个四权分立之联综组织,其制度之良否,大足以影响所有财务行政;反之,财政不健全,亦足以影响联综组织。但必如何方可使这个组织的精神发挥尽致? 此问题急待研讨。无论如何,四权之中,任何一权,皆与其他各权有密切的关系。第一、预算制度必须确立。倘不确立,则收支命令徒具形式,何者应收,何者应支,混乱不清,于是国库之出纳,不能将各基金之款项一一分清矣。第二、主计制度,尤其主计制度中之会计制度,必须完善;不然,各机关之会计事务必形紊乱,不堪整理,所有缴款领款等会计书据,定多错误,影响下年度预算之编造(盖下年度的预算根据于本年度的会计确数),而国库之报告,亦不能明晰。第三、审计制度必须厉行,否则预算无法执行。以过去情形而言,审计系统尚未建立,主计与出纳二系统,大多不予划分。司会计者并司出纳;司出纳者兼司会计,则"管钱"与"管账",集于一人之身,而此人又属机关长官之僚属,听其迁调,往往须有特别关系始能进身,于是串通舞弊,遂成为事实上所难避免。因此各机关有现金出纳保管之权。税款之收纳,往往先于征收命令之发出;支付命令之到达,往往后于经费之支用,一切舞弊遂从此而生。于此若伴以超然主计系统与审计系统,相辅而行,则预算不致徒成具文。譬如经费支出,机关长官可不问实际之需要,以一纸支票统行支领;收入不问其数额几何,自行征收保管,尽先动用或积压,公库主管机关无法使公库金彻底集中。非有主计系统,设置各机关超然主计人员就地牵制,审计系统设置审计人员就地审计,万难奏效。只要主计人员与审计人员拒绝会签支票,则机关长官自无能施其技。此二种人员各有特性:1.地位特殊,自成独立系统;2.行使职务,不受任何方面之干涉;3.职务有保障,不与行政长官同进退,故能尽其监督之职。不特此也,审计系统派员驻库,就地审核,则国库对于出纳保管,随时可以报告或咨询审计机关。就审核效果而言,与其采用书面审计,不若派员驻库审计;与其采用事后审计,不如采用事前审计,如是各机关之收支，自能遵照法令办理，不致错乱，而预算之精神，亦能贯彻矣。第四、财政收支系统必须健全。有健全之收支系统，方有健全之财政，库款始能充裕，而款项之划拨调度，方能灵转，收支方能有条不紊，国库之账款自能办理清楚矣。公库制度所注重者是收支之系统与程序，而欲保持此种收支系统与程序于不堕，必须求财政本身之健全良好。质言之，倘财政收支平衡，库藏充盈，则一切收支之程序与系统，自能依法办理，毫无扞格；反之，如财政困难，库空如洗，则一切款项收支，必求其遵循一定之程序，戛乎难矣。盖库藏空虚，支付通知，无法兑现，公库就无法执行任务。过去省政机关，例如湖南财厅，常有签发支付通知而领款机关得不到现款者，故领款机关不得已常持同原支付书，向厅内会计课交涉，或换取厅收，或兑取会计课期票与存条，转向钱庄贴现，或由厅指税务署拨付。当时省款收支，几完全集中财厅会计课，省库反无所事事，充其量，亦不过收取不兑现之支付通知，换给省库期票或临时库收耳。

此种恶劣惯例，在民国二十二年以前，固为若干省之通病，恐至今日尚有一二省未曾除去。在若干省份，虽有金库之设，然以政费拮据，不得不改为摊发，甚至有以签发空头支付命令为应付各机关之不二法门者，至其能否兑得现款，概不之问。迨年度终了，竟以一纸命令宣告上年未兑支令，一律停兑"另案清理"，就此赖债了结。故欲求公库制度之推行尽利，公库主管机关必须先求财政本身之健全良好。如盼望各机关经费，由公库按期划拨，如公库法第十四条所规定，必须先使库存充实，足资应付，否则徒托空言，于事无济。

八、超然主计不能完全实现的原因

在今日政治环境之下,各机关长官固不能委派或推荐自己的私人办理会计事务,但由主计处委派立于超然地位之会计人员,亦不能发挥监督行政之实效。查主计处组织法第十三条规定:"办理岁计会计事务之人员,直接对于主计处负责,并依法受所在机关长官之指挥。"立法用意,无非要使主计人员与所在机关长官合作,不可掣他的肘,干涉甚至阻挠他政务权的行使。不料实行结果,主计人员不能充分实现超然之精神,有时竟失却超然的地位,而为机关之附庸。主计人员在执行职务之时,往往受人利诱。如意志坚定,拒绝利诱,即不免受到威胁。加以各机关之会计事务与非会计事务,多未划分。会计人员应办之事务,大抵不外乎会计、岁计、或代办统计等事务,而会计事务又可分为岁计、出纳、财物等三种。除此之外,皆非会计事务。如二者之界限能严密分明,则冲突之事,亦可减少至最低限度。但事前审计人员,尚未普遍设置,会计人员势孤力薄,遇有争执,往往机关长官占了便宜,而会计人员只得屈服;其平日无修养者,甚至同流合污;而意志坚定者,则以主计系统之缺乏实权,不能与官官相护之行政系统相颉颃,只得辞职以去。此种情形,虽不普遍全国,然可说到处皆有,超然主计之精神丧失无遗矣。

推行主计制度之摩擦,以外来者居多。诚如广西省政府会计长张心澄氏所云:"吾人常标榜会计独立主义,而办理会计所得之效果,往往不能如所预期,甚或阻碍横生,大有此道不通之感,或与各方摩擦,陷于进退维谷之境。"……"如出于内在之原因,则求之于吾人之自身，固易于解决也。然而阻碍摩擦，仍然不免，是又何故耶？则外来之原因，出乎吾人及会计范围以外者，吾人未能如之何也。吾人于会计独立性之外（案：独立性就是超然主计），复标榜会计之协和性（指与行政等系合作），即会计与其环境协和。……言夫政府会计，乃协助行政与建设者；言夫企业会计，乃协助经营与生产者，均不能离行政与经营而成其所谓会计也。……吾尝痛心于工业会计处理之不当，缘于材料制成营业等部门，不能按部就班，与会计相适应，致会计方面不能得其应得之数字及资料。……吾于会计尽心焉，往往为环境所限，与之奋斗，甚或有越俎以求环境改善之举"云云。观乎张氏之慷慨陈词，能勿为之黯然耶？

张氏所云，可以举几个例子以为证。会计执行财务上之积极监督，地位超然，盖所以别于行政、出纳、与审计三系统而成其独立超然也。其对出纳言之，则管钱者不管账，管账者不管钱。然今各公有营业或事业机关，仍不无将出纳隶属于会计之下者（出纳应划归公库代理）。会计法明明规定："会计人员，非根据合法之原始凭证，不得造具记账凭证；非根据合法之记账凭证，不得记账。"同法规定："会计凭证，关于现金票据证券之出纳者，非经主办会计人员签名盖章，不得为出纳之执行。"旷观当前各公务机关能遵守法规，如此办理者有几人耶？倘所谓款项调拨，事先不经会计人员之审核，只于事后以通知方式，转令入账，则出纳并非根据会计凭证而执行，会计人员直与簿记录事等耳。以上系就事业或营业机关而言。至于事业机关之事业计划，或营业机关之营业计划，则有如异胎之难产，即所请求增拨之资金，能填就法定书表格式为合理之表示者，亦直如凤毛麟角。至普通公务机关，其会计事务与非会计事务之划分,应较单纯,然亦仍无定例。夫预算之编造,应根据施政方针,附具施政计划及事业计划,试问政府机关中有不能遵行者否?又预算之执行,应受分配预算之限制,倘无分配预算,或虽有之而视为奉行故事,对于经费浪用,不依法定手续,年度决算后,有经费剩余者亦不解缴,则预算统制之谓何?主计监督之谓何?

第四章 公库制

一、我国公库制之施行

财政监督,在三权分立的国家,即分为立法监督、行政监督、与司法监督三种。凡岁入岁出预算之决定,决算之审核,是属于立法监督;收支系统之厘订,财务行政之整理,和现金出纳之掌理,以至于岁计、会计、统计等事项之处理,皆属于行政监督。凡与财务有关的,不法或不忠于职务之行为等案件,与夫行政上的违法失职等案件,均属于司法监督。我国是五权分立的国家,财政监督的方式,与三权分立之国家,自有不同之处。以行政监督言,有财政系统与主计系统两种,由财政部及主计处分别掌理。岁计、会计、统计等事项,列入主计系统;财务行政与集中收支等事项,列入财政系统。集中收支之事项在我国,委托中央银行代理,称之曰公库,在中央以财政部为公库主管机关,定有公库法及公库法施行细则,在财政部内另设有国库署,主管公库、出纳等事宜。

于此吾人须连带声明的,是往往有误认中央银行为国库者,与财政部立于平等地位;财政部为收支命令之机关,公库为收支执行之机关,二者权职分明,不相统属,因而地位平等。中央银行既为国库,其办理国库事务之部分,即为国库主管机关,独立行使其职权。此乃认识之错误,不可不辨。所谓国库独立,系指其执行职务

93

而言,不谓其机关不受行政系统之管辖也。中央银行无非为代理国库之银行,自己并非国库。所以公库法第八条规定国库主管机关(在中央为财政部)与代理国库之银行,其双方之权利义务,除受法令特定之限制外,以契约定之。可知国库与代理国库之银行,不能混而为一也。若认二者为同一,则影响所及,贻误甚大。一般人士,辨别不清,往往以国库主管机关所不能解决之事,责成代理国库之银行解决,不免引起多少误会。

在我国于立法监督、行政监督、与司法监督之外,尚有审计监督。审计监督职权之行使,往往渗透立法行政与司法职权之内层。其认审计职权为司法职权之一种者,误也。关于审计监督,当另文讨论。

回忆于民国二十四年六月十四日,政府曾向立法院提出,并于同年七月二十四日,公布《财政收支系统法》,对中央与地方财政,予以划分、配置、及分类。此法虽非公库法,但已厘定收支系统,可视为与公库法有关之初步该类立法之雏形。但此法公布后,至正式公库法公布时止,历时凡三年,并未见诸实行,故此雏形,亦仅能视同理论上之雏形而已,初无实践之价值也。

二十七年六月九日公布之公库法,依当时预定,国库部分须自二十八年七月一日起施行,各省市县库则自二十九年一月一日起分别施行。惟实行该法,因正在抗战方殷之际,筹备不甚严密,预定时期,显有过于匆促之嫌,乃于二十八年六月二十四日明令公布,改定公库法施行日期及区域。令内明定:国库除新疆、云南、青海、宁夏四省暂予展缓施行,以及游击区域或接近战区地方事实上确有特殊障碍者,准由公库主管机关临时酌予变通外,其余国库,均自二十八年十月一日起施行。至于僻远省县,或有特殊情形区域,得将困难情形,尽于二十九年一月一日以前,呈请主管机关,酌予展缓,至二十九年四月一日或七月一日起施行,不再展缓。

在此币值一再贬降之情形下,公库制实有早日成立之必要,因各级财政,不但应注意收入和支出,且须注意收入后支出前之保管问题。今日公有款产之经营管理,可谓弊病百出,因货币贬值后所生之币值差额,常被窃占,或以公款买货,或放款生息收利,公家损失不赀。倘能绝对厉行公库制度,及普建公仓,妥实监督保管,则弊病虽不能根绝,亦可以稍减。

二、公库与国库省库等之区别

公库法第二条规定:"为政府经管现金、票据、证券、及其他财物之机关称公库。中央政府之公库称国库,以财政部为主管机关;省政府之公库称省库,以财政厅为主管机关;市政府之公库称市库,县政府之公库称县库,各以其财政局为主管机关;未设财政局者,以各该市县政府为主管机关;与省市县政府相当之地方政治机关,其公库准用前项之规定。"因此所谓"公库",是一个概括的名称,亦是一个抽象的名词。我们日常所见者,乃是国库、省库、市库、县库等具体的机构,并不见有公库。犹如我们日常所见之马,乃是黄马、白马、黑马;至于马,未曾见过。故所谓国库、省库、市库、县库等可统称之为公库,而各种国、省、市、县诸库均可包含于公库一个范畴之中。立法者制法,不能为各种库制定个别的单行法,而称之为国库法、省库法等等,只能制定一种普通法来适应各种各样的公库。至于公库的意义,则公库法第二条予以确当的定义:"为政府经管之现金、票据、证券、及其他财物之机关称公库。"

财政部国库署对于公有款项及财产之契据，得委托代理公库之银行或邮政机关暨其所派驻之出纳人员执行收支保管。其命令收支保管者，为财政部国库署(即主管国库机关)。公库所得保管者，包括财物，故为政府经管其他财物之机关亦称公库。所以粮食部之对于公粮，或经济部之对于公用物品，亦可委托机关执行收支保管。为粮食部执行收支保管者，为公仓，或粮食经收机关与其人员。为经济部执行收支保管者，为公用物品之管制机关。凡此命令与执行之机能，在统一机构下，适当运用，均足以直接控制各机关单位之财务。依据这个理想，各机关单位之出纳款项，与经理财物之人员，均应划归公库系统管辖，犹如机关单位之会计人员划归主计系统管辖一样，如是始能达成联综组织之极致，避免一般或有之弊病。但在目前操之过激，未免横生枝节，似非一蹴可几。或者由公库系统分别加委，可视为过渡之办法乎？

三、公库与金库之区别

但我们也常常看到"金库"这个名词，心中就起了"金库"与"公库"的混合观念，分不清这两个名词的界限。大概金库专为政府掌理现金的收入、支出和保管；而公库所掌理的，不止现金一种，其他财物亦包括在内。所以金库是公库的一种，可称为狭义的公库。

四、公库之种类

公库之种类有三：即(一)官厅公库制，(二)行政公库制，与(三)统一公库制是也。凡此种种，皆有历史上的背景。古代国家大抵采用(一)官厅公库制。每一个官厅,各自设立一个公库,以管理其款项的出纳。公库在古代,且为公家实际堆积金银珠玉及其他财宝之库房,与现代国家公库之所有者,已不相同。现代社会经济是货币信用经济,不是实物经济,故所保管者,多为货币及信用工具之出纳及财产契据之出纳。故公库法第三条规定:"公库现金票据证券之出纳、保管、移转、及财产契据等等保管事务,除法律另有规定外,应指定银行代理。前项事务之属于国库者,以中央银行代理;属于其他各公库者,其代理银行之指定,应经该管上级政府公库主管机关之核准。在未设银行之地方,应指定邮政机关代理。"至于公家所有之不动产及设备物消耗品等财物,其保管与管理另定办法,故公库法第三十九条规定:"公有财产之管理,另以法律定之。"

官厅公库是公库中之最恶劣者,其缺点不少:1.公库分歧,难于监督,不免有舞弊与浪费的情事发生,而整个政府财政之预算,亦难核实。2.官厅各自设立公库,机关繁多,开支庞大。有了以上1.2.两种缺点,故各官厅自为出纳,自为保管,自为移转,自为开支,自为报解,自为报销,而弊窦丛生矣。3.现金由各官厅分散保管,不能收有无相通挹彼注此之效。经费既不能融通,财政上自难应付自若。有此种种缺点,不得不逐渐放弃官厅公库,而代之以行政公库制。

(二)行政公库制依行政费用之类别,各自独立,不相关联。纵为同一官厅,常因行政类别之不同,特别会计之各异,其公库亦从而分歧。此种制度,可用以专门处理关于特种行政事项的收支和出纳。我国预算是以普通基金为主体。以特种基金为主体的预算,如有编制之必要,可以此种制度处理其收支,不致与国家一般会计相混合。但在另一方面,亦不免有各自分立的流弊,仍足破坏公库制之统一性。所谓特种基金,包括营业基金、非营业之循环基金(零用金除外,因公库另有规定条文)、公债基金、留本基金、及其他信托基金等。关于此种基金之收付及保管,往往有特别程序,规定于产生此项基金之文件中,或习惯上另有一定之程序。现行之公库法,是管理各种基金之普通法,详于普通基金,对于特种基金,略而不详。故关于特种基金,非有单行法,不足以解决其程序问题。因此行政公库制,有时固有其存在之价值,比较官厅公库制,进步多矣。但利弊互见,而弊或大于利。现金分存于各处,化整为零,化大为小,彼此不能挹注,有无不能相通;往往甲机关有巨额节余,乙机关有所不足,无法应付。这就是各自为政的流弊,破坏公库的统一。在北京政府时代,交通部所辖路电邮航四大要政的款项收支,全归交通银行处理,偏于行政金库,亦不免破坏制度之统一。此种不经济之制度,渐归消灭,代之而起者,为统一公库制。

(三)统一公库制,不许各自为政,亦不许有例外之特种收支。凡政府所有一切收入,均须存入同一公共之公库。资金既集中于公共公库,彼此之间,酌盈剂虚,不成问题。况力量集中,即有不足,以整个统一的机构去筹措,亦比较分立的机构各自去筹措,容易得多。因此世界先进国家都逐渐放弃行政公库制,而采用统一公库制了。其财政之所以有条不紊,得力于此制度者实多。因此所有基金,无论普通与特种,均须集中于一处。故公库法第十条所定,特种基金存款,在代理公库之存款中,另立一类。其来源或为由收入总存款中拨出,或自别个来源得来,终与政府或政府所属之机关发生收支保管关系;公库主管机关,不能不过问。盖各该项基金,虽为特种基金,仍为公库之特种基金也。特种基金,固有特别会计及特殊程序之必要；若谓因特殊程序而须专设特别金库，其理殊欠妥当。

五、特种基金之处理

公库法第十九条关于特种基金有下列简单的规定：

"特种基金及其收入，应归入各该特种基金存款。特种基金之划拨、管理、支用，依法律、条约、或设定基金之命令，契约或遗嘱之所定。其无规定者，准用关于普通经费存款之规定。"没有特殊情形视同普通程序，当然可以应用关于普通经费存款之规定。已往各特种基金之收支程序，完全与普通基金不同，且不属于普通统一之金库。依以上条文之规定，特种基金之收入，无特别规定者，准用普通经费存款之规定。关于"此种规定，说者多有争执。或以为特种基金，情形复杂，不能适用普通款项之收支程序，其手续应另予规定。或以为特种基金之经营，由该管机关负责，仍采原有办法，毋庸强用普通经费之手续，使集中于统一之国库，徒多一层周折。甚或基于此种见解，指摘公库法为不合事实者，亦有之。持此论者，均不知我国公库法立法之精神，贵在有统一之制度，收支程序亦贵整齐划一而合理。且立法者未尝不顾及其解款支用程序之变通，免增事实上之困难，故对其限制已取宽大主义。"惟无论如何宽大，公库主管机关至少应有听取其基金之报告，及监督其基金运用情况之权。

我国预算，是以普通基金为主体，特种基金预算，仍未编造，故施行起来，无所遵循。推厥原因，则关于特种基金预算事项，多未明白规定，殊有制定补充办法之必要。自预算法施行后，各机关往往不将各种基金分析清楚,分别编制,因而把普通基金误作营业基金,或将营业基金误作事业基金,或将非营业循环基金误作普通基金或事业费,甚至有将各种基金混称为事业专款者。随便命名,任意流用;因而基金预算,更无法编制。

六、委托代理制

自国府奠定南京,我国公库制度对于公款之出纳保管,当初采银行委托制,比较政府自设机关经理,如美国在1916年以前之国家金库制,进步多矣。国家金库制有种种缺点:1.行政费用增加;2.现金死藏,不予社会以融通之便利;3.不免受政治上有权势者之非法干涉。因有此种缺点,所以各国进而采委托代理制,委托银行代理出纳保管,可以省却自己设立金库之耗费,而银行严守业务上之职责,不受任何外来之干涉,此其利也。但现金依然不能运用,社会仍不得享受使用之权利,因为政府之公款与银行之资金,必须截然划分。银行对于公款有保管之义务,而无利用之权利,即足以妨碍金融的调剂,与演成资金的呆滞。公款如不足数,由政府自负筹垫之责,不能动用银行之资金,故公款与银行资金,截然分开。因此于公库有大宗收入时,市面不免发生通货紧缩;有大宗支出时,不免呈现通货过多,凡此皆足以扰乱金融的平衡。故此制虽比国家金库制略胜一筹,亦不足取。且银行内之公库金,依法应定时或临时举行检查,人力财力,两皆浪费。又银行代理国库,责任重大,手续繁冗,因其无利可图,往往需索津贴。

民国十七年中央银行成立,政府予以代理国库之特权,始渐趋于统一之途。不过政府有鉴于中央银行成立伊始,信用未孚,不敢骤采银行存款制,仍采委托制。故十六年八月颁布之金库条例第九条规定:"款项应与中央银行营业资金分别存储,但由财政部长核准,以一部分之金库款项,移作银行存款,不在此限。"由此可知国库制度,尚停滞于委托制阶段;银行动用国库资金,须得财政部长之许可,足见国库款项与银行资金隔离,不与银行普通资金混合,因而银行无自由运用之权。

不特此也,中央银行在法律上虽有代理国库之特权,但当时财政收支,尚未纳诸常轨,各行政机关从国库领得经费后,仍各存入其往来之银行;而各收入机关收到税款后,于未解缴国库之前,亦仍存入于其往来之银行,故中央银行代理之国库,距离统一之制尚远。

七、银行存款制

因此近世各国又复进而采用银行存款制,即政府之公款,交与银行经理(所指银行,大都是中央银行)。银行收受之后,一切手续,与收受普通存款无异,作为政府之存款,与银行之营业资金相混,归银行自由运用,但政府可收存息与一般往来户顾客无异。政府遇有支出时,可以由财政行政机关发布支付命令,由银行照付现款。如是上述三种缺点,皆可一扫而空。不仅一切建筑保管设备等费用可以节省,即资金亦不致陷于呆滞,银行且可运用政府存款,以调剂社会金融之紧缩。银行严守业务上的规则,亦不畏强权之挟持。

公库法第二条规定:"为政府经管现金、票据、证券、及其他财物的机关称公库。"但关于公库之现金,及其他财物的出纳、保管、移转等事务,在原则上都由银行来代理;在不设银行的地方,可由邮局代理(公库法第七条)。国库由中央银行代理,其他省库市库县库,亦应尽先由中央银行代理;但中央银行之分支行未必普遍设立,为事实上的需要,不得不委托其他地方银行代理之。至于如何代理,则法律规定采用存款方式,于委托者与代理者均有裨益,政府可收存款利息,银行可自由运用库款。因此银行是代理机关,与主管机关分离。主管机关是发布收支命令的机关,代理机关是实行收支行为的机关,主管机关不得自行代理。因此"公库本身,成为一个抽象名词,代表一个公法人之所有财产及其债权债务之集体。"

如此办理,国家财政与社会经济打成一片。社会金融宽松时,政府可以经过银行以发行公债的方式,吸收一部分资金,以平衡金融。于金融紧急时,亦可以经过银行作大量之支出(如公共工程),以增加社会的购买力。斯时的中央银行,亦要负起调剂金融之责,降低贴现率,或在公开市场购买证券与票据,直接间接增加社会的现金头寸。如是银行的力量,与政府的力量,向同一方向、同一目标移动,二者交相为用,收效自宏。所以公库法第八条规定:"银行代理所收纳之现金及到期票据证券,均用存款方式,其与公库双方之权利义务,除受法令特定之限制外,以契约定之。"

银行所收纳之现金等既采用存款方式,则存款之全部,当然可以由银行运用。按中央银行之组织,国库业务由国库局办理之,而运用库款之事务,由业务局办理之。因此国库局所收纳之现金,应以存款方式交诸业务局,并入中央银行业务资金内,以资银行之运用,或用以调剂金融市场,或用以支撑货币制度,全在业务局之设计策划,以完成其所谓银行之银行的使命。此与将库款专储,不得财政部长之核准，不得流用之委托代理制，不可同日而语也。足见银行存款制的用意，无非欲将国家财政与社会金融打成一片，对于金融可以发挥极大的力量。

八、我国公库制度之演变、进步与缺陷

从第五节（公库之种类）看来，我国推行公库的历程是如此：中国古代的公库，并非真正公库，他的作用，无非为皇室保管金银珠玉及其他各种财宝，至多是官厅公库性质。清末所试行的制度，有近代公库制的形式，但缺少内容，仍未从官厅公库蜕变而出。民初之公库，虽稍有进步，然因事权不一，不免多少带些行政公库的色彩，所以不能适应现代的潮流，其地位遂转让于统一公库制。民十六国民政府成立，统一公库制应运而生。所以在中国公库制的演变，由第一阶段之官厅公库，进化成为第二阶段之行政金库，再由行政金库进化，成为第三阶段之统一金库。不过机构虽已统一，而缺陷依然存在，其荦荦大者，约有下列数种：

（一）征收机关之抵解坐支与拨付——有统一公库，则一切收支均应集中统一于金库，凡政府之收入，应由金库直接代理，凡政府之支出，均应由金库直接拨付。但查过去实际情形，收税机关征得税款，一部分自行坐支，以充该机关自己之经费，谓之坐支；一部分则拨付其他机关，以充其经费，谓之拨付。这两种机关之经费，并非由金库支付，无非由其备具书据，向金库办理转账手续而已。如是征收税款与出纳现款，不能严格划分，其流弊当然难免。"征收机关征获岁入款，接财政主管机关拨字命令，可不必将岁入款解缴金库，径行拨付指定机关，然后将拨字命令及解款书领款书向金

库抵解。或征收机关于其征获岁入款内,奉财政主管机关坐支命令,得先行坐支,然后填具解款书领款书,连同作字命令,向金库抵解。"所以中央银行之国库局,名义上是中央政府的公库,事实上是一个事后的转账机关;公库变成一个名实不符的承转机关,不能收统收统支满收满支之效。已往程序,解款有现解与抵解之别;发款有直发坐支及拨付之分。如公库法能切实施行,过去之抵解坐支及拨付三种程序不复适用。所有解款,均应完全缴库,所有发款,均由国库拨发。

(二)何谓统收统支满收满支——除公库法第四条的例外情形,凡政府的收入,都应该直接交纳于国库,叫做统收。除了公库法第五条的例外情形,政府一切的支出,都应该直接由国库支付,叫做统支。我国向有所谓专款制度,尤以地方财政上专款制之流毒为最惨。各省之厅处,皆有专款留备自用,破坏预算之统一。公库法针对此弊,规定总预算范围内之一切收入及预算外之收入,均应归入其收入总存款。一切经费,依据预算,由收入总存款拨入普通经费存款。但此仅名义上之统收统支。欲求实质上之统收统支,非把专款制度消灭不可:于编制预算之时,不准各机关再依照专款,成案计算各专款之收入,而据以编制岁出预算。若欲革除专款制余毒,必于分配经费之时,完全依整个政府之行政计划而决定,不复受专款成规之限制。实质上之统收统支办到之后,一切收入,均集中于一处,而后公库主管机关方能酌盈剂虚,统盘筹划,以维持收支之平衡,而使各机关无苦乐不均,恩怨不分之感。此后如仍有主张以过去之专款视作特种基金者,吾人当排斥之,不遗余力。

公库法施行之前,国家一切税款收入,大都由各征收机关向纳税人收取自行保管,然后汇解国库,一转手间,不免发生流弊。譬如过去盐务下级收税机关,对于税款及经费等,或因交通不便,不能随收随解,存入银行,或存放在自己本机关之铁柜内,致常有弊窦之发生。公库法针对此弊,责成纳税人或缴款人,径缴代理国库之银行,直接列收库账。以盐务为例,应严令所有盐务附属机关,将一切公款存入国库,月终由国库出给之结单,作为会计报表审核之根据。公库法施行之前,库款支出,由各支用机关向国库整领,再行分别支付受款人。公库法针对此弊,责成国库凭支用机关签发之公库支票,直接支付其债权人。其旧日自行收解或领发及坐支抵解,互相拨解的办法,一律不许再有。旧日中央银行代理国库,只有整收整付转账等单纯工作;今日经办国库,便须担任零星收付,直支拨存之烦琐工作。如是,自此以后,如公库法切实施行,所有国家的岁入,都由公库统收;所有国家的岁出,都由公库统支。换句话说,人民向政府纳税,应直接缴纳于代理公库之银行,不必交与税局或征收官吏。人民向政府领款,可以直接向代理公库之银行支出,不必去找某一个官吏或机关。但如有第四条与第五条之例外情形,又当别论。自此之后,收支命令与出纳保管,必须截然分成两个系统,是为财务行政秩序之不易原则。征收机关不准自行收纳,支用机关不准自行保管;换言之,征收机关不准变为发款机关,支用机关不准变为收款机关,此皆不合财务行政秩序之原则,亦即贪污舞弊之所以发生也。举凡国家的一切收支,都由公库来经管。各机关如有款项收入,必须依法向公库缴纳;如需款项支出,必须在预算所列数目之内,向财政部请发支付命令,持赴公库呈验,方能支取款项。总之,有命令权者,不准其有执行权,即欲贪污,亦无法可设也;有执行权者,不准其有命令权,即欲枉法,亦无能为也。如是,国帑不致虚糜,而政治可望清明矣。

公库法第二十七条规定:"违反本法之规定,为收纳或命令收纳者,分别依法惩处。"第二十八条规定:"违反本法之规定,为支出或命令支出者,分别依法惩处,并令其赔偿公库之损失。代理公库之银行或邮政机关,违反法令或契约,为支付,致公库受损害时,该银行或邮政机关,应连带负赔偿之责。"第二十七条是严格禁止不合法的横征暴敛;第二十八条是禁止不合法的滥支,除刑事上受惩处外,尚须在民事上负损失赔偿之责。

九、公库金集中管理之例外

政府各机关,对于下列各种收入,依公库法第四条之规定,得自行收纳,并得在规定期内自行保管:

(甲)零星收入。

(乙)机关所在地,距代理公库之银行或邮政机关,在规定里程以外者,其收入。

(丙)在经征地点,随征随纳,经主管机关认为应予便利者,其收入。

(丁)机关无固定地点者,其收入。

统收统支,虽属善法,也不得不因事实上的困难而有所变通。例如收入固应统交公库,但是零星收入,如印花税收入,要想统交公库,就繁琐不堪了。所以设例外场合。上列四款收入,得在规定期内自行保管;施行细则第九条规定此期间为至多不得逾一旬,其有特殊情形,得由主管机关报请公库主管机关核准延长之。第一款所谓零星收入,依施行细则第十条之规定,应以所收款项每笔不满5元者为限;在县市之收入较少机关,其限度仍得由公库主管机关酌量情形减低之。第二款之规定里程,依施行细则第十四条之规定,由公库主管机关参酌各地交通情形定之。第三款之随征随纳收入,应由该机关叙明事实,呈请主管机关核准,通知公库主管机关。

依公库法第五条之规定:"政府各机关对于下列各种支出,得按规定期间,预向公库具领,自行保管及支出"。

(甲)额定零用金内之零星支出。

(乙)机关所在地距代理公库之银行或邮政机关在规定里程以外者,其经费。

(丙)机关无固定地点者,其经费。

(丁)其他经法令许可之估付包付金额。

上列四款得按规定期间,预向公库具领。关于第一款之零星支出,得于每月底具领,其数额以该月份经费预算内办公费数目半数以下为限。其在办公费数额较巨之机关,其限度仍得由公库主管机关酌量情形酌减之(施行细则第十三条)。关于第二第三两款之经费,得由该机关或该主管之上级机关,商准公库主管机关,于实际需要时请领(施行细则第十二条第二款)。又第四款之估付包付金额,应按合同契约或法令规定之期间请领,并须附送证明文件,由公库主管机关备核。

第四第五两条所定,为各机关得自行出纳保管之例外情形,但虽系例外,法律仍加以限制,其最高金额由公库主管机关参酌当地当时之实际情形定之。如是一面限制各机关自行出纳保管之例外场合,一面又以施行细则限制其最高额,可断定各机关实际上不能亦不必与现金直接发生关系。所以公库法第七条就规定:

"政府各机关关于现金票据证券之出纳、保管、移转、及其财产之契据等之保管事务,均应由代理公库之银行或邮政机关办理之,不得自行办理。"

十、邮政机关代理公库

公库法第三条规定:"在未设银行之地方,应指定邮政机关代理",立法用意在利用邮政机关之遍及全国,而邮局办理以来,信誉甚孚,又与民间接触之机会甚多,托其代理,可以免去多少困难。不过近年以来,邮政机关受物价影响,人手不敷,因而事务倍极繁忙;若以公库事务复责令邮政机关代理,更增加其困难。况邮局代理公库之处,大都是偏僻之区,邮局等级既低,设备谅极简陋,而这种地方警卫力量,定必薄弱,保护不能周密。平时邮局本身无大量现金保存,若以库款托其代存,势必多所过虑。加以票据证券及财产契据等之保管,亦必令人有无处妥藏之感。不特此也,公库网之优点甚多,汇兑便利是其优点之一。但穷乡僻壤之邮局,对于汇兑款项,视为副业;调拨汇票,数目亦极有限。凡此种种,实使邮局有难以代理之苦衷,惟我国幅员广阔,银行之开设,远不如邮局之普遍,故委托邮局代理,亦出于不得已也。然邮局执行此等事务,用人及办公费用,皆须加多,自应津贴邮局一部分费用。若代理公库者为银行,尚可利用政府存款而有所得,足以抵消因代理而增加之费用。若代理公库者为邮局,因邮局无法运用政府库款,存放生息,反须代为保管及经理收付事宜,平心而论,此种因代理而增加之费用,自应由公库主管机关全部负担。

十一、中交两行曾为名义上之代理国库者

中央银行未曾设立以前,国库事务,向由中交两行代理,所有国家之收入,悉数存入于中交两行。惟关盐两项税收,因为外债之担保,统存于汇丰等洋商银行,中交两行不得染指焉。至于其余各种收入,为数有限,事实上亦多不归中交经营。大都在未缴解于财政部之前,或由征收机关将自己应领之经费扣抵坐支,或直接拨付别的机关,抵作该机关之经费。故中交两行,徒有代理国库之名,而无代理国库之实;不仅无所入,反时有所出。每当中央财政竭蹶之时,该两行时有垫付之事。所谓代理云云,仅限于征收机关对中央之解款,此项解款,虽由两行经手,亦仅足以归还垫款而已。至各行政机关之收支各款,由其往来银行代理,在各机关可以存款生息,形成机关长官与会计科长的一笔额外收入,而在各银行亦可以运用资金以图利;大利所在,趋之若鹜。故银行之间,争夺甚烈,而当时平沪证券交易所之公债投机买卖,与此不无多少关系。

十二、公库存款之种类及支款之程序

依公库法第十条之规定,公库存款,分为三类:一为收入总存款,二为各普通经费存款,三为各特种基金存款。

依三十七年四月二十九日立法院修正通过预算法第五条之规定,已定用途而已发生或尚未发生之金钱或其他财产称基金。岁入之供一般用途者称普通基金,其供特种用途者,称特种基金。特种基金有下列几种:1.供营业循环之用者,为营业基金;2.依法定

或约定之条件,供公债还本付息之用者,为公债基金;3.凡经用去仍须还原,或经付出仍可收回,而非用于营业者,为非营业之循环基金;4.依法令契约或遗嘱之所定,仅以孳息充指定用途者,为留本基金;5.为机关团体或私人之利益,依所定条件管理或为处分者,为信托基金;6.其他特种基金,各依用途,定其名称。

所谓收入总存款,即预算法所定之普通基金总存款,而依第十一条之规定,政府总预算范围内之一切收入,及预算外之收入,除依法应归入特种基金存款者外,均归入其收入总存款,由公库主管机关主管,并由代理公库之银行或邮政机关,按科目别及机关别,列收库账。第十二条又定此项收入,以现金票据证券缴纳者,均由代理公库之银行或邮政机关代收。

以上是关于收入。至于支出,则应依据预算,先由收入总存款,拨入普通经费存款,或特种基金存款后,始得支出;但得依法,以紧急命令,由收入总存款,拨入普通经费存款支出之,仍应于支出后,补行追加预算程序(第十三条)。普通经费之划拨,应照核定之分配预算,按期由主计机关,知照公库主管机关,会同该管审计机关,通知代理公库之银行或邮政机关,由收入总存款,按经费之机关别,拨入普通经费存款项下。此项经费拨付时,公库主管机关,及代理公库之银行或邮政机关,应通知主计机关及请领机关(第十四条)。请领机关,由其普通经费存款项下为支出时,应以支票为之。但第五条各款之支出,可以不用支票,而支票非因付给政府之债权人,或为约定债务之预付,不得签发(第十五条)。

在历年总预算上,常见某某经费之中,含有某某事业费或生产费。考其性质,实属投资,于是明系一种循环运用之基金,而竟作经费支销;明系一种可以收回之政府贷款,而自国库拨付后,即杳无声响。经费而可移作费用,其流弊之大者,侵吞中饱;小者资本额不明,资产不确实。究其原因,端在基金与经费混淆不清。故在国家岁出总预算中,应将纯消耗性质之费用,如各机关之经常费等,与自身可以收支循环之特种基金,如营业基金等,划分清楚,不得互相移用。此外自身虽不能收支循环,或现时竟无收入可言,但将来有收益之投资,如某某路基,某某惠渠建筑工程费等,亦属投资性质,其基金亦不能移作普通经费。所以公库法把公库存款分为三类,并把普通经费存款与特种基金存款分开,自属应有之办法。

以上各条,系针对当时恶劣环境而定。在公库法施行以前,在民国二十二年间,政府颁布"中央各机关经管收支款项由国库统一处理办法"二十九条,规定中央各机关缴款及领款等程序,但该办法为适应当时环境,未能将所有之国家款项全由国库统收统支,仍保留坐支拨付制度,无形之中予收入机关以自收自用之机会,而支出机关遇到国库枯竭时,只得望洋兴叹!因此恩怨不均,对整个政治不无影响。该"国库统一处理办法"既保留坐支拨付等惯例,则收入机关关于公库金之收入未能满收满解,往往不问收入如何短绌,财政如何困难,而其欲使用之经费均得尽先在收入项下动用,事后补办一转账手续。财政主管机关因之不能就政事之缓急统筹分配,对庶政上自有不少之阻碍。至支出机关,每于请到经费后,即向库领出自行保管。其必保留一部分为目前未使用及已使用之剩余金额。此项金额,徒使其分散于库外,对于公库金之周转,必有甚大的影响。且分散库外之一部分公库金,常由各机关长官自派出纳人员掌管,弊窦易滋,且难发觉。公库法之立法者,深悉此种弊端,故特设以上各条以革除之。此后国家的税收,由纳税人自缴于公库；一切经费须由收入总存款拨入普通经费存款或特种基金存款后，始得支出，而各机关接到支付书时，公库仅予以转账，由公库收入总存款项下拨入各该机关经费存款户，并不支付现金。至该机关有实际需要付款时，则以支票为之，由持票人向库兑取现金，如是支出机关由领到支付书以至经费支出，始终不见现金，而舞弊者无可施其技矣。怀疑者曰，经费既已拨入该机关之普通经费存款，该机关亦可以一纸支票悉数领出，其弊与前何异？殊不知须经主办会计人员会签；其设有事前审计人员者，并应从其核定签证后，代理公库之银行或邮政机关，始得支付。如他们认为不应支付者，得拒绝签署。由此更可知主计（会计）审计，公库实有分工合作之必要，此即联综组织的精髓之所在。

从以上各条，我们容易看到联综组织与公库制度之联系，与公库制度精髓之所在。领款机关，要动用款项，必须牵动四个机构，即主计机构、财务行政机构、审计机构、及代理公库机构，否则款项无法动用。每一财务事项之发生，须经多数人员处理，舞弊机会虽不杜绝，亦可减少。此其一。

又政府各机关之普通经费存款，在过去由各领款机关自行支配，一若其所有权完全属诸领款机关。自公库法施行之后，此种经费存款，完全交由公库主管机关控制支配，其所有权属诸公库主管机关，一改过去之紊乱情形。因有此种变更，故各领款机关之"普通经费"存款，如有剩余，于会计年度终了时，除法律另有规定外，必须归入收入总存款（第十七条）。下年度支用时，仍须由收入总存款，拨入普通基金存款，方得支用。此设立收入总存款之用意也。如在年度中各月份有剩余额数时，公库主管机关，得于下次划拨经费时，酌量核减或停拨之（施行细则第三十条）。如是，即普通经费存款之剩余额数,亦由公库主管机关直接控制,而各领款机关截留剩余经费之弊,可以杜绝。此其二。

在过去中央各机关多有所谓"节余经费",支用机关竟能有节余,岂不是可庆之事？但实际上所谓"节余",并不是真正节余,其来源或由于编造预算时之浮报与多估,或由于当举办之政事,实际并未举办也。所以"节余经费",不足以代表德政,而是项经费,往往由原机关截留,不肯归还国库,一面另觅预算以外之用途,破坏预算之统支原则。例如往年政府尚未西迁之前,南京审计部之高大洋式建筑之办公厅,闻是由"节余经费"产生的。此外"节余"而充庞大建筑费者,所在皆是。各机关为观瞻起见,需要坚固良好之建筑物,作为办公之用,亦是正当,无可厚非。但于事前必须提出预算,以备最高审核机关之统筹、比较、与支配,以求合乎预算之基本原则。是为矫正财政混乱之必要步骤。若用"偷天换日"的手段,来取得经费,不免迹近蒙混,何足为下级政府之楷模哉？况自公库制度厉行以来,"节余经费",无法隐匿,因为依照公库法,年度终了之后,剩余之经费,均须归入收入总存款,非经依法保留,即无法再行支用。故各机关已失却隐匿节余之机会。何谓依法保留？依预算法第六十一条及第六十二条之规定,于会计年度终了后,各机关未经使用的一部分经费,如已有契约责任,或债务发生,当然转入下年度使用,不必再办追加预算。但依公库法施行细则第二十一条之规定,则于会计年度终了后,须由支用经费机关在20日内声请保留,由公库主管机关核明,通知代理公库之银行予以保留。如该会计年度满3个月后仍未支出,应归入收入总存款。

公库法规定:"一切经费,应依据预算由收入总存款拨入普通经费存款,或特种基金存款,始得支用。"则这笔节余,既归入收入总存款,如下年度3个月后对上年度债务及契约责任仍须支付,则依公库法施行细则的解释,须再经一次预算手续。但依预算法的解释,似毋庸再办预算手续。二法所定的手续虽不一致,然经费支用机关决不能再以偷天换日的方法,来取得这笔节余。

十三、支票之签发不能普遍适用

普通经费存款,自收入总存款拨入后,支用机关即可在其数额之内自行支用,惟其支用之方法,除特定事项外,皆以支票为之。其支票非因付给政府之债权人或为约定债务之预付,不得签发。但此项规定,不能普遍适用。军警饷及工资,不便按人签发支票,个别向库支拨者,得合并签发,由该管长官代为领款,即行发放(施行细则第十五条)。军警与工役人数众多,又恐不识字,故由长官合并签发,亦是变通办法。至职员薪给,似可适用分别签发,向库支取的办法。所虑者,首都省会所在地,机关林立,公务员众多,如每届发放薪给之时,纷纷持票向银行兑取,势必拥挤异常。况"个别向库支取"之支票决非来人支票。故施行细则中附有支票格式,格式中又有"受款人"之专栏,可知必是抬头支票,在银行须留存印鉴;支取时又须核对印鉴;手续之繁重,不言而喻。且公务员调动频仍,印鉴变更亦必甚繁,人力财力,浪费至巨。大后方各机关现在职员俸薪之改用合并签发支票者,不知免除多少麻烦。

再公库支票上所以必须记明抬头人之姓名,大致是为稽核受款人是否确为应行付给之政府债权人。公库支票既用记名方式,代理国库之银行,自应照记名支票处理惯例办理,必须由抬头人背签觅保证明,或经由银行代收。然持票之一般公务人员及商店,平日与银行素少往来关系,则取款不免多费周折,尤以我国人民多喜藏现款,支票之运用,未能普遍。故公库支票,使行以来,颇感不便。不过万事有弊亦必有利,公库支票必须签发政府债权人,可以避免拖延侵蚀之弊。

十四、法令之相互抵触

公库法施行细则第三十一条规定:"本法第十七条规定:经费存疑之剩余,得由经费支出机关,将已发生之债务或契约责任部分,于会计年度终了后20日内声请保留,由公库主管机关核明,通知代理公库之银行或邮政机关予以保留,并将余额归入收入总存款。"公库法第十七条所谓"除法律另有规定外",系指预算法第六十一条中之已发生而未清偿之债务或契约责任,亦即应付未付之负债,得声请保留转账加入下年度之岁出。关于此项应付未付之负债数字,依决算法第十四条之规定,亦属年度决算报告各数字中之一种,各机关报告此项数字,自应就其账册内加上整理后始可编造。在会计书籍上有所谓会计整理期间者。分会计机关结束日,须将其账册加上整理核算编造报表送达单位会计机关,及单位会计机关汇核分会计机关之报告,汇编单位会计机关会计报告,送达总会计机关。此项报表,由分会计机关到单位会计机关,再由单位会计机关至总会计机关,必需有相当之送达汇编时间。此项时间,即称之曰会计整理期间。会计整理期间,究须若干时日,应视当地交通情形而定,不能一致规定。惟据会计法第三十七条第五款之规定,似有3个月之整理期间,而公库法施行细则第三十一条仅定20日之期间,两法不免大有冲突。又公库法施行细则第三十一条第二项规定:"前项保留之款如该会计年度后满3个月仍未支出者,应由代理公库之银行或邮政机关归入收入总存款,并报告公库主管机关。"由此可知施行细则之支付时效仅有3个月,但决算法第九条明文规定:"政府应支付之款项,在本年度终了后5年内,未经政府债权人请领者,免除支付义务,但法律另有规定者,依其规定。"以之比公库法施行细则所定之三个月,时效之长短,相差20倍,依决算法乎?抑依公库法施行细则乎?虽决算法第九条明说:"法规另有规定者,依其规定",但施行细则是行政机关所定,不能视同法律,是否与法律有同等的力量,不辩自明。

法令乃行为之准绳,法令互相抵触,则当其事者,无所适从。据计政专家意见,现行预算、决算、公库、会计、审计诸法及其施行细则,多有互相抵触之条文。考其立法精神,或采收付实现制,或采权责发生制,或则二者兼而有之。居高位之中央,虽得分为岁计、会计、审计诸项,各有专司,然低级之主办会计人员,则"麻雀虽小,五脏俱全。"随时随地,事事需办,法令一有疑问,工作立受影响。例如预算公库诸法,关于会计基础之规定,系采收付实现制,似效法英国制;而会计法规定各种会计科目之订定,应兼用收付实现事项及权责发生事项,为编定之对象,则偏重权责发生制,似效法美国制,不无相互抵触之弊。如预算法第七八两条,上年度之结余,视为本年度之岁入,其预算预备金及上年度之结欠,视为本年度之岁出。同法第六十一条:会计年度终了时,各机关经费未经使用者,除已发生债务或契约责任部分外,应即停止使用。同法第六十二条:其国库剩余及尚未收得之收入,即转账加入下年度之岁入,其已发生而尚未清偿之债务及契约责任,即转账加入下年度之岁出,应通知主计机关、审计机关、及财政部,并证明之。同法第六十三条:误付透付之金额,及依法令垫付金额,或预付估付之剩余金额,在会计年度终了后缴还者,均视为结余,转账加入下年度之岁入。同法第六十四条:"继续经费年终未经使用部分,得转账加入下年度使用之。"以上各该条文,均系依据收付实现制之会计基础而订定,处理之时间,甚感匆促,又未能顾到实际情形。查总会计记录总预算岁入岁出执行之结果,其会计年度终了时之统驭记录,自不能完全具备,须俟所属各会计组织送达其会计报告;而各该会计组织,在年度终了时,即使已查定岁入应收款,并核列岁出应付款,照公库制度及结束办法,得继续实现收付至年度经过后3个月,亦非届期而不能结清,故应明定总会计之整理期间为6个月,其所属各会计组织之整理期间为3个月。

考各种法制抵触之由来,大抵由于我国企求建国之成功,对于计政法制,莫不速决速行,盖非速决速行,不能适应随时发生之新环境与新需要。法制之创立,既期有速效,不免新法与旧法稍有出入;但亦不能不并存。法制之繁杂紊乱,自意中事。全盘修订,期诸战后,但各种制度之设立,在进化中本质上似无差异,其在时间上则有先后。其后起者,或能包举旧有法规互相关合之处;其先出者,则互相关合之处,非立法者所能逆睹,自不能不付阙如。此后修订,宜详加考察,使各有关联,互为呼应。先出者,创制于承平之时,比较细密周详,例如预算法与会计法;而后起者,修订于戎马仓皇之秋,骨干虽全,而肌理未密,例如审计法、决算法、与公库法。此后修订补充,大体上宜求其有类似之分量。我国法规,常附施行细则,计政法制,不能例外(会计法除外)。我国计政专家,对于附有施行细则之法规,常觉有叠床架屋之感,以为技术问题,如能尽量并入本法,则细则可以省免。补充事例,如必需另编细则,即本法失之粗疏。故主张于改善计政法制时,将各项施行细则之内容,并入各该本法以内,毋须另订,徒增繁累。三十七年立法院通过之所得税法修正案,已将本法与施行细则合并。以预算法言,先有修正预算章程多年之实施,就经验所得,订成法制,复经专家学者之详加研讨,理应精致周密,允称杰构。然自抗战以还,程序失之迂缓,不合确实迅速之旨。于是战时之补充法制,遂日新而月异,名目繁多,品类复杂,颇有枝条茂密,本根转觉偏估之感。现时预算制度之单行法规或补充办法,举其要者则有:1.属于国家财政收支系统者15种,2.属于自治财政系统者四种,3.属于两系统可通用者二种,与4.其他一种,共计二十二种。法规虽比较分歧,而精神一贯,无非求程序之迅速确实而已[1]。此虽为适应战时之需要,亦可作平时之楷模。日后修订预算法时,似宜去其糟粕,留其精采;舍其复杂,求其单纯,而尽量并入。此则有赖于今后之立法当局,延聘国内学识经验两优之专门人才,及时作一致之修订也。

决算法所定的5年,不仅适用于债务,亦适用于债权,换句话说,在此5年内,债权债务依然存在。不仅未经领去之债务存在,即政府可收之债权(如应缴纳于政府之款项)亦存在。凡应缴纳于政府之款项,在本年度终了后5年以内,未经政府令其完纳者,免除完纳义务。所以债权债务之支付时效皆是5年,是平等的,是相互的。试问公库法施行细则所定之3个月,是否平等相互的?

但在另一方面,我们亦须顾到一般领款机关,明知剩余需归还公库,或故意尽量支用,以致虚糜公帑,养成浪费习惯。尝闻某某机关主管之临时费,或事业费,有巨额结余,不愿解库,转年度又恐

---

[1] 蒋明祺氏著:《改进计政法制刍议》,载财政评论第十一卷第二期。

难予核转,乃花样翻新,巧立名目,请求移用(即原预算不变,而用途之全部或一部变更)。由片面或一部分经济情形观之,无不持之有故,言之成理,然就国家整个财政言,则多属重复浪费,何况报销亦张冠李戴,名不符实?确系必要支出,何不专案追加?如属急需用款,应请紧急拨付后再备法案,否则一律依法缴还国库,绝对不准移用。此种情事发生,全仗主计人员为积极之监督,审计人员为消极之监督,非公库主管机关所能单独防止,是则仍有赖于联综组织之密切合作也。经费存款而有巨额剩余,非由于用款搏节,即由于原预算之过巨。所谓主计人员之积极监督,即指下年度编制预算时,应酌减其数目,庶不致再有剩余发生,以防浮滥,而节糜费。至转年度使用,依预算法第六十二条之规定,亦系便于继续经费,类似继续经费,或确有权责发生而未收付实现之处理。至确系节余,应依照公库法缴解国库,不得援引第六十二条之规定,请求转入下年度使用,尤不应转入再下年度使用,而事实不然。故应硬性地规定:1.经费结余,概不得转年度;2.请求转年度者,务须申叙理由,或有权责发生之证明,否则不予核转。

第五章 审计监督

一、审计监督渗透行政、立法与司法监督而行使

　　财政之监督,在他国有行政之监督、立法监督与司法监督之分。例如决定岁入预算与岁出预算,是立法监督之一种。编制预算,决算厘订收支系统,掌管现金出纳,以及处理会计、统计等事项,乃是属于行政监督之范围。违法失职之处分,惩戒之处分,赔偿之追缴,皆是属于司法监督之范围。但在此三种监督之外,尚有审计监督,而审计监督,是一种独立行使的职权,不受任何机关或任何系统之干涉。不过行使起来,往往渗透立法、行政、司法三种职权之内层。例如财政系统分财务行政及集中收支二部分;而集中收支,则依公库法之规定,委托中央银行代理。凡政府总预算范围内一切收入与预算外之收入,以现金、票据、证券缴纳者,均由代理公库之银行代收,或由其派员于收入机关代收之。此属于财务行政监督之范围。但依审计法之规定,财政机关发放各项经费之支付,尽应送审计机关核签。非经核签,公库不得付款或转账。此审计监督渗透行政监督之明证,但不受行政监督之掣肘。审计机关亦得调查各机关之财务行政事项,如认为不当,亦得提出意见于该机关。故审计机关,不仅为财务行政之监督者,同时亦可对各机关有所建议。此其一。

近代采三权分立制之国家，大概将财政法规之制定，岁入预算与岁出预算之决定，以及决数之审核，划归立法监督范围之内。我国采五权分立制，办法自有不同。依决算法第十八条之规定：各机关之决算报告，应送该管审计机关；其驻有审计人员者，并应先送审核，附加审查意见。同法第二十条规定：各级政府总决算书编成后，应送各该管审计机关，为最终之审定。（如所谓《中华民国宪法》可以实行，最终之审定权属于立法院。）足见各国划归立法监督之决算审核，与总决算最后之审定，在我国则由审计机关掌理之。此审计监督渗透立法监督之明证也。此其二。

财务人员因违法失职而受处分惩戒，停止任用以至追缴赔偿者，固属于司法职权之范围，同时亦为审计机关所应参预之事项。审计人员如发现各机关人员有财务上之不法或不忠于职务之行为，应由审计机关通知各该管机关长官处分之，并得由审计部呈请监察院依法移付惩戒。所不同者，审计机关每为惩戒之提议者，司法机关则为惩戒之执行者。此审计监督渗透司法监督之明证。此其三。

二、审计制度之扩大与技术之精进

（直接送审至就地审计，事后审计至事前审计，中央审计至地方审计，巡回审计与抽查审计）

我国审计制度已厉行20多年，其间几经变迁，以审计部组织法言，旧法在战前已运用了10年，新法运用到现在又将近10年，且已修改一次。所以制度之改革与技术的精进，均随时代而日新月异。因送审制度有缺点，所以施行就地审计，就地驻派审计人员执行职务。因事后审计不足以防弊,所以创设事前审计,但财政上不忠不法之弊病,随时随地可以发生,专重事前与事后审计,亦不足以作有效之制裁。于是又创设实地稽察制度。但人手不敷,经费有限,加以全国地面辽阔,机关众多,各级地方阶层,亦甚复杂,仍不免于顾此失彼。因而于实地稽察制度之外,又有巡回审计与抽查审计之创设。又以中央与地方不能兼筹并顾,不得不增设地方审计。故在中央有审计部,在各省地方及不能以行政区域划分之机关,有审计处,或审计办事处。然在县市一级不设机构,亦不派员驻审。审计方式,仅限于事后之送审制度与抽查两种,由各省审计处兼管。将来宪政实施以后,对于县市一级之审计事务,必须设法来充实,使县市财政逐渐走上轨道。照目前的审计情形,无论中央的审计部及各省的审计处,其工作之紧张,已经到达顶点。就他有限的人员,少数的经费,还要责成其办理各县地方机关的审计,未免过于苛求了。

三、审计部分厅掌理审计事务

依据审计部组织法第五条之规定:"审计部设三厅,……分掌下列事务:1.第一厅掌理政府所属全国各机关之事前审计事务;2.第二厅掌理政府所属全国各机关之事后审计事务;3.第三厅掌理政府所属全国各机关之稽察事务。审计事务纷繁,分厅掌理自所必需,无可非议。惟划分以事前、事后、与稽察为标准,不以机关类别为标准,似大有商讨的余地。从审计人员经验上说,往往同一审计事务而涉及事前审计、事后审计、与稽察之事例很多。例如:"核定收支命令",以性质论,是事前审计;"审核计算决算",是事后审计;"稽察财务上不法或不忠于职务之行为",当然列为稽察事务。但财务上之不法,或职务上的不忠,大抵指"造报销"的积弊而言,所以要加强稽察工作,以补救送审之不足。但稽察含有就地调查账册、单据、以及其他凭证的真伪之意,甚至要到单据凭证或产生的地方,向写单据出凭证的人盘问。往往一张单据看起来,是形式完备的,但其内容是虚伪的。所以稽察事务,并非仅翻账簿、看单据,就可了事,必须做实地工作,尤须与各方面取得密切连络,方能收到预期的效果。因此稽察事务,与事后审计,不易划分一定之界限。况财务上的不法,与职务上的不忠,或与"收支命令"之签发有关,则"核定收支命令"之目的,无非为发现"财务上的不法或职务上的不忠",故事前与稽察关系太密,不能严格划分,均称之为稽察事务,亦无不可。至于"审核计算决算",虽列为事后审计,但非仰仗于事前之"核定收支命令"与"稽察事务"不可。可谓"核定收支命令"、"稽察财务上的不法",均为事后审核,计算决算之便利,亦何不可。故三者之关系密切,界限不易划分。现在之分厅掌理办法,不免有二种缺点:

1. 易于推诿 依现行之审计部组织法,将一件审计案件之事前事后审计及稽察事务,划归三厅掌理,更可尽推诿之能事。一厅可谓与稽察有关,移交三厅核办。三厅可谓与事后审计有关,移交二厅核办。二厅可谓事关三厅职权范围,而移还三厅。

2. 易于重复 因职掌不易划分,所以审计工作发生重复现象。如驻有就地审计人员之机关,复按期派巡回审计前往审核。甫经抽查完竣之账目,复行收支之稽察,其为重复,无可否认。

于是有主张改用机关别为各单位职责划分之标准者。如第一单位掌理普通行政机关审计事务,第二单位掌理公营事业审计事务,第三单位掌理军事机关暨不属于各单位职权范围之审计事务,如此划分,既可免重复之弊病,亦可免除推诿之恶习,而在组织上,亦容易取得联系。

四、直接送审之特殊情形

办理审计,除就地审计外,惟有直接送审之一途。审计法施行细则第二条规定:审计机关得酌量情形,逐渐推行就地审计,在未派员赴各机关办理就地审计前,仍应送审。各项会计报告送审时,应将有关之原始凭证及其他附属表册,一并送审(审计法第三十九条)。其因特殊情形准予免送者,审计机关除就报告审核外(书面审计),得派员赴各机关审核其簿籍、凭证、及案卷(审计法第三十七条)。但审计法第十一条明白说明,审计制度以就地审计为原则,但对于县及有特殊情形之机关,得通知其送审。故送审在法律上,已经是一种特殊情形。兹又规定,其因特殊情形,不能将原始凭证及附属表册送审者,审计机关只得为书面之审核,或派员赴各机关审核,是不送审,在法律上亦是一种特殊情形,是特殊之中还有特殊,不免令有感觉矛盾。

近年交通运输困难,费用浩大,各机关对凭证送审一事,深感不便,营业事业机关收支凭证,自然更多,甚至以吨计,故减少凭证之运输,殊属必要。但立法精神不能不顾,故三十二年十月十四日经国府明令公布之公有营业及公有事业机关审计条例第八条硬性规定:未驻有审计人员之各机关,其各项收支之原始凭证,应依法编订,妥为保存,审计机关得随时调阅或就地审核。

由以上所述,可知现行审计制度,固因就地审计为原则,但在若干场合,分交各省审计处办理,反有枝节破裂之感,只得由部直接办理,暂以"送审"代之。但"送审"对于营业机关与事业机关,亦有不便之处,致使同一法律内的条文发生矛盾。此皆由于立法根据理论,但事实亦不得不兼顾所致。

五、就地审计之不彻底

现行之审计制度,以就地审计为原则,各省审计处之职掌范围,系以区域为准。在其区域内之机关,无论是中央机关,抑是地方机关,其审计事务均归之办理。故所称"该管审计机关",是以机关所在地为根据。如甲机关在南京,则审计部为甲之该管审计机关;乙机关在镇江,则江苏省审计处为乙之该管审计机关,此完全为便于就地审计之意。惟单位会计之下,另有分会计,有时分会计跨越两省,或竟分布数省,因之枝节割裂,分交审计处办理,无法办理综合审计,则审查总决算更形棘手。此其一。中央各院部会均在南京,而其所属分支机关则遍布全国。审计法施行细则第二十四条,虽有直接送审之明文,而主管机关之行政监督权,往往不愿放松,有时邮递往返,颇费时日,而在审计机关尚未到达理想之健全以前,行政监督亦不便忽略。此其二。三十一年四月,审计部奉令接办建设事业专款之审核,以领用建设事业专款之机关颇多为公有营业及公有事业机关,公布于全国各地,因而决定暂时由部集中办理。况欲办到就地审计,因各省审计处经费有限,人手不敷,工作已十分紧张;若再令其接办,深恐费力多,而成功少,不若由部直接办理,仍以各省审计处及驻外巡回审计人员为辅,由部统辖调度,较为便利。故欲严格实施就地审计,只得俟诸异日。此点与审计所规定者,不甚相符。所以审核公有营业及事业机关账目的责任,大抵由巡回审计任之。

六、政府之活动与职务已由政治推及经济

今日之审计工作,不如往昔审计工作之仅限于政府普通公务机关之财务活动,亦当推及于政府营业机关及事业机关之经济活动,盖政府之活动,随时代之进展而日益繁复。以前之政府,其活动范围仅以政治工作为限;至于经济方面之活动,则应尽量由私人办理。除私人不愿举办、不能举办、或有独占性质之经营事业可由政府举办外,其余工作悉由私人担任,因而政府职务局限于一般公务范围以内。政府会计遂亦以公务会计为限,而审计工作,亦比较轻松而简便。

古典经济学派认为经济事业是不适于与事业毫无关系及缺乏责任感的政府官吏来举办的。他们以为经济事业以营利为目的,以经济为原则;而营利观念,又是促进事业发展的动力,亦即资本主义形成的主因。若经济事业,以各级政府或公共团体为经营主体,以公务员为负责人,则未有不失败者。因为公营事业,一以人事之移动频繁,一以公务员制度欠完善,难免管理废弛,效率低下,组织庞大,浪费惊人,和私营事业比较起来,恒处于不利的地位。此种说法,揆诸今日我国公营事业的现状,似有很充足的理由。我国公营事业之缺陷,不外乎管理废弛,效率低下,组织庞大,浪费惊人的几点。但按诸今日苏俄国营事业突飞猛进的现状,则古典学派之说法,似不中肯。他们认为没有追求利润的私欲,无法促进事业之发展,但苏俄事业几全归国营,已著有成绩。主持者虽没有营

利观念之刺激,然有热诚坚毅劳怨不辞的素质。在上有正其谊不谋其利的领导者,在下则有朴实尽职勤奋熟练的干部。这许多事实,都可以证明公营事业之健全。况公营事业在某种场合,是为大众谋福利,为政府推国策,不斤斤于盈余之有无大小,有时即亏本,亦合乎他们营业的方针。

由此观之,潮流所趋,统制经济与计划经济,迟早必定为国策。政府之经济活动,一反前此之狭窄主义,将为无限的扩充。在一切经济活动中,政府经济事业将居于领导地位,足见其职务已由政治而推及经济,故今日之政府会计,与往昔之公务会计,大相径庭。除公务会计外,兼有营业会计与事业会计。公务会计是收支会计,营业会计与事业会计,尚须包括损益会计与成本会计,其范围之广泛,实覆盖整个会计学之领域。然审计机关不能以其范围广泛,复杂难核,遂避而不核。

依我国会计法之规定,政府会计事务之范围,计有下列八项:

(一)预算之成立分配执行。

(二)岁入之征课或收入。

(三)债权债务之发生处理清偿。

(四)现金票据证券之出纳保管移转。

(五)不动产物品及其他财产之增减保管移转。

(六)政事费用,事业成本,及岁计余绌之计算。

(七)营业成本与损益之计算,及岁计盈亏之处理。

(八)其他应为会计之事项。

足见我国会计法所指之政府会计,除收支会计外,亦兼有损益会计与成本会计之处理。

七、三种机关

从前政府之活动范围,仅以政治工作为限,故政府机关,以公务机关居多。今日活动范围,扩充至经济事业与别种事业,故政府机关,除公务机关外,尚有公有营业机关与公有事业机关。凡政府所属机关,专为供给财物、劳务、或其他利益而以营利为目的或取相当之代价者,为公有营业机关。其不以营利为目的或不取相当之代价者,为公有事业机关。故公有营业机关与公有事业机关之分别,一在是否以营利为目的,一在是否收取相当之代价。然何谓相当代价,无明文规定。释者意见分歧,有作为相当于成本的代价解释者。盖公有营业机关,既以营利为目的,则必须收取财物劳务,或其他利益之代价,其代价又必须高于成本,始有盈余可言。间有特殊情形,亦须收到与成本相等之代价,换言之,公有营业机关之收取代价,必须顾及成本。故凡收取相当于成本之代价者,即可视为公有营业机关。至于公有事业机关,既不以营利为目的,其代价之收取,似无须顾及成本。故虽收代价,然其代价之决定,别有标准。故凡收取代价而不相当于成本者,可视为公有事业机关,如政府所办之中央医院是。但机关是否营利,仅就其目的而定,非谓必有营利之事实而后始为公有营业机关。亏本之工厂,贬价倾销之商店,不能以其未能营利,而视为非营业机关也。

政府机关中,除公有营业机关及公有事业机关外,其余机关悉为公务机关。公务机关亦为供给劳务或利益而设置,既无营利之企图,亦无代价之收取。此其迥异于公有营业及公有事业机关者也。政府之公务机关,即为推行政府事务而设置之各个机构。惟若干事务,或因性质特殊,或因事项较简,亦间有交由某一机关附带办理者。此项附带办理之机构,即称组织。组织与机构不同。后者有独立对外之性能,其本身为一个体。前者无独立对外之性能,其本身仅为某一机关之部分而已。如医药专科学校所附设之医院,助产学校所附设之助产医院,均为组织之一种。

八、公营事业之突飞猛进

近年经济建设发展之趋势,已足以证明政府经济事业已居于领导的地位。我国重工业,在整个工业中的比重,是日在增加。钢铁冶炼机械等基本工业,逐渐长成,一反战前以纺织、食品等轻工业居先的现象,其次是公有营业的兴起。国营和省营事业,在广大的生产部门中,有着普遍的发展。在设备和产量等方面,均跃居领导的地位。这一方面表现我国工业的构成,正起着一种蜕变;一方面显示各种事业之经营的主体,已由私营逐渐转趋于公营。公营事业之范围虽日广,单位虽日多,然可分别归属于下列几个系统:

(一)经济部 管辖各矿厂,直接或间接经营工、矿、电等类重工业。

(二)军政部 管辖各兵工厂,经营军用火器及有关军用等军需工业。

(三)财政部 管辖国营金融机关及各厂局,经营印制、买卖、对外贸易、及特种物品之产销营利等业务。

(四)交通部 管辖各局处,经营铁路、公路、长途电话、国内外有线无线电报、邮政储汇、水运、空运、驿运、造船等交通事业。

(五)农林部 管辖各局,经营农、林、渔、牧等事业。

(六)各省政府　管辖各局厂,直接或间接投资组织公司,经营工、矿、运输、贸易、金融、及其他特产之产销等业务。

在上述六大系统之中,一至五项,有称之为国营事业者,第六项有称之为省营事业者。经济部所属之资源委员会(现已独立),其所经营之事业,在工业部门中,即有44个单位;在矿业部门,有36个单位;在电业部门,有22个单位(其中水力发电者4单位,火力发电者18单位),总计共达102单位。工则涉及冶炼、机制、化工、电器;矿则包括钨、锑、锡、汞、煤、铁、石油、铜、铅、锌等。其产品如工作机、原动机、作业机、工具配件、电工器材、水泥、酒精、硝酸、烧碱、精锡、钢料、煤焦、铅、铜、锑、汞、汽油等,均为当前军用必需品。其中数种不仅产量超越战前20余倍,且为曩昔不能自制而须仰赖舶来者,尤其是钨、锡、锑、汞等矿产品,在我国对外贸易中占有重要的地位,如我国与俄国易货,十分之五是以上述的矿产品来交换。向美国借债,十分之八是靠那些矿产去抵偿。其次是军政部兵工署主管经营的军火工业,亦不下数十单位,专事制造军用器材。其生产力及设备的优越,亦为公营事业中之主要部门。至财政部统属下的专卖(专卖已取消)、贸易等部门,在近数年,亦有长足扩展。各省的公营事业,为数亦多,如川、黔、湘、赣、粤、桂等省,亦各拥有相当多的事业单位。近年以来,且由散漫的经营方式走向集中经营之途。如川康兴业公司、贵州企业公司、广西企业公司、以及江西、福建等省营公司,各有子公司或附属厂矿,多为各该省区之主要生产运输机构,而省地方银行机构之普遍,尤其著者。其次如云南省政府所属之全省经济委员会和财政厅直辖的企业局,更是以特殊姿态经营全省生产事业,所属厂矿不下数十单位。在金融方面除富滇新银行而外,更有兴文、益华、矿业等四行。目前广东生产事业中规模最大、范围最广、根基最坚固的,却是省营事业。美国资本现在也是披着省营事业的外衣出现于广东。至于民营事业,战前有工厂2,000余家。据经济通讯第三卷第七期转载广东省建设厅三十五年一月至九月的统计,仅剩102家,简直是聊作点缀。广东的省营事业,可分工业与矿业两种。省营工业在战前已颇具规模。抗战前夕,省营之工厂,计有士敏土厂、纺织厂、制纸厂、肥田料厂、硫酸苏打厂、麻织厂、市头糖厂、顺德糖厂、新造糖厂、揭阳糖厂、电力厂等12所,其资产全部总额,已达国币3,500万元,规模之宏大,设备之完善,为全国各省之冠。广东省省政府复员后,将接收敌伪遗留下来的原有省营各工厂,拨由"广东实业公司"经营。经分别整理,先后复员的,计有顺德糖厂、纺织厂、饮料厂、制冰厂、酿造厂、机器厂、麻织厂等。由建设厅管辖的,只有西村士敏土厂一家,现在已改拨"实业公司"集中经营。此外湖南筹设的民主企业公司,统辖厂矿约30单位左右。此外如甘陕等省,对于省营事业的举办,亦均急起直追。综观现时省营事业的阵容,其生产力约相当于国营事业之二分之一左右。其经营部门之广,生产种类之多,亦不在国营事业之下。至其与一般国民经济生活关系之切,甚或尤有过之,因为各省所办省营事业,多属民生日用品等轻工业部门。

以上所述,只不过就战后发展情势略加列举。我们如果将战前公营矿厂及具有相当基础为大众服务之国营金融业,与路电邮航等部门作一考察,则我国现时公营事业经营范围之多,部门之多,实已超越平时吾人之所想像。或谓公营事业在整个产业资本中的比率,无疑义的,是占半数以上,已由战前之11%弱,跃居50%以上了。我们的日常生活,随时随地与公营事业保持接触,其经营之成败,不仅关系民族资本的成长,民生主义的实现,其影响国民大众的生活,更是深切易见。

由于公营事业之突飞猛进,渐渐引起各方面对公营事业的关切。综观各方面的批评,似乎不外效率太低,服务不周,组织庞大,浪费太大四端,固由于行政效率太低,亦由于审计监察的疏忽。

九、经济事业的预算与计划相配合为总预算之一部分

我国政府所办之经济事业,既居于领导的地位,则经济事业之预算,绝对不能分离。无预算则计划未由实现,无计划则预算失其准据。我国各事业机关概算及其工作计划,往往系仓卒作成,不能密合,故有计划既定而经费无着,因而进展迟误,以致废弃原定计划者。或有预算甫经制定,即纷纷请求追加,而追加部分,又非临时支出,且其数额几占原额之半者。簿书纷扰,如治乱丝。为增进效率计,亟应切实改进,以求配合。良以预算为事业计划之具体表现,而事业之进展,即为预算之执行。近年来政府竭力推行行政三联制,使计划执行与考核三者发生联系,成为一系之工作。

经济建设的计划,由政府中枢,专门组织设计委员会,主持办理,而收效最宏者,当推苏联。我国原无类此设计机构,但中央设计局成立以来,主持政治上之总设计,自可纳经济计划于其中。参与是项设计并且负责执行者,自属各级政府主管经济建设事业之各机关,而应以经济部为其主干。公有营业为经济事业之一部分,其设计自成为经济设计中之一旁枝,正如其预算应为总预算中之部分预算。因此各营业基金之预算,非但须谋其在经济计划中彼

此自身相配合,而且须与整个设计中之行政计划与国防计划相配合。

同时营业预算的法制,虽已逐渐改进,迄仍无一正式依法颁布的根本法规。编制上若干细微末节的技术问题,尤乏详确的一致规定,致各营业机关会计人员于编制预算时,每以无所遵循为苦。主计处遂于三十二年初积极从事营业岁计法之整理。历时数月,原稿几经删改,"战时营业预算办法"始于同年七月核定施行。惟此项办法偏重于程序者居多,预算内容尚只有原则上的规定。主计处又于同年十一月制定"营业预算科目及预算决算结算格式说明",举凡损益计算,盈亏拨补,资金收支,以及各种情况下的科目实例,靡不包罗条列,解释详明。关于营业预算之各项法规,至此可谓蔚然大备。原期各营业机关之预算,能自三十三年度起如期编送核定,俾全部国家总预算,能为名实相符之完成。但在事实上执行起来,却有很多的困难。中央各部会所汇编或逐案转送之营业预算,虽有若干单位能合法度,其中与新规定科目格式不尽相符,内容简略,不得已须重加改编者,亦复不少。各省之营业预算尤多缺陷。故若干年来我国在编审营业预算方面的成绩,远不及普通预算。若干经济事业之预算,在总预算中,聊备一格,徒为具文而已。

但营业预算之徒为具文,一部分亦由于编审程序过于繁复所致。营业预算自编审核定以至审议公布的整个程序,已以法制详细规定。不过在事实上执行起来,却有很多的困难,首先开始编审,就不易遵照"战时营业预算编审办法"所规定的时期,因为次年度的施政方针及各类岁出总数,尽管已核定,而总数范围内能分配各营业机关增资的数额为若干,必待总预算核定以后,方足为据。

近年来总预算的核定，都已在先一年的年终，故营业机关就无法提前拟编概算。假如并不增资扩充，自无此种顾虑。惟年来国营事业因规模大都未备，增资扩充者甚多，势不得不等待此一大前提决定，方好预计全部营业收支的状况。着手拟编既已延迟，层层审查，核转核定，就不免随之俱缓。何况发还重编，更是常有之事。如此，一个营业单位的概算迨奉核定，或已届年终，虽可由第二级主管机关核准执行，而正式核定的概算，因时过境迁，已失其效用矣。

十、审计应推及于公营事业

近数十年来，公营事业之蓬勃兴起既如此显著，则审计监督似应早日推及于此，而审计机关亦不应以人手不敷，及其复杂难核而不核。或谓今日之审计，时犯"明察秋毫之末不见舆薪"的错误，对于细微问题，不惜过分推敲，而对于**重大关节**，则漠不关心，致有现行之审计制度，便利小人，克制君子之倡论。事实是略如下述：我国的营业机关与各级主管机关，对于公营事业之特种基金预算，松懈忽视，相习成风，即中央亦患此病。以审核言，因中央采放任主义，致各级机关亦敷衍照转，因而事业机关乃大开方便之门。譬如营业机关之支出，分为业务费用、管理费用、及其他费用三类。业务费用当然要随业务实际情形而变更，不受预算之拘束。其他两类，不得如此伸缩。但据以往的事实，却因此而发生极大的流弊。管理费用及其他费用，尽管限制严格，各机关遇着超出预算时，往往会在会计上改头换面，另出科目，以取巧的方式列为业务费用。且预算成立，多远在支用以后。虽数额有限制，然卒无法追溯既往，纠正错误的行为，所谓限制不过是一种表面上的装饰。审计机关一采放任主义,更使其妄作妄为,逐渐养成浮滥浪费的风气。业务费用在条文上,虽有呈报上级机关核准伸缩的规定,亦不过官样文章而已。业务费用既须随营业实际情形而变更,不如放弃过去一贯的作风,宽其拘束,于年度进行中准其免报上级机关核准伸缩。况业务上的支出,富有时间性,尤其在通货继续膨胀物价动荡不已的时候,决不能等待上级机关核准方来支用。所谓核准伸缩,犹如今日盛行之追加预算,无非是事后追认,又是一种官样文章。至于管理费用与其他费用,则必须严格限制,绝对不准超出核定的预算,因为这两项经费,与用人有关;当此各机关人浮于事之时,少用一人,可为国家少用一份钱。但预算上之限制,必须与审计人员的实际考核相配合。对于审计人员,应优其待遇,荣其地位,增高其权职,加强其保障,则预算自可切实执行,收效必宏。若再缩短编审预算的期间,使预算成立在支用以前,一面减免最高上级机关之繁琐事务(另详),则审计机关之监督考核,更能奏效。且必如此,方可提高审计机关之效率。其他机关行政效率,影响所及,不过限于机关本身,及其附属机关而已。若审计机关效率低,则必影响其余公务机关、公有营业机关、及公有事业机关。

又以用人言,在过去对几千万元经费之普通公务机关,可派会计员或会计主任,而对于千亿、几千亿、甚至几万亿元之事业机关,则多听其自便,准其任用私人。以支出言,数亿数十亿之小案,审核异常严格,不稍宽容,此固理所当然;而数百亿、数千亿、数万亿元关系国计民生之事业,反放任而不加以监督,于是发生如下之恶果:各事业对于附属单位预算(附属单位预算与会计另详),敷衍了事,不肯认真办理,甚至对内对外有两套账簿之奇闻。收入则以多报少,支出则以少报多,影响国家之收入与施政方针,至深且巨。

故欲发挥审计制度的功效,如果涉猎甚广,而收获甚微,反不如聚精会神,择其重且大者,彻底做好;不然,徒费心力,难免劳而无功。此后审计工作,应避轻就重,不能舍本逐末,否则成效不能有明白的表彰,处境亦不能改变一般社会的印象。

十一、公营事业何以迁延预算的编制

查营业机关对于营业预算何以如此松懈、忽视,则有三种原因在焉:

(一)营业预算中之支出,依法应划分为业务费用、管理费用、及其他费用三类。营业费用得依营业实际情形,由主管机关核准伸缩,管理费用与其他费用,均应受核定预算之束缚。现行办法更订明业务费用,在年度中各项按收入比例增减时,应由该管上级机关核准伸缩,分报至第二级主管机关备案,并通知主计处、审计部、财政部,可算是相当的分别了宽严。大抵业务费用和营业收入,产品成本,俱随一般物价而变迁,尤以近数年来物价时常变动,主持其事者很难精确地于年度尚未开始前,或年初预计一年以内整个收支的数额。况抗战以来,大后方新办的国营事业,为物质条件及国家财力所限,很少立拨巨款,一气呵成。纵或规模粗具,开始出货营业,尚待逐年增资扩充。而增资拨款的实际数目,又必须俟总预算核定后,方足为凭,而核定之权,又操诸最高机关。最高机关与营业机关的级数,距离太远,层层递转,程序太繁,时间太长。但资本既增,营业收支自亦随之加大。如营业预算早经编就,因增资之数额有变更,其营业收支,势必重加估计,以期适合。因此上级机关往往发还重编,下级机关又迁延不改,上级机关亦不严加催促,因循敷衍,相习成风,遂不期然而然的养成各营业机关漠视预算的态度。

国营事业(计政上的术语为公有营业)中有若干种,几乎年年增资,而所增金额,动辄巨数。若此种事业,确非增资不可,曷勿大量增资,以观厥成？分年投资,往往顾此失彼,成就不多,不如集中投资之易于收效也。如事业机关所呈请者为 500 亿,而核定者则为 300 亿。在核减者,必以为已代国家节省 200 亿而自喜。追 300 亿用罄,而事业距预期阶段尚远,提出追加预算时,则以工料已上涨,再拨 200 亿亦不敷应付。所以已往之核减,不惟不能节省开支,反而增加国库负担。故分年投资,不如一次足额投资之为得计。况资本既增,业务费用亦随之增加,预算数目,愈不易确定,因而迁延重编。

(二)各机关对于普通预算的编制不敢松懈,因为预算不成立,经费无从出。若夫公营事业,则另有建设专款,或资本支出预算以备领用。且营业预算无非是营业收支的一种范围,按时编送,反自受拘束,减少自由活动的余地。

(三)自二十九年来营业预算经最后核定者不多,余皆束之高阁,不予核定,使苦心孤诣费尽心血所编成的营业预算,仅备存查,未免使人心灰意冷。

综合以上三因,各年度的营业预算,虽有若干单位照编照转,实则仅备一格,徒为具文而已。

十二、公有营业机关与公有事业机关账目的审核

审核公有营业及事业机关账目的责任,大抵由巡回审计任之。

不过所审核者，是营业机关之会计，与普通公务机关之会计大不相同，前者是"损益会计"，固然有收有支，但其重心则在盈亏，属于普通会计与成本会计之范畴；后者是"收支会计"，有收有支，但无盈无亏，因会计不同，故审计亦随之而异。凡审核普通公务机关的账目之方法与条理，未必皆可适用。当我们审核营业机关账目时，我们的着眼点，是损益计算与资产负债表之正确性，以观其是否足以表现真正的营业成绩与财政状况。此种问题不发生于普通公务机关者。但营业机关之建设岁出，亦直接间接影响于总预算，故公有营业的会计，亦有与公务机关会计相同的地方。例如历年总预算所列的建设事业专款（即建设岁出），其中各包括两项性质不同之支出：一为单方面支出，一为特种基金性质支出。前者与普通岁出之中央岁出经常门常时部分或临时部分相当；后者则于基金支出后，本业本身有收有支。例如政府建造铁路或公路，在建筑时领去之创业基金，完全以普通会计方式处理及造报。迨建筑完成以后，则由普通会计转入营业会计，每年盈余分配，纳入国库部分，仍用普通会计方式造报。所有盈余，则解缴国库，亏损则由中央弥补，或折减资本。增资则追加预算，停业则收回基金。总预算直接间接受其影响，除非单方面支出之一次，即可了结，若二者含混并列，易滋流弊。

十三、审计监督之鲜成效

我们在前面已把审计职掌分为（一）事前审计，（二）事后审计，（三）稽察事务。但事前审计之执行，于一般用钱的官吏与用专款的事业机关，太不方便，于是他们遂以为审核的职权过于强大，妨碍行政与事业的效能，非设法抑制之不可。但在审计机关方面，则有一种相反的见解，以为他们的努力苦干，没有什么成绩表现。最大的原因，是在审核者"职权太小"，而在被审核者则"官官相护"。今日政治的黑暗，已笼罩整个政治与经济机构。欲扫除贪官，非予审计机关以移送当地法院审办之权不为功。如审计人员发觉各机关人员有财务上之不法或不忠于职务之行为，而只能通知其机关长官依法处分，试问那一个机关长官愿将他的部属从严处分？况各机关办理财务的人，与机关长官大概有学谊、乡谊、或友谊，甚至有"裙带"关系，谁肯将他的亲信送入火坑？若审计机关将不法或不忠于职务的案件移付惩戒，则惩戒之权，属于司法院。若把惩戒权交诸监察院，则应受惩戒者，未必皆与财务审核有关。况受理触犯刑法案件当然是司法院，决非监察院。审计机关因事权不能配合，所以无优良成绩表现也。

不过在审计机关方面，过去一贯的作风，亦应稍加改变，以期于执行职权时，减少困难与波折。审计人员所应注意者，是财务人员是否执行预算？各机关之收支是否与收支预算及法案相符？有无中饱侵蚀之弊？故其着眼处是支出之合法与否。至其支出是否合乎经济原则，则非审计人员所应着重者，似可不必过问。乃今日之审计机关对于不经济之支出，与不合法之支出等量齐观，把行政监督与司法监督（实则审计监督）混为一谈，不免引起多少评论，与反对的声浪。况一事之经济不经济，原无客观标准，甲以为经济，乙或以为不经济；同一人也，今日以为经济，明日或以为不经济。时代之变迁，环境之改移，使人之主观，时刻发生变化。故同样之支出，今日驳回者，明日或可邀准，遂于审计机关与各机关之间引起无穷的笔墨官司。故今后的审计机关，似应一变过去的作风，专从事于执法考核,从大处着眼,切忌小处落墨。

或曰审计人员所实施者,不仅是司法监督,亦是监察监督;司法监督针对不合法的支出,而监察监督则针对不经济的支出。故考核之时,将不经济的支出予以剔除,亦无可非议。此言听之似甚有理,但监察院之行使监察权,亦必有法律上之根据,至少应定一个明确的界限。超此界限,则视为不经济,否则漫无标准,无所适从,以致步伐不能一致,造成不良的印象。

十四、充实审计职权

三十六年五月出版的财政评论(第十六卷第五期),有一段关于审计职权的时评,警辟透彻,异常动人。著者要说的话,它都尽量说了,可谓不谋而合。特录下,以供读者参考:

一般说来,审计是财务的司法,故审计的效能,惟在于防止弊端和揭发弊端,换句话说,审计的效能,亦仅止于消极而已。

中国的审计机关,是隶属于五权分立制的监察系统。监察院是这一个系统的最高机关,它的职权在行政处分上,止于惩戒,在司法处分上,仍须移付司法机关。所以审计机关,其职权的发挥,因为缺少了最后的执行权,连消极性也是空洞无力。因为如此,所以审计机关在中国,便成为聊备一格了。

不但此也,因为有了这类机构之设,公文上当然多一番周转。由送审演进到驻审,审计之效果,究竟如何,我们不敢妄事评价。不过正有许多人指摘着,因为送审反而延缓了、甚至减低了行政效率。由此,我们可以说,今日审计机关之不受人重视,第一个原因,就是他没有充分的权力;第二个原因,就是它的职能老是在消极上用功夫。以今日中国的财务行政之紊乱,贪污之风,到处盛行,如此无力的审计机关,显然是不能负起财务司法的职责。

本来财务行政与财务司法,应该是对等的机关,而后者更是前者的监督。照理财务行政,必须买财务司法的账。然而,事实上常常相反。我们虽然不敢说财务司法要仰财务行政的鼻息,但可以断言的,有几个财务行政机关把财务司法机关放在眼里?彼此都在敷衍,只要公事交代得过,岂不皆大欢喜?财务行政机关怕麻烦,财务司法机关怕办不通,于是两个牵制性的机关,一变而为合作性的机关。所以不少人在说,自从审计机关普遍设立后,倒反减轻了财务行政人员的责任。但一察今日审计机关权力的空洞,我们似乎不应该加以苛责了。现在举国上下莫不痛恨贪污。当然根绝贪污,有待于各种条件之配合。充实审计职权,无可否认的,是重要条件之一。审计、主计和出纳,是财务行政上的三权。主计是直属行政院,出纳是归于国库,奈何审计隶于监察院?而监察院并没有最后执行权。充实审计职权,这是必须考虑的一点。但主计处岁计局局长杨汝梅先生于三十六年国大代表讨论宪法的时候说:监察权之渊源,在于我国之御史制度,古代循吏有钩稽全国收支之权。自民国十七年实行五权制,即以审计机构置于监察院之下。施行以来,业已树立良好的规模,勿庸改弦更张。盖监察院可利用其审计机构,以监督各机关之收支,使无隐匿与浮滥;而审计机关若发现有违法舞弊情事,又可立即请求监察院行使其弹劾权,作有效之制裁,其运用之灵活,与配合之适当,实属无可比拟。

审计部与监察院之关系既如此,而监察院事实上又无最后执行权,欲提高审计的效能,殊不容易。但审计人员之工作,不仅止于消极。审计的意义,一在防止弊病,而防止弊病,是消极的工作;

一在增进效率，而增进效率，是积极的工作。希望今后审计工作，不仅限于揭发弊端，而且有些弊端不能从几张单据、几本账簿上看得出。今后之审计人员应该放大眼光，对于其所任的工作，多作积极性的研究，然后方可称为克尽厥职。贪官是中国行政效率的最大的敌人。以后如何充实审计职权，发挥积极效能，在今日是值得研究的问题，决不可因人事问题遂谓审计部必须置于监察院之下。要晓得监察院在过去行使同意、弹劾、纠举、及审计四种监察权，有以增进审计的效能否？

第六章 决算

一、决算为事后之财政终结报告

国府于修正预算法施行之后,二十七年八月乃有决算法之公布,仍保持预算决算互为表里之精神。从此办理决算,乃有合理之轨道可循。预算是各级政府机关事前之财政收支实施计划,决算是各级政府机关事后之财政收支终结报告。预算为会计之始,决算为会计之终,故决算之编制,就是预算之结束。原来预算是一种预测,其数目未必能与事实相符。故必从客观的事实,确定过去实际的数字,再编下年度的预算。故不造决算,则下年度预算,无所取法,而凭空估计,终与事实不符。若仅设预算而不编制决算,不知预算数与实际数是否相符,因为要知预算数与实际数是否相符,所以决算法通则一章,规定决算之一般原则,首为决算之年度、种类、与科目,其与预算之年度、种类、科目互相连锁。通则说各级政府之决算,每一会计年度办理一次,于年度终了时办理之。每一会计年度之一切收入,一切费用,均应编入,与预算之年度及收支方法相衔接(第二条及第四条)。又说决算种类分总决算、单位决算、单位决算之分决算、附属单位决算、附属单位决算之分决算五种,与预算之分类相联锁,而其科目及门类,亦须与其年度之预算科目门类相同(第三条及第五条)。

实施五权分治之我国，各级政府机关之年度决算，尤为立法机关审议以后年度预算之主要参考资料，及监察机关监督政府财政之主要凭借。在欧美各国，决算报告，大都送交国会审议。我国监察权与立法权并立，故决算报告经审计部最终审定后，由监察院呈请国府公布。政府每年度取于民者几何，支出者又几何，应使人民详悉内容，求其谅解与拥护，用以解除责任。

际此民主时代，论者咸以政府决算之能否如期完成公布，为测验民治程度之标准，其重要可知。我国自各级民意机关设置之后，而各级民意机关莫不尽力争取审议各该级政府预算决算之权，盖舍此别无其他更重要而可资为监督政府财政之凭借，以从事于事先之管制与事后之纠正也。故如何促成各级政府之年度决算，遂为现时之重要问题。

但目下各机关之追加预算，层出不穷。大部分支出法案未经成立，总预算总会计已失去大部分之根据。各机关对于未经奉准之费用，多以"暂付款"出账，致单位决算，已难整理，因之总决算亦无从汇集，驯使整个岁计仅成跛行之制度矣。

二、决算之编造

二十七年八月公布之决算法，共三十二条，内分通则、决算之编造、决算之审议、与附则四章，规定尚属周详。关于决算之编造，在各国由财政部任之，因为各国预算之编制，大率由财政部主办其事故也。我国主计处组织法明定预算决算均由主计处岁计局编制，而决算法规定总决算书及总说明书由主计机关编成，表示超然主计之意。至决算编造事项，约分为四：一为决算应备之书类，二为决算编造之程序,三为各机关编造决算之期限,四为公库编造决算报告之期限。一二两项定决算编制之方式,三四两项定各机关与公库编造决算之期限。

决算编造之程式,比较重要。依决算法第十四条之规定,凡执行预算之各表中,应分栏列明下列各数:(一)本年度预算数,(二)本年度预算增减数,(三)上年度决算时权责发生转入数,(四)本年度收付实现数,(五)决算时权责发生数,(六)本年度余绌数。至继续经费之各表中,除上列各数外,并应附列各数:(一)全部计划之预算经费全额,(二)收付实现累计数,(三)决算时权责发生数,(四)经费全额余额数。以上两项之计算书表,有与以前若干年度比较之必要者,应列其比较数。

公库收支与决算收支含有连环牵制性,故有相辅而行之必要。一年度内非预算无以资准则,非决算无以征实在,而决算收支与公库收支又互相联锁。故决算法第十五条规定,公库之决算报告,由公库主管机关(在中央为财政部)分期编造公布之:(一)初步报告,就年度终了日以前所收到之报告汇编,于年度终了后十日内编就公告之。(二)终结报告,于年度终了后四个月内编就公告之。其报告内应包括该年度内公库实有出纳之全部,并附该管审计机关之审计证明书。

惟公库主管机关编造决算报告,系由汇集代理公库之银行及邮政机关之报告而成。二十八年底中央银行报告各银行邮局代理国库之数目,包括中中交农四行及邮政机关计算,全国总库一处,分库7处,支库136处,收支处7处,经收处907处,共计1,058处。国内重要之地未经指定代理公库者颇多,而公库法施行地域又把新疆、青海、云南、宁夏四省除外。倘能于已经施行公库法之省份，增设代理公库，于未经设立之省份，定期实施公库制，则编制决算，更属核实，而审查决算，更得互相证明。

三、联综组织的精神表现于决算

编制预算及决算，是主计机关之专职，但苟无公库之分工合作，主计机关亦不能有所成就。因为预算编成之后，实际收支，状况如何？预算数与实收实支数，比较如何？预算究竟执行至若何程度？究竟收入款项，已否解库？支出款项，已否付讫？经费剩余，已否归还？凡此种种，只有公库知之最详，亦只有公库，可以将记载会计账表随时供给编预算决算之主计机关。是主计制度要以公库之初步报告及终结报告为要件。且公库主办现金票据证券之出纳、保管、移转、及财产契据等之保管事务是否妥慎，其授受移转是否核实正确，亦惟有从公库之报告中获得之。诸如此类，决非主计本身所能办到。是公库制度之实施，足以增强主计制度之力量。但公库制度，非附丽于岁计会计之主计制度不可，否则亦无成立之必要。二者如车之两轮，鸟之两翼，缺一不可也。

不特此也，欲知预算究竟执行至若何程度，有赖于就地审计之推进者至巨。过去公款收支，异常散漫。欲推行就地审计，苦于无从着手。兹者公库制度成立，所有政府机关现金票据证券之出纳、保管、移转、及财产契据之保管事务，均集中于公库办理，因而审计事务，亦可在当地集中办理。日后如公库制度能推行至于全国，则就地审计亦可随行，足以增强决算之正确性也。

四、审核决算时应注意的各点

决算法对于决算之审查,分为行政监督与司法监督两种。第十九条规定:"汇编单位决算之机关及主计机关汇编决算时,如发现其报告有不当或错误,应修正汇编,并通知原编造机关。"此行政上之监督也。又第二十四条规定:"审计机关之最终审查报告,认为不能核准之部分,监察院或省政府应分别为下列之处理:1.应赔偿之收支,尚未执行者,移送公库主管机关执行之;2.应付惩处之事件,依法移送该管机关惩处之;3.未尽职责,或效能过低,应予告诫者,通知其上级机关长官。"是其执行手续含有司法上之权威也。从此可知司法监督与行政监督有别。

决算法关于审计机关审核决算,除惩处最终审定之不能核准事项外,仅明定审查之原则及程序而已。如决算法第二十五条规定,审计机关审计人员审查各机关或各基金决算报告,应注意下列事项:各机关或各基金之主管机关,1.违法失职或不当情事之有无,2.预算数之超过或剩余,3.施政计划、事业计划、或营业计划,已成与未成之程度,4.经济与不经济之程度,5.施政效能、事业效能、与营业效能之程度,及与同类机关或基金之比较情形。凡此种种,均可就各该机关或基金决算之内容,一一查获。当行政机关执行预算之时,原以不背预算为原则。但社会事实之复杂,变动靡常,每为人生智虑所不及料,故实际上之收支,衡以预算,是否符合,与夫距离程度若何,行政机关必须一一报告于立法机关或监察机关。其有与预算不符之原因,并应在报告中声明理由,以免发生误会。故决算法第二十六条规定:1.各级政府财政之岁入、岁出是否与预算相符,如不相符,其不符之原因;2. 岁入岁出是否平衡,如不平衡,其不平衡之原因;3. 岁入是否与国民经济能力相适应;4. 岁出是否与国家施政方针相适应。凡此种种,亦可就各该级政府总决算中一一查获之。各机关更可就其决算内容所表现之上开各项情形,为改进以后年度之工作事业、或营业计划、及预算之参考。各级政府亦更可就其总决算内容所表现之上开各项情形,为改进以后年度施政方针、财政计划、及预算之依据。

五、决算之最后审定权应属于立法院

外国之会计检查院,是以司法之职权,行监督会计之实。法、意、德、比、荷兰、日本,皆有此种检查院之组织。我国负检查会计之责任者,为审计部。故审计法规定审计职权,由审计部行使,而审核决算,亦为该项职权之一,是为我国特殊之制。制度之特殊,尚不止于此。民国初元,会计法内有"决算由审计院审定之后,以其决算连同审计报告书,由大总统提出国会议决"之明文,是最终之审定,属于民意机关。国府奠都南京,五院制度成立,议决预算是立法院之权责,而审核决算是监察院之权责。故决算由属于监察院之审计部最终审定,不提出立法院,经过立法手续,亦为我国特殊之制。

三十五年十一月二十二日立法院通过送交所谓国民大会审议的"宪法草案修正案"内,有关于决算的条文三条:

第七十四条:"行政院于会计年度结束后3个月内提出决算于立法院。"

第七十五条:"立法院关于决算之审核,得选举审计长,由总统任命之;审计长及审计、协审,应为终身职"。

第七十六条:"审计长于审核结束后3个月内提出审核报告于立法院"。

这三条条文的精神,在加强立法监督的权力。预算与决算,均须通过立法院,不像现行之财政监督,总决算是送由审计部审定后,呈经监察院转呈国民政府公布,不提出立法院,经过报告手续。后有一部分国大代表努力争持谓,审计人员不宜由选举产生;如由选举产生,必陷于党争之漩涡,不免有偏袒瞻徇之弊。一旦政局变迁,政权瓜代之时,审计人员的地位,虽受法律的保障,然执政之党,仍可设法使其不能行使职权,自动辞职。此其一。又谓审计机构不宜设于立法院内,因立法院监督国家财务,重在制定施政大计及预算政策,足以充分表现其能力,而审计职权的行使,须有熟练的技术,须设分支的机构,须以平时的事前审核、事后审核、稽察、驻审、及巡审等项工作的记录,汇总而为总决算之审定中的依据,更须有独立行使职权之绝对超然的地位。此其二。又考各国议会通例,均无附属的分支机关。此其三。因此他们主张把审计部隶属于监察院,审计长官应对监察院负责,由总统提请监察院同意任命之。决算审查报告,却可以同时分送立法院备核。一部分国大代表根据以上三项理由,努力争持的结果,把以上三条条文修改了。三十六年一月一日公布的所谓"中华民国宪法",关于审计制度,才有下列的条文:

第九十条——监察院为国家最高监察机关,行使同意、弹劾、纠举、及审计权。

第一百零四条——监察院设审计长,由总统提名,经立法院同意任命之。

第一百零五条——审计长应于行政院提出决算后3个月内，依法完成其审核，并提出审核报告于立法院。

如此修改，审计长官虽不由立法院选举，而改由总统提名，经立法院同意任命，而审核报告，须由审计长提出于立法院，通过后提请国民政府公布。此后不仅预算须提请立法院通过，即决算亦须提请立法院通过，以加强人民监督国家财务的力量。在过去议决预算，是立法院之职权，而审核决算，是监察院之职权。此后决算最终之审定，亦须属于立法院。

不过一部分国大代表所提出的一个理由——审计长不能由选举产生，执政之反对党，仍可设法使之不能行使职权，自动辞职——依修正条文的规定，仍不能成立，因为不能予以确实的保障。盖审计总处（部改处）隶属于监察院，审计长应对于监察院绝对负责，但不一定、也不可能是终身职。总统和监察院长都是有一定任期的，审计长可能随之而更动。

以上第九十条，说明审计权仍属于监察院，与训政时期同。第一百零四条，说明监察院之审计权，交审计长执行，而审计长之提名及任命，颇为慎重，与行政院院长同，比之过去之审计部部长迥然不同。第一百零五条，说明审计长审核决算之期限，并非规定审计权仅限于审核决算。

六、总决算难成立之原因

预算为整个国家行政计划与经济计划以货币单位表示的结晶品。决算是国家行政计划与经济计划实施成绩以货币单位表示的典型。但自清季以来，忽忽将近四十年，虽章制完备，而决算从未

有一年度正式完成者,不可谓非财政上之一大缺点。考决算难以成立之原因甚多,下列四种是其最重要者:

(一)各机关长官不重视决算——各机关长官所注意者,是预算,并非决算。因机关经费由预算产生;不办预算,经费落空。至决算之编造,乃欲令其对国民为负责的报告,非他所愿。因此对于所属机关的决算,亦采放任主义;其已编送者,不加汇编,即陆续转送主计机关。其未编送者,亦不严催赶办,影响决算之完成至大,且决算与他无利害关系。在一党专政之下,自无对国民报告之必要。决算法第二十八条规定:"违背法令致决算不正确或不能如期完成者,其负责人应依法惩处。"所谓负责人,应将机关长官包括在内,或可稍改忽略决算之风气。

(二)编制决算的资料不完全——办理预算,尚可依据成案,或照拟定的计划,事尚易为。至办理决算,则须依据实在的数目,确定的统计。若簿记表册残缺不全,殊难着手。过去各机关因平时缺少登记,对于决算书表中之附件如财产目录等,每感编造困难,故决算无法编成。在内忧外患纷至沓来的时候,一地之纷扰,就足以牵动全局。况中央之总决算,是由汇集全国之中央收支而编成;缺少一地之数字,全国之总决算,就流产了。

(三)正式预算不能依法成立或虽成立未曾彻底执行——预算为决算之本。我国预算不能按时成立,即按时成立,亦更要切实执行与依限结束。在岁出追加不已的时候,国库收支不能如期结束,故决算无从编制。预算的最大作用,在控制岁出,废除浮滥。倘预算可以随时追加,又大事追加,则原预算的限制被破坏,统制的效力消失,而决算亦无法产生,且失掉意义。

(四)审计职权,自监督预算之执行出发,至审定总决算为止,自以不分割为先决条件。例如建设事业专款之审核,未曾归并以前,审计职权不完整,而总决算亦残缺不全。自归并之后,大体终算完整,但仍有党务经费,现称政权行使支出,以及中央党部直接经管之教育、文化支出,暨补助支出之一部,事前虽经审计机关核签支付书,事后并不经审计程序,由中央监察委员会特设稽核处司钩稽之责。三民主义青年团经费,则由监察会自行审核。凡此是训政时期之特殊事态,至审定总决算时,遂有残缺不全之感,而整个总决算,亦无法编造。

第七章 一般对于超然主计与联综组织之批评

超然主计与联综组织,在过去施行之成绩上言,有些人认为不坏,但也有些人尽情批评。关于预算编制、公库、审计等法案,均失之于手续过于繁重,且多叠床架屋,相互抵触矛盾之处。施行起来,令人有不合实际之感,因此弊窦丛生。今将一般批评之意见,归纳于后:

一、预算不切实际——预算要与国家施政计划配合起来,缺一不可,有预算无计划,则预算不能确实;反之,有计划无预算,则计划是空洞的。然计划亦要翔实准确,合乎实际需要,否则任何计划,亦是无用的。要计划政治的实现,均赖于行政计划能将每一计划所需之人力、物力、及每期之进展,加以详细估计,编于预算里边,以及整个国家实业计划都要很详明的开列每阶段所需之人力、物力。这样配合起来,则国家之行政及实业计划,才能依预算所规定的数目贯彻实施。

现在各机关所编的计划,忽略的地方太多,多半是失之好高骛远,任意铺张,计划庞大,不顾实际情形。此外还有一般机关拟定计划,多半翻阅旧卷,随便拟就,敷衍塞责。所以以上两种计划,送到上级机关审核时,而往往因上级机关对所属下级部门之实际情形未能明了,以致不能抓着下级部门之工作中心。同时,并以财政困难为口实,加以削减。但是如依其计划中所列项目之轻重缓急为原则,予以削减,当较合理。然往往上级机关对下级机关所呈之计划,辄以平均削减为原则,而不能依工作之轻重为标准。这就是上级机关对下级机关之工作未能明悉之弊。结果,酿成百业均举,一事无成的现象。

二、岁出预算追加频仍——近因通货恶性膨胀,物价直线上升,各机关办公费等等预算当不敷甚巨,还有特别办公费及员工福利费等等,最受物价之影响。物价高涨,生活指数增加,即须加以调整。结果,只有出诸追加之一途。于是追加预算纷至沓来,财政当局应付为难。财政部往往心有余而力不足,乃令所属机关自行设法,于经费中予以节支。这种办法,实无疑画饼充饥,无补实际。盖各机关若能于其经费中予以挹注,则显示其原编预算有实收虚支之嫌。若机关经费有限,再令其自行设法,于理欠通。所以在此情形之下,经费不足机关,当有不平之感。例如教育部所属各机关,与交通部所属各机关,在自行节支经费项下,其环境与能力,显然有极大之不公,结果造成苦乐不均之现象。

三、机关随设随裁,随扩随缩——政府对全盘施政计划过于轻视,事先未能详为考虑,往往因一时之设想,及一两个有力人的意见,随便设立机关,而该机关之开办费,多由国库暂垫,或由预备金项下暂拨,此机关之开办费概算,尚在核定之中;或经核定之后,墨迹未干,该机关又行结束,人员遣散,又需大批遣散费。在以前开办费,都是暂垫。但于该机关奉命结束之后,对于前向国库或准备金项下所借之开办费,无由归垫。国库或准备金所垫之款,虽成呆账,但亦无法归到任何科目里边。因此决算更无法办理。决算所需要之调查,已无从办起,因该机关人员均已遣散,而无对象可寻,无法稽考,于是整个财政数字是残缺的,所以往往只有预算,而无决算。

此外尚有许多机关,于一年之中机构组织常常变化,有时扩大,有时紧缩。在扩张时,增加机构经费,不足另请追加。在追加经费未行核定及拨到之前,先行挪用其他款项。等到紧缩之时,多出来之经费,归到节余,于是巧立名目,虚耗国帑。如此一来,国库损失浩大。

四、分配预算改编频繁——在行政机构中素分三级制,即中央、省、县。在此三级政府每年总预算颁布之后,各附属机关又得依此编分配预算。编竣后,复得呈请上级机关之核定。核定之后,凭分配预算领取经费。不过一般的分配预算很合适的,固然很多;但错误的及延期的,亦属不少。所以上级机关对错误的发回改正,对于延期的要催促。这样往返一来,及交通之不便,于上级机关核定之后,往往已达年度之半。例如到年度之五月才核定,则这个阶段之经费累计表,无法编制,因以前之一、二、三、四4个月之经费数无法确定。尤以今日币值下跌,物价狂涨,追加预算频繁,于是在每次追加预算核准之后,分配预算复得重新编制。如此一来,纸张、人力、时间、财力之损失,当不言而喻。

五、机关长官任用之私人横加阻碍——关于财务行政事务,无论普通公务机关、特种公务机关、以及公营事业机关,其主管长官,因各项经常业务之纷繁,已感穷于应付。如须再以百分之五十之精神,注意于财务行政事宜,则以兼顾不遑,必致阻碍政府所定之施政进度,影响甚大。以故一般长官,其廉洁自持者,尚能尽力监督所属人员,不致有贪污情事发生,即或有之,亦不过在办公费或管理费内稍有染指,究亦为数有限。若遇长官昏聩,少数不晓大义之徒,胆大妄为,恃有靠山,上下其手,无所顾忌。在收入方面,视侵吞为常事,往往以应解缴国库之赋款收入,充满私囊,以致真正缴库者不足半数。在支出方面,则浮领滥报,更无法查核。至机关财产之变卖、遗失、损毁,亦难有普遍之稽察。国库损失,当不在少。

六、公库制度只具外形——公库制度实际上只是装潢而已。按公库制度之本意,即一切公款保管出纳之权集中于公库,收入集中,支出受限。不过以现情而论,即在国库方面,因人力单薄,对于收付款项,大部分只求形式数目相符,即为出纳之行为,无法为确实调查,绝少有拒收拒付情形。况这种制度,必须有审计人员驻库,方能发挥其作用。在目前公库中之审计人员,因全国面积辽阔,尚未能遍设。即很多边远地方,每无公库,因此各机关多消极毁法。收入之款,不缴公库,在有些机关经费拨到时,往往均悉数提出,另存非代理公库之银行生息。其他款项,亦常有假冒专款提出,另行存入非代理公库之银行,以谋生息。代理公库之银行,亦时有不法之事发生。即当收到财政部之拨款书后,因自己头寸不足,竟不将该拨款书立即收入该机关账上,而临时挪用。此外除通都大邑有代理公库外,一般乡镇及较偏僻之区,均无公库之设,因此一般纳税者,因路途遥远,无法缴库,只有交经征机关代收。此已有违经征、经收分立之原则,于是予经征机关以借用的机会。由此种种,公库制度之推行,并未彻底。

七、各种报告表册太多,浪费人力物力——除依预算部分所应编之概算书分配预算表等等之外,每十日要编现金出纳旬报表,每月要编经费累计表、资力负担平衡表、以前年度岁出现付款余额表、财产增减表、物品增减表、支出凭证簿、现金出纳表等等。于年度终了时,还要编岁出应付款额明细表、财产目录、物品目录。关于生活补助费,还要编造请领战时生活补助费部分及请领战时生活补助费人数清单,领支战时生活补助费报销册计算表、收支对照表、生活补助费会计记录。关于食米部分,有食米或贷金报销清册等。每种均须编制四份。因此各机关报表册簿等太多,会计人员不胜其繁。于送呈上级机关之后,也不过堆积起来,不闻不问。过相当时间之后,还得雇人烧毁。在此纸张昂贵之时,实属浪费特甚,国家焉得不穷?以上是一般性的。若言个别性的,可以盐务会计所有之报表为例,计算不下数十种。如果一一求其明了,已属不易,且有重复之嫌。同时区与区间之报表格式,亦未尽同,影响于工作之效率者甚巨。殊有加以详细整理,使之简单化与一元化之必要。此外各机关编送报告与表册的邮费及审计机关通知之邮费,为数可观,支出庞大,而各机关在原始凭证上之蒙蔽,百难得一。

八、书面审核,无补实际——现在之送审制度,所费甚多,而效果甚少。以经费人事之不敷支应,就地审计,无法遍设。但欲使各机关减少舞弊之机会,一定要遍置人员实施就地审计,或较易收效。目前审计人员待遇不佳,且人才缺少,一时不易实现,即审计部派驻公库办事之人员亦缺少,因此不得已侧重于书面审计。"对各机关收支,90%为送审,80%为符合(因为是书面审计)。其不送审者,亦因所辖机关过多,无法调查。其审核不合有处分、剔除等纠正事项者,亦以事过境迁,人事变动,无法执行。至于驻有审计人员之机关,初以人力之不敷,多系兼办,对驻在机关内部情形,既不甚熟悉,又无法审慎精细;从事过久,感情发生作用。驻审机关对于有问题之收支,多不遽然送请核签,采用逐渐政策,示意所属人员,用种种方法,与驻审人员尽力交欢。久则以情面难却,往往以私害公,而失去监督之宗旨。"故审计工作,就以就地审计言,除检举案件外,亦少效果之可言。

驻审人员之以私害公,固不足论矣。即欲认真办理之驻审人员,有时亦束手无策。盖近来机关中办庶务之人员,舞弊方法,日新月异,即实行就地审计之人员,尚不易查出舞弊之实据。就地审计尚且如此,书面审计的实效,当更较少。例如,舞弊人员之冒领,往往串通商店,将各种凭单及表的格式,都作到非常完善,不易查出弊病,而有些实事求是之机关所领物品,是实际所需,有时或因格式不符,竟被驳回,这都是书面审计之弊,颇为一般人所诟病。

近来各机关庶务舞弊之法,日益高明。例如,按月购铅笔十打,实际所需不过一二打。送到审计人员处验收,总是原来的八九打。可以与商店串通作假发票,结果凭证很完善,铅笔依旧。关于纸张送审需要盖戳记,不过可以把纸边切掉,或与商店调换,可以每月拿去送审,结算还是原来的纸张。像这样的舞弊方法,是防不胜防。不但书面送审,毫无为力,即是就地送审,审查员亦束手无策,真所谓道高一尺,魔高一丈。所以要革命,须先革心,有治法无治人是不成的。

九、总决算难编——预算是整个国家行政与经济计划,用货币单位表现之结晶,决算是拿来衡量预算实施后之成绩,用货币单位表示而已。预决算应当相互配合。如无决算,无从知道预算编制准确与否,其行政或实业计划究竟达到预期的目的百分之几?是70呢?还是80呢?我们亟欲知道。所以预决算是相互为用,如车之二轮,鸟之双翼,缺一不可。但各机关的预算追加不已,而多少支出法案尚未完备,则总预算总会计失掉了大部分之根据。

款已用了,但费用未经核准,只得以暂付出账。在事实上这系常事,因此单位决算极难整理,而总决算更无法汇编。所以整个岁计为其破坏,致呈有预算而无决算之怪现象。

今日会计机构林立,则编造会计报告,当易如反掌,但事实上不尽如此。现在中央省县机关大部分虽均有会计机构之设立,其能按时登账及编造会计报告者,固属有之。终年不按时登账或不编造会计报告者,亦为数不少,致各级政府历年决算,均未能如期办理。即勉强办理,亦不完善。因在记账程序方面,每月由记账凭证起以至编造会计报告止,尤其原始凭证之黏贴与保管,手续十分繁重,决非临渴掘井所能补救。在收支较少之机关,只派会计人员一人,如因紧急事务请假,虽呈请派员代理,亦为时不及。又有呈请辞职未准而怠工者,均于工作上有直接间接之影响。即派员督导或视察,亦不过妄用若干旅费而已。因此得出一个"会计机构林立,决算不能产生"的结果。

十、主计之超然尽失——超然主计之用意,原欲使各机关办理预算会计、统计决算之人员得独立行使其职权,以防止各机关主管长官任用私人,串通作弊,以达到杜绝贪污,澄清吏治之目的。但理论虽高,而事实上却等于幻想。主计人员奉令以后,到职办公,但不知其所主管之机构得支经费几何,应用佐助员若干,各佐助员薪给应订若干,于是不得不请求机关长官核准雇用若干佐助,配给若干俸薪,经常供给若干办公用品,俾能推行例行工作。在机关长官则以为在机关服务之主计人员,是由主计机关派驻,经费应由主计主管机关预算内列支,犹如由国库派驻之出纳人员,其支领经费,是由代理国库之银行自筹,与机关预算毫无牵涉。但既经到职之主计人员申请,不得不稍事敷衍,一则曰事务简单,不必多用佐助，以节縻费；再则曰本机关内懂得主计之人员甚多，可以设法调用，以资助理。于是派一二亲信充其佐助，包其左右，以资防范。此种佐助，大概奉机关长官之命，暗中监督主管主计人员之动作，在可能范围内，设法牵制，当然不肯受主管主计人员之命令而工作。此时之主管主计人员，进退维谷，踌躇靡定。如接受机关长官之条件，则认真工作，殊不可能，而主计之精神全失；若不予接受，不仅佐助之人选不定，即本人之俸给亦无着落，而推进例行工作之用具，亦无经费可以购置。两害相权，避重就轻，只得拜倒长官门下，摇尾乞怜，敬谨接受。此时之主管主计人员在机关内，不啻釜中之鱼，瓮中之鳖。因此超然主计，实施以来，历时虽久，效果未宏。虽亦有其他原因搀杂其间，然经费未予独立，实为最大原因，莫怪主计人员之同流合污，不能编制忠实之统计。统计既不忠实，则根据统计所编制之预算，其不忠实，更可知矣。

十一、最高或上级决策机关的事务过于烦琐——欲预算按时成立，非缩短编审期限不可（三十七年之修正预算法，已把编审预算之手续简化不少，参照"何时编预算"一节）。但欲缩短编审期限，则非减免上级机关或决策机关一切烦琐的事务不可。上级机关如最高国防委员会，是决策机关。其最重要的职务，是决定施政方针及国家大计，一切琐碎事务，非他们所能兼顾。譬如中央各部会所汇编或逐案转送之营业预算，虽有若干单位能合法度，其中与新规定科目格式不尽相符，内容简略，不得已须重加改编者，亦复不少。辗转发还更造，期限方面自又不免延迟。各省之营业预算，尤多缺陷。加以负责核转之第一级主管机关主计处以至最终核定之国防最高委员会，对各营业的实际情况，究属隔膜。审核预算的内容，也就难有很正确的标准。结果所能钩稽的，只不过是表面的格式编法,以及管理费用之多寡,盈亏拨补是否合法而已。至其全部营业收支能否切合实际,商情瞬息万变,物价增涨靡常,诚属无从预测,每每只有草率核转了事。虽云法定手续具备,究不能以之为考核的标准。预算的执行,失掉了真正的价值。

上级机关对于业务实情,既多隔膜,而其级位又与营业机关相距甚远。有谓审核,诚属无法深入精到,粗草地只对大处落墨。故计政专家有主张把营业预算自拟编以至核定的程序缩短者,授权第二级主管机关(通常即指各部会及省政府)负责核定。因现在各营业机关至低不过第四级,中央方面若干单位且直隶于部会而为第三级,部会内各主管司处或省政府对于各营业机关的业务实况,总比较了解清楚。由其作最后核定,既能切要中肯,而核定执行的时期,亦必能提早迅速。此其一。

又如今日之审计会议,亦不能称为效率甚高的组织。依审计部组织法第四条之规定:"审计部关于处理审计稽察重要事务,以审计会议行之。审计会议以部长、政务次长、常务次长及审计组织之,其决议以出席人员过半数之同意行之。……"此种以合议办法处理重要审计事务,既免独断专行,复可谨慎审议,精神至佳,用意极善。但实行起来,不免有扞格难行之处。约略言之则有:

(一)出席审计会议之人员,对于每一重要案件未必均能熟悉。审计案件富有专门性,或与财政有关,或涉及会计学识,或与法令解释关联,或须具有工程知识,方能了解。人非万能,谁能胜任愉快。故开会时虽能集思广益,然专门问题提出讨论时,多数人员不便发言,只得列席旁听,会议失其效力,徒费时间而已。

(二)全体审计每星期会议两三次,已觉不胜其繁。如审计稽察之重要事务,均须经审计会议议决,则更繁忙不堪,势必影响经常工作；否则公文积压，在所不免。若专门问题，先交审计初步审查，再提出下次会议讨论，则会议更多延误，时间更长。

故为增进效能起见，在宪政时期，合议制的精神，固仍须保留，而审计程序似应稍予变通，可以依照今日各级法院合议审判制原则，一切关于专门问题的案件，可由会议先交于各种专门学问习有专长之审计三人以上审议。如三人以上的初步审议者意见相同，无须再提会议重行讨论，否则提出会议公决。如果处理事务迅速，效率增进。

十二、余的意见——制度驾理想王国之上，事实沦十八层地狱之下。

我们在上面讨论过三计与三联的配合。关于政务，我们有设计、执行、与考核三个步骤。从以上九点观察，这三个步骤都没有什么成绩表现。可以说制度驾理想王国之上，事实沦十八层地狱之下。在中央政府直辖下的各机关，其办理得最有成绩者，要首推客卿主办时的海关，一切应遵守秩序，升迁有定期，叙级须循序，对长上须服从，对工作须认真。"一纸令下，立即执行，天南地北，毫无差异；调迁之地不分远近，灾风朔雪同样赴任，"便是军事化之传统。"由设计而执行，而训练后进，而推陈出新，所谓'工作业务化'，'分层负责'，'以一人办数人之事'，'指挥如意，令出惟从'的情形，在其他机关等于理想的试验，在海关则等于家常的习惯。其执行事务之效率，在抗战以前，实无任何机关可与比拟。即私人营利之组织，亦远有不及。可知是高度业务化之力量。"查其所以能收获如此的成绩，则因我国从国外聘用的客卿，将西方良好的制度和方法，介绍到我国；加以客卿有治外法权和富国强兵的背景，他们一半的身份，是我国聘用的人员；一半却俨然代表债权国，自以为受债权国之委托,经收税款以充赔款和还债,上自亲贵达官,下至地痞流氓,都不能阻挠他们的措施。既不受人事影响,又没有预算限制,只要所设计的切实可行,便可放胆做去,无所顾忌。这就是他们成功的秘诀。

第二篇

中国税制与赋税体系

第二卷

中国近三百年学术史

第一章 中央税与地方税之划分

一、中央与地方权限之划分

(一) 中央集权制——大一统制

我国是一个农业社会,在过去,亦可说在今日,以农业为经济基础。因生产具有浓厚的地方性,所以政治制度亦注意于地方组织。周礼所载之乡遂制度,虽未可尽信,然自社会发展史来观察,其时地方组织,却具有规模。其后,如秦之什伍,汉之县亭,两晋六朝之邻里,隋唐五代之邻保,宋元之保社,明清之保甲,一脉相承,固历历可考。特此项地方组织,仅为专制政体下政府提倡或人民自发的维持社会安定的一种方法。譬如省之由来,是中央分设于省内相当区域之中央行政机关(如元之行中书省),是为便于指挥监督。在民主未实现时,纯为一贯自上而下的行政系统,而县是国家行政的下层基本基层。所以在历史上中国久已是单一制的集权国家,中央与地方的职权,从未清晰划分。

在中国几千年历史上,大一统是常态,割据分裂是变态。常态的政治,大权统于皇帝,政治是走向一条鞭的途径,所谓中央省、县、市的联综组织,向所未闻。地方政府只是中央政府的派出所,其职权并不固定,中央可以随时变更。地方官是"朝廷命官",派来管人民的。所谓"牧民",所谓"民之父母",便是拿人民当羔羊来牧,当儿子来管。县知事称为父母官,人民见了官喊"大老爷"。官既不产自人民,也不向人民负责,只要善能应付中央,在地方上纵犯了天大的罪,人民也没奈何。同时,中央对于派到地方的官,深恐其尾大不掉。于是派去许许多多的官来彼此监视。可以说,皇权政治下的地方政府及地方官,在精神上与人民是对立的,与中央也是对立的。

满清入关,仍自沿袭明制。迨降及末叶,中央权力渐衰,地方权势日张。又因庚子赔款由地方分担,地方当局乃借口筹措赔款,与举办新政,擅自加征杂税,同时停解饷银,截留款项的风气,遂见开始。中央财政失堕,地方财政于是萌芽。清廷因此被迫筹备立宪,以谋推行自治。此时中央与地方的关系始有变更。自民国成立后,中央对于地方事务,既无能力,亦无暇过问,所以省的地位,一向未加确定。直至最近,始确定县为自治单位,省居中央与县之间,以收联络之效。可见省的地位,无疑是中央的隶属,立于中央行政系统上,听中央指挥监督,承命行中央之法令的机构。

(二) 省的地位——省级财政取消归并于
　　中央——结果

省的地位如此,当然无须有独立的财源,其支出可以完全列入中央预算之中。故三十年第三次全国财政会议把省级的独立财政取消,归纳于中央财政,分全国财政为国家财政与自治财政二级。这是我国财政进入战时体制之一重要关键,亦是我国财政史中之一重要措施。但在三十年至三十五年间的五年中,二级财政制度实施的结果如何,不妨简单检讨一下。

就中央方面言,由于省级财政之归并于中央财政系统,原属地方之田赋与营业税,及契税收入列为中央收入之大宗。同时因为田赋改征实物,军粮公粮不虞匮乏,有助于抗战者至巨,确实收到相当成效。但是就地方来说,自治财政系统之确立,原期可以对地方自治,奠定其财政基础,而事实上,并未能达到这一目的。因为在抗战期间,地方政府,一方面要维持行政上一切正常开支,一方面又要筹供驻在的或过境的军队,征发购运,在在需款。加以物价高涨,支出愈形庞大,而且无法预计,自然更不能控制。需要愈亟,负担愈重。处于此种不得已的情形之下,遂只有在法令规定以外,来设法弥补,来普遍滥权。因而苛杂繁兴,摊派百出,"无一天不在摊派之中,无一物不在摊派之列",经济民生,交受其困。这种靠摊派度日的地方财政,如何可以维持长久呢?

在另一方面,这个二级制,行了五年之久,窒碍甚多。我国幅员辽阔,县市单位,数约2,000,中央政令,必以省为枢纽,承上启下,其地位极属重要。所以省财政之重建,乃下次改订收支系统之要点。况最近均权之呼声,继续不断。欲达到吾人心目中建国的理想,自必由训政踏入宪政,地方财政制度亦必随之演进,希望经过集权的阶段,达到均权的理想。天下无一定不变之物。一个制度,尤其是财政制度,凡能适应环境之需要者,就是好制度。

(三)中央与地方均权之呼声——适应环境

省的地位既如此重要,而均权之呼声,又甚嚣尘上,则中央对于财政之措施,自不能不抛弃其自汉唐以来之"集权"政策。中央如愿放弃"集权",各省当能停止"滥权",而政治亦能逐渐上轨道。自唐以后,"中央集权"政策,在表面上虽有改进,实际徒拥"集权"虚名。宋南渡偏安,局势甚坏。中央为筹措军费,固取给于摊派;

地方为树立势力,亦滥用"附加";双方极其巧取豪夺之能事。历元、明、清三朝,虽户部职司,史有明文:"掌天下户口、钱粮、田土之政令,凡供赋出纳之经,金币转通之法,物货贵贱之直,敛散准驳之宜,悉以任之。"实则地方官俸既薄,亦无津贴办公费出差费之类可资挹注,惟稍有陋规,如"火耗""秤余""糟米"之类,以资弥补。凡属"办差"等事,则全恃摊派。清末督抚揽权,"洋务"盛行,于是努力觅取真实可靠的税源以应付时代之需要。除厘金外,苛杂繁兴,莫可究诘。中央拥"集权"之虚名,地方收"滥权"之实惠,而上下财政呈支离破碎之局面矣。所以我们希望经过集权的阶段,达到均权的理想,以求适应环境之需要。

何谓适应环境?近年以来,由于社会经济生活性质之变迁,益形显著,人类欲望,渐次提高。于是地方公共事业,如教育文化,卫生工具,与民众福利,均成为不可忽视之工作。第此类繁杂工作,既非国家所能一一兼顾,亦非个人能力所可企及,必赖群策群力,共营团体生活,分工合作以图之。一方面固须由政府倡导,同时亦须由人民自动地组织,以自治方式补助政府之力所不及。由此地方自治团体之组织,成为满足公共欲望之迫切需要。健全地方政府机构之要求,由是发生。因此以地方为中央行政机构的制度,自与世界潮流客观环境,不相适应。要创造一个好的制度,首先必须为其客观环境所需要,然后从它产生的客观条件,慢慢成长。待孕育成熟,自然瓜熟蒂落,产生了一个适应客观环境的制度。三十五年度的第四次财政会议,恢复国省县三级制,可谓有适应性,而三十年度的第三次财政会议,把省级财政取消,不但无适应性,且有倒因为果之嫌。省级权职应否限制,是地方政治的根本问题,取消省税,只是枝节的解决,不是根本的办法。如果省的权限,依然如故,省的职务仍然繁杂,只取消他的财源,徒然发生摩擦,事事挫折,不能推行。我们以为根本问题,在乎确定省究竟处在怎样的地位,而后再决定它职权的范围,究竟应该怎样。这一切需要基本关系上的调整。整个行政制度的确定,不是以财源来限制权职,乃是由于权职的需要来决定财源。如此方不致倒因为果。我们的认识是如此。

(四)不实行均权制,中央之集权必有地方之滥权

我们以为这个认识是正确的,并可以历史证明。民初袁项城当国,国地财政划分之历次变革,均充分表现中央集权之色彩。所有重要税源,悉归中央;重要政务,亦由中央办理;地方税源,悉被攫取;所余者仅属零星小数。在袁项城之意,或以财权集中后,各省自无能为力,中枢之地位,当日益巩固。殊不知各省割据之隐患未除,决非在财政上略加限制而可置中枢于磐石之安。故当袁氏权力鼎盛之时,各省颇能低首下心,报解税款,照额依时。及其衰也,各省又纷纷托故截留,以多报少。迨袁氏殁后,中央之权力益减,对于地方政府,更无法控驭。其后且有倡联省自治之说,自立省宪,以省内一切赋税,均属于省之收入,中央财政之旁落,至是已达极点。足见以财政来削减省的权职,是徒费心血而已。

我们又可以裁厘的结果来证明。厘金是恶税,久为世所诟病,尽人皆知,理应裁撤,在各省举办营业税以资补救,在中央则办统税特税以为抵补。但中央表面上虽为地方确定财政制度,实际上则仅为中央"分惠"于地方,至少中央在心目中存有此种观念,故常恋恋不忘原有之收入。因此民国三十年第三次财政会议,竟将地方应得之税课,如营业土地两税,拨还中央。近来,复异想天开,把

营业税的一部分重要税源,以特种营业税的名义,夺之以去。这种举动,何尝丝毫有为地方确立财政制度之决心,直行其诈欺之手段耳。其实地方财政制度既未确立,国家财政安得健全,两者必须平衡发展,各守范围,方可避免两破互残之局面。中央于民国二十年明令裁废厘金,复于二十三年第二次全国财政会议议决废除一切苛捐杂税,以期根绝厘金之弊。但中央既夺地方之税,地方亦不必尊重中央法令,所以,抗战以还,各省地方,以财政困难,又习常蹈故,于营业税之外,复课各种通行税,不啻变相之厘金。故中央之集权,浸假演成各省普遍之"滥权"。法度日隳,纪律日坏,令如牛毛,事如乱丝,而财政更不堪问闻矣。是谁之过欤!?

各省所通行之通过税,就其性质言,莫非是对物征课之捐费。举凡货物之产销、通过、以及落地,皆须纳税。虽名称各有不同,而通过税税法之内容,大率一致。如湖南之特种物品产销税,广东之舶来物品专税,广西之百货饷捐,云南之特种消费税,江西之特种营业税,安徽之战时产销税,陕西之特种消费税,甘肃之特种消费税,宁夏之临时维持费等,皆是对物征课之捐费,类似厘金。省自为政,节节重征,步步查验,造成国内经济壁垒,阻碍货物流通,促成物价高涨,妨害生产建设。虽各省通过税征收章程内,多有"一次缴足后,行销全省,不再重征,且不得征收任何附加税"之规定,然运输货品,无论已否或应否完纳通过税,于经过沿途查验机关时,均须立即报请查验。其查验方法,即将单证与货品核对,并详细审查货件封口,然后盖验放戳记放行。至于征收机构,有就原有省税征收机关及人员办理者,有另设征收机构及人员主持者,方式虽不尽同,而其原则则一,——即因地制宜,控制货物出入港口及交通要道,以便稽征查验,其造成经济壁垒,阻碍货物流通的情形,概可想见。至各省通过税税收,据某机关实际调查,为数实属可观。其在省税中之地位如何,可以湖南省为例说明之。湖南省二十九年度各种省税实征数总额为 24,664,000 元,其中田赋计 8,879,000元居第一位,产销税计5,604,000,居第二位,仅次于田赋。若将其他对物征课之捐费,如卷烟管理费4,460,000元,桐油管理费1,157,000元,一并合计,则总数达11,223,000元,占岁入总额45%、50%,竟超过田赋而居省税之第一位。由此一例可知通过税在省税中之地位矣。

中央以各省通过税,类似厘金,影响人民生计,破坏税制系统,遂乘民国三十年六月第三次全国财政会议之便,提出裁废各省货物通过税、产销税、及其他对物征收之一切捐费,改办战时消费税一案,当经大会照审查意见通过。然吾人推究各省举办通过税之真正原因,中央之集权政策,实尸其咎。破坏税制之系统者,究为何人? 地方乎? 抑中央乎?

(五) 民主政治下之省的地位

一旦到了民主政治时代,省的地位,便不同了。地方政府,一如中央政府,由人民选举而产生,在宪法或法律的范围内,做它自己的事。虽权力大如美国的各邦,可以制订民刑法,也不致妨碍国家的统一与人民的权利。省县地方政府不是中央的派出所,而是人民的办事机关;地方官不是"管"人民的,而是为人民服务的,自然就没有官民对立以及中央与地方对立的现象。

民主政治的基础在地方,不是在中央。民主政治要从地方做起。这个道理非常浅近。人民最关心的,是他身边的事,最辨得清利害的,也是他身边的事。如果一省一县的事还处理不好,国家的事如何能处理得好呢？以外国的成例看,英美民主政治之所以成功,主要的要归功于它们已有几百年的地方自治经验。法国革命已一百余年,而变故迭兴,地方自治基础太弱,乃是一大原因。德国的威玛共和,只是昙花一现,由于德国原是一个彻底的官治国家。无根之树,决不会开花。所以中山先生的建国程序,是从地方自治做起,而后进入中央的宪政,民主政治才不致落空。中国要行民主,必须彻底改变那个旧秩序,将几千年来从上而下的一条鞭政治倒转来。

二、中央与地方之财政关系
可自下列七端观察之

（甲）当岁入数目与税源相较,二者间之比例甚小时,虽上下级二个政府征课于同一税源,亦不致使纳税人有负担过重之感。因此二个政府亦不致有冲突。例如从前之德国之邦及地方政府,分征所得税；美国之邦及地方政府共同分课普通财产税,地方的政府常不受干涉。但一到政府支出继续膨胀,共课同一税源,便发生问题,因恐纳税人不能负苛重之税也。因此地方政府于同一税基上,非经中央核准,不得加课附加税,以免害及国家之独立税制。德国近年以来,租税立法,采中央集权制。凡中央所欲征课之税源,绝对不准地方染指。因此德国之地方政府,除以不动产税与他项税收充经费外,不足之数,多由中央补助。如税收不能真正由中央管理,中央亦有广泛之统制权,甚少税基可以允地方政府任意利用者也。万一不得已,须征课于同一税基而税负太重时,则中央只得限制地方之税率。

（乙）地方征课租税，其方法及税率，皆以法令加以限制。如三十五年第四次全国财政会议通过，财政部提出"积极整理地方税捐严杜苛杂摊派以裕自治财源"案内，有下列二项：1.非属地方法定收入范围内之一切苛杂摊派，应即彻底废止。2.地方政府应依照税法规定课税，不得擅自变更税率及其他各项规定，致乱税制。

（丙）地方政府不得随意募债，免贻过重的负担于将来之人民。多数国家对于地方财产之处分，亦往往加以干涉，使其不得徒因现代人民之利益而为财产物品之处分。在原则上，地方举债，不能用以填补经常岁出之不足，只能以资本支出为最要之用途。故在地方政府普通预算上，殊无公债收入之地位。英国地方政府之举债，限制綦严，且其用途限于资本支出。美国各邦，在立法上，对于地方政府之举债权，亦定有最高限额及偿还期限。

（丁）地方上之地主，往往因地方政府举办某项公共工程而受益不浅。在此场合，地方政府得向受益之地主征收特赋。所谓特赋，是取诸因公共工程或改良受有特别利益之人，视其所受利益之程度而课以特别之税捐。此项税捐，必求其足以抵补地方政府为工程或改良所支出之经费。但在贫瘠地区，或非人民力量所能负担，在富庶之区，又当别论。不过此项特赋，未必能与地主所受之利益相称，因而殊欠公允，故国家常须予以监督限制。

（戊）补助金制度，各国都采用之。补助之数目，是由上级政府之收入项下支出，用以补助地方举办之事业。故此项事业，自应受中央之监督，无可非议。

（己）地方政府，如设定一种收益的企业，当由国家视其企业之性质如何而加以干涉。如为独占企业，必先取得中央监督官厅之许可或承认，以免与中央有不合理的竞争。

（庚）以岁入调适其职务或以职务调适其岁入。依三十五年财政收支系统法之规定，经济建设、教育文化、卫生治疗、社会救济等事业，有全国一致之性质者，归中央。有全省一致之性质者，归省。有因地制宜者，归县市。但各级政府间之职务，虽如此划分，倘各级政府之税收，不能与划定之职务相配合，则划分问题，仍不能得一个圆满解决。于是想出一个变通的办法，即先将职务分给于各该级政府，不管其有无供应之能力，然后再依岁入调适其职务。盖政府之最后目的，在执行某种职务。岁入为促成此项目的之手段。如岁入有调整之必要时，则各级政府间可移转款项以调适之。

同一领域各级政府间，以岁入调适职务之方法有三：1. 岁源之划分，2. 特定税收之划分，3. 补助金。以岁入调适职务，固屡见不鲜，而以职务调适岁入，亦不容忽视。事实上中央收入多而事业少，则地方职务可以移交中央，甚至有时本以地方主办为宜者，亦一并移交。

三、各级政府之税收应与职务配合

政治有中央政治与地方政治之分，财政亦有中央财政与地方财政之别，所以财政之划分，应就其职务范围之大小而定。中央政府之职务与地方自治之职务划分之后，因职务所需经费之来源，应如何划定，就可以容易解决了。虽职务与权限之决定，有待于宪法之决定。然其范围，亦可以概计。考试、监察、司法等职权，多属于中央，地方应否有此等职权，须由宪法决定，美国各邦有之，中国各省尚未有最后之决定。至于立法，地方亦有局部权力，行政亦然，中央与地方均有之。事之有全国一致之性质者,应划归中央,毫无疑义,如国防与外交之类是。即在美国,国防与外交之权,亦属于中央,各邦不能染指。余则中央与地方各司一部分,其间如何划分,如何维持一完整系统,最费斟酌。划分之后,亦非一成不变,当视社会情形之变迁而予以调剂。然地方行政最要者,莫如警察、户籍、经济建设、教育文化、社会救济、卫生治疗诸端。经济建设一端,包罗最广。以交通言,铁道属于中央,但省亦得于国家固定计划内,兴作省营铁道。全国重要干线公路,属于国家,但省有省道,县亦有县道。航空航海及内河航权,应属于国家,邮电亦归国营,但公用事业,亦可归地方兴办,农田水利,亦是省县应格外努力之事。至于教育文化,则高等教育及研究机关,就原则言,是属于国家;中等教育,是属于省;但如省之财力充裕,未始不可兼办大学。以今日的情形言,初中、小学校、及职业教育,多由市县办理或管制。社会救济,包括救贫、养老、慈幼、残废赡给,莠民教育等等,在过去,类皆由县地方任之。如范围较大,非县之财力所能胜,由省任之;省不能任,由国家任之。至于卫生机关之设置,则卫生院设于县,分院设于重要乡镇,诊疗所设于不重要的乡镇,而医院设于省会及冲要地区,可以收容病情较重、治疗手术较繁之病人。在全国各大都市及首都,中央亦当设立规模极大之医院,以济地方医院之穷。全盘合计,可以构成一个严密的卫生机构网。

  中央与地方之职权划分之后,各守范围,努力推进。职权既分,责任自明,非其分内之事,不得列入预算,越俎代庖。是其分内之事,亦不得推诿于人,自卸责任。如此则上级政府之事,不会委诸下级政府,而下级政府之事,亦不会呈请上级政府代办。

四、国地财政收入如何分配

同一领域内,各级政府之职务与岁入,既未必能成一正比,非职务多而岁入少,即岁入多而职务少。不以职务去调适岁入,即以岁入去调适职务。以下所述,以岁入调适职务之三个方法,(1.税源之划分,2.特定税收之分配,3.补助金。)均见于各国之税制中。

(一)税源之划分

税源划分制,在过去曾有其重要性,不过此种重要性,现已逐渐消失。只在高度集权之国家,尚有其遗迹。大抵联邦政府掌握关税及其他间接税,而直接税则落于邦及地方政府之掌握中。即在单一国家,如中央政府尚未高度集权,有时亦将重要之独立税源,拨给下级政府,如英国予地方政府以征课"地方捐"之全权。在战前美德二国之中央政府,均侵入直接税之领域,如美国于1913年,实行联邦所得税;德国于战前十年间,开征数种较小之国家直接税。大战期间加拿大、瑞士、与奥国,创办联邦直接税,最近巴西亦施行联邦所得税。至于邦与地方政府间间接税之划分,仅偶一为之,且均不成功。最近的趋势,税源之完全划分,渐趋消失,而重要税收,因有集中管理之必要,多归中央政府所有。但税源之部分划分,亦见于各国之税制中。即在高度集权之国家,亦划拨一部分税源专属地方,一部分则专属中央。此中部分划分,在中国尤为必要。其详请见"个别税源如何划分"一节。

(二) 特定税收之分给

划分税源，既不甚通行，分配特定税收，似可采用，尤其盛行于美德等多数国家。不过美国之分配税收，大抵在同一税基上彼此独立征课。德国之分配税收，不采用在同一税基上彼此独立征课之方法，乃大部分由中央统一征收后分予下级政府。往昔欧陆税制之特色，是以同一税基准由地方政府征收附加税，此制至今尚行于法义二国。但在许多国家，中央统一征课制已取而代之矣。至于第三种之补助金制，均见于各国税制之中，尤为英制之最大特色。

所谓税收分配制，就是按成拨给制。惟如何斟酌各级地方政府之职务，以规定其应得之成数，则有待于详细之调查及精密之研讨。但按成分给制，并非各税都适用。有若干种地方税，收入不大，性质亦显明，自宜划归各级地方政府独有。惟主要地方税源，如各省之田赋与营业税，有主张适用按成分拨制者。他们的理由是因各地肥瘠不同，经济实力亦大小有别，若一律以税源划分，有时发生障碍，不如确定各级地方收入，按成分给之为愈也。但按成分给与近来谈财政者所言之"统筹支配"不同。"统筹支配"四字含义不甚清晰，易滋流弊。若县财政须由省府统筹支配，则县府之经费，必形拮据。若乡镇之财政，由县府统筹支配，则乡镇之收入，必无确实把握。若代以按成分给，则有法律上之拘束力，上级机关不易操纵也。

中央省地方三级政府之税捐，可以合并统一征收，在各国有先例可援。在地方政府具有数级之国家，其地方税之征收，有由上级地方政府统一办理者。欧西各国，近二十余年来，地方税征收之改进,有可以资吾人借镜者。即向以地方分权著名之美国,其地方税亦多由各邦政府征收,再行分拨。至此项统一征收机关,应归何级政府主管,则须取决于比较的行政效率。我国县之下,尚有乡镇各级自治单位。它们的财政收支,统一于县财政收支,在乡镇地位问题尚未解决以前,极为合理。吾意省县税收,亦可照此办理,把田赋营业税及其他合法之省县税捐,均可交由各县之税务局(或地方税局)统一经征,不必各设机构,政出多门,增加征收费用,兼滋舞弊机会。但此项征收机关,最好隶属于省财政厅。若由各县自行设置,不仅征收方法,不能一致;即税政与税人问题能否顺利解决,不敢粗为臆断也。此外亦有主张将有地方性之中央税亦可交由地方征收机关代征,不必一税专设机构,以节糜费。

（三）补助金

补助金制度在英国用之,发生很好的成绩,确收促进全国经济平均发展的良好结果。但移殖之于我国,不但不能收效,反发生极大的流弊。三十五年第四次全国财政会议复改国地二级制为国省县三级制。同年七月一日政府公布财政收支系统法,其第三十四条规定,各上级政府为求所辖各区域间,教育文化、经济建设、卫生治疗、保育救济等事业之平均发展,得对下级政府给予补助金云云。所以其目的正与英国之补助金相同——使地方事业平均发展。英国之地方收入,不外乎二大来源:一曰地方捐(Local Rates),一曰补助金(Grants-inaid)。大抵地方捐所占总收入之百分数较高,而补助金所占总收入之百分数较低。英为商业国家,大部财源出于贸易。地方政府之税源独少,大宗收入惟地方捐一种,故以补助金的运用来补助各地均衡发展。就是由中央政府,按地方政府之成绩及需要程度,酌定补助金额,俾能平均发展。补助金之用途,限于义务教育费、职业教育费、警务费、公共卫生设备费、路政费以及一切社会救济事业费。分配的标准,视各地方之需要程度,而需要程度,须视各级地方区域面积之大小,人口之众寡,财政收入之丰啬,公共事业之兴衰等而决定。施行补助金之结果,中央借此得能控制地方之行政。中国仿行英制,对地方亦给予补助金,不过此项补助金,并不用以发展地方事业,乃用以弥补地方预算的不足,与原来的目的相去不可以道里计。结果,不仅不能发挥补助金制度的效能,反养成地方政府的依赖心理。

所谓事业经费是指"教"与"养"二项而言。所谓"教",就是教育文化;所谓"养",就是经济建设、卫生治疗、保育救济。此种事业,可以提高国民生活,增进社会福利,自当予以相当的鼓励与资助。然就地方财政支出一部分来看,极大部分的款子,尽用之于行政、保安、与债务三项,用于事业者,微乎其微,不足道也。换句话说,人民血汗所得,尽用作官吏的俸禄,军队的饷糈。至于社会福利的增进,经济建设的扩充,根本就无执行的意思。成效如何,不过是等因奉此,仰即知照,自上至下,彻头彻尾,没有人把这件大事当做一件真事办。根据三十五年度江苏省"岁出单位预算事业别总计表"所示,生活补助费支出,占支出总额62.823%,居第一位;保警支出占22.112%,居第二位;教育文化支出占7.036%,居第三位;行政支出占3.421%,居第四位;经济建设支出,不过占1.453%,居第五位;卫生支出占0.339%;社会及救济支出占0.653%。四项合计,总共只占总支出之9.481%(即将教育文化、经济建设、卫生治疗与社会救济四项合计)。足见地方财政支出,并不朝着改善社会生活,增进国民福利的方面。况教育文化支出一项，表面上虽居第三位，实际上亦仅是一种教育行政经费，真正用于教育设备者，为数无几。可知这四项事业经费，放在预算中，不过是一种粉饰作用。江苏省在省际间是最进步的省份，其事业经费尚如此微薄，则富庶不及江苏之省份，其困苦状态，更可想见。

查三十五年度核定的收支预算表，计有南京等五市，江苏等二十四省，其收入总额为1,018亿余万元，支出总数为2,595亿余万元，收支不敷约1,577亿余万元，概由中央补助；连同其他各项补助，总计三十五年度下半年中央补助地方款项，数目当在1,864亿余万元以上。这种庞大的数字，并非用以促进地方经济平均发展，乃用以解决地方财政入不敷出的困难。这种办法，非特不能使地方经济平均发展，且适足以养成地方政府的依赖心理，将陷地方财政于万劫不复之地。故我们主张将补助金制度暂缓施行，先将土地税（现称田赋）完全划归县地方，将营业税完全划归省级政府，使各负专责，竭力整顿，则省县两级，各为自身利害计，当竭力以赴之。至于营业税之应归省有，田赋之应归县有，已在别章详论之，兹不赘。

我们谈中央与地方财政关系之七点时，曾说明各级政府间如何可以岁入调适其职务。倘各级政府之税收，不能与划定之职务相配合，则移转款项以调适之。但款项之移转，亦因效率问题而有其一定之限制。若此项款项，显非出自地方纳税人之口袋，而由上级政府补助，其支出不免有浮滥之弊。如许多人认为福利事业应交与地方团体主办，可得最高的效率。但福利负担最重之团体，通常亦即最无能力负担之团体，因此其所需之经费，应由中央补助。结果，得到了补助金，失掉了责任心。因为地方官吏有时执行某种职务，其效率虽较上级政府之官吏为高，但吾人不能即据此以为在缺乏压力或监督时,亦能如此。在此种情形下,似由中央监督较妥。负责之地方官吏,其效率固高,但若经费来自他处时,恐便不甚负责。

但县地方财政问题,不完全是一个税源重划问题。若政治不上轨道,税源重划,也无补于事的。有一位专家得了一个机会,看到很多县份的预算,以及工作报告,他就作一篇文章,题为"取之于民,用之于民",载世纪评论创刊号,内容不必谈,他的结论是:"概括的说,现在很多县份的收入,大部分是拿来养活县政府的职员。他们的薪水、津贴、生活补助费等等的开支,占了县政府支出很大的百分数。县政府把自己的秘书、科长、科员、办事员、警察、工友等生活问题解决之后,余下来的钱已无几了,所以请不起教员,开不起医院,顾不到救济,一切建设的计划,变成纸上空谈。"在这种情形之下,如主持县政的人,还不能保持廉洁,那么人民的所得,将由很少而减至于无。

(四)我国补助金与协助金之来历

查各国预算中几皆有补助金之一项,而我国于补助金之外,尚有所谓协助金者。在本章中不妨把这两种制度说明一下。在原则上,我们可以说何税应属于中央,何税应属于地方。约略言之,关税、消费税、通过税等,皆应属于国家,以其具有全国一致之性质。这几种租税收入之范围极广,而数值甚巨。关税与通过税,有全国一致性,决不能任各省各邦各设海关以征收进出口税。所得税、遗产税,应属于国家,盖国家政费有一般性质,不计其所发生利益之大小,而课以租税,乃根据纳税人能力之大小而课之。营业税如按余利而征课,是一种收益税,可以属于邦或省或地方政府之税源,而土地税、房屋税、地方特赋,应归地方收入,因为这几种租税,皆根据纳税人所得利益之大小而征课者。且地方政费用于一定区域,所发生之利益,多由局部之纳税人享受,故不得不以利益主义来替代能力主义也。譬如房屋税(在中国称房捐)之征收,原多限于城镇,且多限于铺房。任何城镇集市墟场之房屋,皆在征税之列,而上述地区中之住房,亦一律征税。此款多用于警政,上述地区之人民受警政之惠特多,故亦可谓相当公平。但住房税率应较轻。此外对于别墅、私人林园,应按其时价,课以较重之税,以此辈业主,多为大所得者也。至于行为取缔税,及各种牌照捐费等项,又须专为县地方政府之主要收入,因为这几种税收范围狭而数额又小故也。但中央与地方税源之划分,因为有其他因素夹杂其中,不能如此清晰,各不相犯。有时需视其历史环境及传统的政治力量以为划分之依据,如在美国,各邦亦征收所得税、公司税、遗产税。有时亦需视国家地方政府权力之大小及职务之繁简以为转移。故原为中央之税源,为征收便利起见,亦划作地方政府之收入。若过于拘守成规,一定要分疆别界,未必能适用于将来。因此中央得以其总收入若干公平分给于各省,而各省亦得按照其收入之大小,分解中央。前者谓之补助金,后者谓之协助金。此即国地税源不能绝对划分时之补救办法也。

现代各国租税收入,因适应经济之发展,有集中于中央之趋势。昔时属于地方之税源,今多由地方而移归中央。盖因在国家经济之范围内,地方租税之征课,实无形受许多限制。例如地方政府往往在国税上附加若干以为筹措,或对于同一物品独立课税,但不能害及国家之整个税制。且地方租税之征课方法,及其税率高低,例皆由国家加以法定的限制。但同时现代地方政府之职务,日见繁重,半由于地方社会经济文化之发展,半由于地方政府应有的事业范围之增广。其具有地方性之政府职务,亦多由国家移归地方政府执行。因此支出一方面,又有分权于地方之趋势,则收入与支出,因趋势背驰,不能适合,于是中央对地方之补助,遂成为平衡地方收支之不二法门。

满清亦用补助的制度来调剂各省财政。满清入关后,深知财政集中之重要,于是因仍明朝财政集权的旧制,以布政使司各省财政,总汇直隶于户部,地方根本没有独立税收。每岁收入,全由布政使汇集,解归中央,是为解款,按照定额来协助各省,是为协款。布政使当然依中央之命令而为之,所以这种协款,就是今日之补助金性质。

(五) 美儒赛里格曼(Seligman)所主张国地税收划分的原则

据赛里格曼的见解,国地税收应依效率、适合、与相当三大原则而划分。何谓效率原则?我们已说过土地税应划归县市地方,因地方税吏熟悉当地情形,对于地价之查报,较易办理。又如所得税,以所得之地址不易确定,划归国家征收,比较便利。何谓适合原则?凡税基甚狭者宜归地方,例如房屋税之税基较狭,其范围只限于房屋所在之区域,故应划入地方税范围之内。又如消费税,其税基遍于全国,应划入中央税之内。何谓相当原则?即视其租税收入之相当与否以定其归属。例如某区税收已十分充分,原无开辟新税之必要。但为求得负担更公平起见,不能不开辟之。如收支相抵而有余,可以其溢出之数划归税收短少之区所有。

第二章　中央税与地方税之划分（续）

五、历次地方财政收支系统之演变及其影响

十六年国民政府奠定南京，古应芬氏任财长，十七年第一次全国财政会议之后，即从事于中央与地方财政之划分，是为始基。但地方税课税收入之重心在省，县为省之附庸。在十七年以前，国内政局纷扰，法无定制，财政收支实无系统之可言，有之则自十七年始。三十年财政收支系统修正，地方财政重心，由省转移于县，省之财政，并入中央，是为二级制，县财政始得独立。县之税源增加屠宰税、营业牌照税、使用牌照税、行为取缔税及中央分给遗产税、印花税及营业税之一部，目的在建立县自治财政基础，使能完成艰巨之自治工作，诚我国财政史上一显著之进步。

自十七年第一次财政会议以后至三十年第三次财政会议以前为三级制时期，省的行政相当扩展，职权甚大，收支独立。三十年并入中央以后，变为二级制。中央补助之款尚多，且省银行与省公营事业之盈余，亦可运用，以资挹注。胜利之后，中央有鉴于省之负累太重，县收支亦不能平衡，故三十五年第四次全国财政会议复将财政收支系统重行修正，又恢复三级制，省之财政复原。虽同为三级制，但其间省县两级之权限，时有消长。在今日的三级制之

下，省仅有土地税与营业税之一部，收入殊属有限，而支出却因复兴建设动需款项，形成收不敷支之现象，更有捉襟见肘之势。不但事业费无来源，即经常之行政费，亦不易维持。虽有补助费之明文以及各县市得因地制宜举办新税，而实际上甚为有限。省政治之推进，遂深受财政不能配合之影响，事业停顿，经费欠发，行政效率减低，所受影响至深且巨。兹将历次地方财政收入系统变更情形，列表于后，以资比较。

区别	十七年中央地方收支划分案	三十年财政收支系统修正	三十五年财政收支系统修正表
省	1.田赋，2.契税，3.牙税，4.当税，5.营业税	并入中央	1.营业税总收入50% 2.土地税总收入20%
县	1.田赋附加 2.契税附加 3.房捐	1.土地税之一部（土地法未实施前为田赋附加金额） 2.土地陈报后正附税溢额 3.土地改良物税 4.使用牌照税 5.营业牌照税 6.行为取缔税 7.屠宰税 8.中央划拨营业税三成至五成 9.中央划遗产税二成五 10.中央划拨印花税三成	1.土地税总收入50% 2.营业税总收入50% 3.契税 4.屠宰税 5.土地改良物税 6.营业牌照税 7.使用牌照税 8.筵席捐及娱乐捐 9.遗产税20%

上表不甚正确，因为二十三年第二次全国财政会议之后至三十年止，在这一时期，省财政的地位，尚不甚弱，其大概情形如下：

民国十七年根据中央地方收支划分案，田赋、契税、营业税、牙税、当税五项，均划归省税范围之内，县政府纯为省财政所控制，也可以说县财政是省财政的附属。省财政在财政收支系统中，却占有相当的地位。

二十四年根据财政收支系统法，及财政收支系统法施行条例，省税之主要税源，有营业税及契税两种。此外尚可依特定税收分给的办法，分得土地税15%至45%，房屋税（土地改良物税）15%至30%，所得税10%至20%，遗产税15%。同时亦须分出营业税30%。至此县财政亦逐渐抬头，省财政便不能如从前的控制财政矣。

三十年根据财政收支系统的修正案，省级财政取消，归并于中央税收之中。

三十五年根据财政收支系统修正案，省税只有营业税五成，土地税二成，必要时还须从其应得之土地税中拨出一部分，分给贫瘠县市，以资补助。所以名义上三十五年以后恢复了国、省、县三级财政，可是省财政的地位，远不能与三十年度以前的地位相比较。至此省财政已走上穷途末路了。此外还有特种营业税，须从营业税中划出，改归中央征收，不啻减少了省级财政的收入。

在上面，我们已说明省财政仅有营业税50%，土地税20%，殊有省财政不能配合省行政之感。至于县财政，虽以全部契税加入，但际此经济凋敝百废待举之秋，亦不能配合行政需求。故省地方财政与县地方财政，皆有重大缺点。省尚可仰给于中央之补助费，而县只能仍以摊派老法来应付。虽然中央之补助自有其最高限度，各省绝不能饱偿所愿。

依三十五年财政收支系统修正案观察，知税源之划分，与以前之三级制大不相同。营业税全部划归地方，省县各半，但院辖市至少以30%协济中央。至于土地税,依前表所列(包括田赋、地价税、土地增值税),乃订为三级共有之税源,即县市得50%,省20%,中央30%(院辖市土地税,以40%协济中央)。三十五年修正案,又规定县市得因地制宜举办新税,此即特别增加之课目也。但大战之后,复继以内战;复员工作尚未完成,疮痍遍地,欲合理地开辟新税源,事实上亦恐难以办到。但各县市亦不能坐以待毙。在省仍可利用苛杂,在县仍可利用摊派以为调济缓急之工具。

六、今日省财政之地位

今日省财政的地位,终略如下:土地税,即田赋,三十四年停征一年,三十五年仍征实物。正赋以中央三成,省二成,县五成,比率分配;征借部分全归中央;公粮部分,省县各半分配,惟省所得半数,公粮收入,须以三分之一拨补贫瘠县份。如是,省级财政,虽恢复独立,自成一级,惟税源中并无独立之主税。所以本书主张将营业税全部(并特种营业税在内)划归省有,田赋划归县市。战前田赋,省约占田赋总额60%,县得40%。三十五年财政收支系统修正后,中央得三成,县市得五成,而省仅得二成,较战前应得总额短少达四成。三十五年因停征一年,又减去五成,是收入又少一半。营业税本系裁厘后举办,全部归省,为省之主税,现仅得50%,且税率照营业额减征1.5%。至三十七年度始恢复3%。以浙江省而论,向有一种特种营业税的性质的箔税,以前原属营业税范围之内,现在已非省有。又契税原是省税,现全部归县,省仅得契税附加,均等于正税四分之一。战前省方尚有盐附税、及烟酒附税等,现均停征。综合以上所述,可以得一个结论——目前省级财源,实不及战前五分之一。以福建省为例,就省之税源比较言,三十一年一月一日以前该省省库收入计有田赋、屠宰税、契税、普通营业税、房捐、牲畜税、牙税、炉税、当税、卷烟公卖费、烟酒消费特捐等项全部税收。恢复三级制后,仅余土地税(包括田赋)20%及营业税50%。这两项不完全税源,前后相较,短绌可知。就职权比较言,前者凡省有收入,均属财政厅直接控制。改制后,虽经中央于财政厅职权调整办法第三款有"关于省有税课之督征考核事项"之规定,但事实未尽能办到。例如田赋一项,财政厅即无由直接督征考核,而省政府之职权,已大不如前,凡事均须请命中央。试看江苏省的预算,三十五年度下半年,收入约 1,069 千万元,支出约 1,367 千万元,不足之数将近 30 亿元。三十六年度预算则收支相差更巨,收入约 33,510,333 千元,支出 72,170,333 千元,收支相抵,不敷之数将近 400 亿元。又如浙江省三十五年度下半年收支对照表所载,收入为 8,327,500 千元,支出为 14,335,429 千元,不敷之数约在 60 亿左右。江西省三十五年度不敷之数亦达 59 亿余元,足见省级财政,已陷于难以自拔的深渊。

其他如湖北湖南河南江西四川安徽等省,三十五年度下半年的收支差额,为数亦巨,其不足之数,非仰仗于中央之补助,无以度过难关。至三十六年度,物价益加飞涨,收支差额更巨,有赖于中央之补助更急。例如三十六年度河南省的亏短,不下 500 亿,非有 400 余亿之补助,无以维持其现状,情形极为严重。补助固是必要,但省财政由此而养成的依赖性,益发促进了省财政的破产,一面亦加重了中央财政的负担。况所谓补助,无非多发几百几千亿的法币而已,益发刺激物价的狂涨,使省财政益陷于深渊而不能自拔。故今日的补助制,实非对症良药。况中央财政的拮据情形,恐比各省更严重。不过在中央尚有应付的方法,而在各省,既不能发钞,亦不能举债,再四思维,惟有依赖拨补来勉强维持的一途。

省财政的出路,依省政府当局的意见,只有两条路可走。据浙江省政府于三十六年四月对省参议会之施政报告,指出这两条路:其一,即省级财政,本属国家财政之一部,目前复多仰赖于中央,暂不独立,仍照三级制未恢复以前之办法,向中央具领,以免辗转请求拨补之烦。其二,即宪法实施在即,本年下半年为准备行宪之期,如谋根本改革,则下列数事似应注意:1.宪法业经颁布,应根据宪法所规定中央与地方之权限,严格划分中央与省县各级应办之事务,以确定支出之限制。如目前上级政府各部门随意以其业务课责于下级,而不负经费筹支之责任,无论下级有丰富之财源,亦不能应付无穷之需要。2.应根据宪法严格划分各级税源与财政税课之权限,务使不相干扰与予夺,以确定收入之限制。3.从速从新厘定各级政府组织规程,以确定省县行政机构之种类数量与其系属,或恪守权限划分之原则,由各级地方政府自行审度其需要,设立机构,则骈枝重叠之机构,自然裁并。以上是浙江省当局的见解,已将省财政的内容暴露无遗。

关于省财政解决的办法,三十六年国民党三中全会通过的经济改革方案,含有这样一个决议:

去年修正之中央与地方财政收支系统,县(市)级财政固较前充裕,而省级财政以财源减少,支出浩繁,收支失其平衡,应由中央主管机关与各级省政府协商,重行改订,使地方财源,足敷自力更生之用。足见国民党最高几位委员,对于现行之税源划分办法,亦认为不无可议之处;重新分配税源,或可使省财政不会再陷入莫可挽救的境地。无论如何,省的范围如此之广,省的事业又如此之多，必须使财政与事业有一种适度的配合，方可解救省财政的危机。

　　以上是治本的办法，至于治标则须从整顿营业税着手。本书主张营业税全部划归省有（另章检讨）。如再加以整顿，使税收日有起色，亦可造成一个独立的税源。过去各省对于行商，大都采放任主义，全部行商营业税，未曾捕捉以致逃漏，税收的损失，莫可究诘。凡以营利为目的之事业，不论行商坐贾，都有纳税之义务，不容其私下走漏。闻财政部亦有将营业税全部与土地税全部划归地方（省与县市）征收的意思，足见财部对于继续不断的补助亦觉得头痛。不特此也，省县两级财政，虽经确认独立，但省级则乏独立税源。田赋为中央、省、县之共有税，营业税及带征公粮为省县之共有收入，而大宗税源复遭割裂。省级财政既仰赖于中央之补助，而省应得之带征公粮一部，又须划拨于县作为补助。中央既须补助省地方，复提取地方之田赋三成。各县税收既感短绌，其田赋与营业税，又复提出30%解省统筹补助贫瘠县分。提解划拨，错综复杂，呈支离破碎之局面，影响整个财政制度，莫此为甚。至于县级财政收入，以三十五年修正案与三十年修正案相较，虽略有增加，然在物价不断地波动，支出迅速地增长双重压迫之下，县财政的拮据，远较战前为烈。三十五年增加之数，计有土地税五成、契税全部、与营业税二成。减少之数，计有田赋附加全额、土地陈报后正附税溢额，遗产税半成、印花税三成（请参照上节所述之表）。增减相抵，略有溢额，但尽为支出所吞蚀。例如浙江省三十五年度下半年各县（市）重估结果，计收入为65,252,209千元，支出为92,310,470千元，不敷之数为27,058,261千元，在270亿以上，除在赋谷增值，与乡镇学校经费另筹外，尚不敷140余亿元。又如安徽省三十五年度下半年，入不敷出约50余亿元。足见县财政的困难情形，比较省财政，亦五十步与百步之差耳。

七、财政收支系统划分之进步

但话又要说回来，今日赋税系统之划分，比较民国二年之国家税、地方税法草案、暨民十六及民十七两次国府公布之国地收支划分标准案，均有进步。那时之划分，有两大缺点：1. 对于国地两税，虽分别税目，极为详晰；但在地方税中，省与县之界限，未曾确定，故何者为省税，何者为县税，混合不清。影响所及，所有地方税源均为省方所有，县地方只有增设附加以分其余沥，或征收苛杂捐税以资挹注。因为依赖苛杂附加，不免横征暴敛，扰及闾阎。2. 民二之国地税法草案，采用附加税制，即重要税源，均归中央，但予地方以征附加之权；故名义上属于中央，实则国地所共有也。故各级政府欲增加税收，惟竞加税率是赖，至于税制之整理，则毫不关切，以致弊窦百出。民十六，民十七两次国地收支划分标准案，虽放弃附加制，改用税源划分制，但以地方税并未划分省税与县税，县地方不得不以附加于省税的方式来筹款，故附加税适用之范围缩小，并未根本铲除。三十五年之收支系统修正案，能将这两种缺点纠正，当视为长足的进步。

八、乡镇财政

乡镇财政问题之解决，应视宪政时期乡镇之地位如何而定。如宪政时期之乡镇，仍不失为法人，为独立之自治团体，则乡镇财政之独立,自为不成问题之问题。如宪政时期之乡镇,仅为县以下之基层组织,无法人资格,不为独立之自治团体,则乡镇财政自不能独立,应属于县市财政之一部分。但法律只能决定乡镇之地位,不能产生真正之地方自治。欲救真正地方自治之实现,必先使乡镇建设及经济事业发达到相当阶段,乡镇公营事业确有相当收入可获,方能成功。不然,乡镇财源薄弱,纵使财政赋予独立,仍是表面文章,徒具形式而已。今日在事实上,乡镇经费,仍一律按其性质,分别列入县预算各科目之内,由县政府统筹支配。

在县各级组织纲要未颁布施行之前,乡镇财政,仅为县财政之一部分。惟纲要明定乡镇为法人,并特设乡镇财政一章。纲要第四十一条规定乡镇财政之收入如下:

(一)依法赋予之收入——乡镇无课税权,则此项收入,非由课税而来,但是经常收入,大抵系指呈请核准之特别捐款或附加捐而言。

(二)乡镇公有财产之收入——大抵指公款公产之租金等而言。如变卖不动产,应经乡镇民代表会之通过并经县政府之核准。

(三)乡镇公有营业之收入。

(四)补助金。

(五)经乡镇民代表会决议之临时收入。

实际上上列五项收入,大都有名无实,各省情形,亦不一律。就浙江省历年乡镇财政收入而言,大部分是出于摊派,与纲要规定之五项收入,可谓风马牛不相及。浙江省府曾于三十二年规定以(一)乡镇户捐,(二)乡镇劳役捐,(三)乡镇荒地取缔捐三种捐税为乡镇法定收入,成立乡镇经费征收处,专责征收乡镇经费。但开征以来,颇滋苛扰,翌年即予停征。故乡镇收入,仍不能脱离县财政而独立。或谓乡镇既具有法律上之人格,应享有独立的财源,使能自给自足。故普遍提倡乡镇造产,如公有农场、公有鱼塘、公有屠宰场、公有市场、公有畜牧场等等,以其收益充国民教育经费与乡镇收入。但至今日止,造产成绩,殊不足道;形式上或有收入预算,实则依然是虚收实支之老文章。

九、个别税源应如何划分

以吾的观察,所得税、关税、盐税(专卖)、遗产税等应划归中央,土地税应划归县地方,营业税应划归省,再以补助金协助金的办法,各级政府可以一部分的税收分配于他级政府,借收联络之效,并使各地平均发展,不致有畸轻畸重之弊。请言划分:

(一) 租税之应划归中央者

所得税何以必须归中央征收?请申述之。

(甲) 所得税

例如某甲系浙江人,但服务于江苏,置产于安徽,而营业于湖北。若四省同时收税,共须收四次;若归中央办理,只收一次。如中央岁收有余,自可以一部分分配于他级政府。且真正之所得税是综合所得税,可以用累进制,而综合所得税的开征,惟中央能胜任。若某甲在江、浙、皖、鄂各得5,000元,共计20,000元。若归各省自征税率为5%,各得250元。若由中央征收,按照其总收入20,000元,以累进率计算,则得2,000元(10%)。所得税之优点在累进,寓有依照能力之大小而决定税额多寡之意。故所得税必须由中央办,方能收大效。又所得税之必须划归中央,尚有关于所得税本身的特性:1.国家税(即中央税)之第一要素,是定数(Certainty),所得税行之一久,可以年产一定之数目。中国之厘金,虽是一种恶税,但其优点是每年收入有一定,因此当时政府不忍毅然决然抛弃之。2.中央税之第二要素是伸缩性,比如一旦对外宣战,税率即可以增高,税收即可以增加,俟战事平息之后,即可以减少,或恢复原税率。所以中央税须有伸缩之能力。以上两种特性(定数与弹性)所得税兼而有之,故所得税应归中央。至于地方则不必对外作战,所以地方税不必时常增减,弹性为中央税所独有之特性。至于定数,则国地两税皆应有之。

(乙) 关税

关税若划归省办,则江苏有上海,浙江有宁波,福建有厦门。于是货到江苏,上海抽税;货到浙江,宁波抽税;货到福建,厦门抽税。结果必如昔日厘卡之为害人民,且各省以争夺税收,必互减税率以资竞争,而置保护关税于不顾。此关税不得不归中央者一。关税若归省办,江浙等省固欢迎,湖南河南贵州等省必不允,因江浙固有税可收,而湘豫黔则无税可收,此其二。且关税为中央外债之担保,更不能划归地方。又外国入口货,多由上海进口,再由上海运销于各地。此种货物,不过在上海经过一次,实际购买者仍是内地各省人民。若将关税归江苏省所有,无异把内地各省人民之钱,供给江苏一省,不免太不公平。如上海对进口货课以重税,则内地各省人民莫不受其影响。江苏如此,广东、福建等省亦可效法,岂不大乱?

(丙) 盐税

盐税是恶税,无可否认,以其税率为累退税率也。凡收入低微或食指浩繁之家,所纳之税远较收入丰厚,或人口稀少之家为甚,此其一。贫乏之家,多蔬食;富裕之家,多肉食;食肉含盐较多,蔬食则反是,故贫民需盐较切,食盐较多,因而纳税亦较重,此其二。邻近热带区域,以蔬果及稻类为食品,需盐较多;邻近寒带者,则以肉类及麦类食品为主,需盐较少。所以我国南方居民所纳之税,较北方之居民为多,此其三。在过去,各地盐价,高低不一,沿海各省,因制盐之成本甚轻,盐价尚属低微,而四川云贵等省,则盐本甚重,价甚昂贵,县品质恶劣,人多淡食,此其四。

在抗战以前,洋盐充斥市面,售价甚廉,因英美诸国,以盐税是恶税,早已废止之,故能低价出售,且品质优美,以比我国食盐,大有天渊之别。语云:他山之石,可以攻错。即他人好的榜样应知所借镜,故我国盐政,实有改革之必要。在最近的过去,中央曾行过盐专卖以整顿之。但盐税财源,为数甚巨,在未筹得抵补以前,似无立即废止或减税之可能。但不欲整顿则已,若欲整顿,则其责任非中央莫属。故盐税必划归中央以资整顿。

(丁) 遗产税

遗产税划归中央办理之理由,恰如所得税应由中央办理之理由相同。若某乙生于浙江,死于湖北,营业于江苏,置产于安徽,江、浙、皖固须各抽遗产税,而鄂省以其死于鄂,更应抽税。如是纠纷必多。依理,其事业所在地之江苏,财产所在地之安徽,当然有课税之权,因为其事业与财产,皆在该两省获得保护而安全享受收益,则应纳税课自无问题。同一理由,被继承人所居之省份,亦可令其税收机关征课遗产税,则重复税之征收,无可避免也。况现在我国之遗产税,与欧美亦不同。我国所举办者,只总遗产税一项;将来办理分遗产税,就继承人之远近亲戚而分别课之以税,则纠纷更多。若亲戚分布于各省者多,或穷年累月,卒不能解决。若归中央办理,种种纠纷,不除而自除。

(二) 租税之应划归省者

(甲) 营业税

欲谈营业税何以应归省征收,必须先研讨营业税之来历。营业税之前身为厘金。厘金原为中央收入,但委托各省财政厅代办,而各省财政厅即有利可图。以浙江而论,厘金正税之上,有所谓二成附加税者。浙江厘金于裁厘之前,约有700万元,附加税则有140万元。此140万元,即为省政府之收入。且事实上,厘金屡经整顿,收入增加不少;而此增加之收入,省方自不报告中央,则省方之利更大。故浙江每年除呈解中央700万外,尚有400余万元之剩余。一旦裁厘,此笔收入,即无着落。故各省举办营业税以资补救,中央则办统税以为抵补。统税即出厂税,例如棉纱统税,于棉纱出厂时,抽税一次,即可通行全国。特税即为特种消费税,如蚕、绸、竹、木、纸料、瓷器、锡箔之类,皆抽特种消费税。这几种货物,办统税难,办特税易。以木料而论,只能于大宗出产经过之处征收之。特税较厘金优良之点,即特税只须抽一次,而厘金则二十里一卡,三十里一关,缠绕不清。然营业税何以必须省办?其原因亦至为简单。裁厘之后,中央举办统税特税以资抵补,省则非办营业税以为补救不可也。

不特此也。按照三十六年颁布之所谓宪法第十章(中央与地方之权限章)与第十一章(即地方制度章)之规定,省的地位仍然隆崇,它既负承上辟下之责任,它的政务决不致减少;恐在日后之宪政时期,还要负起更重大的责任。可是新近修正之财政收支系统法,虽将我国税制由战时之两级财政(即中央财政与自治财政)恢复到民国三十年以前之三级制(即中央、省、与县三级),但重要税源,均划入中央税与县税范围之内,省级财政,几乎没有独立的税源,事事须仰别级政府的鼻息。若专靠中央的补助来维持,已失掉了补助制原来的用意。因此三级制自三十五年七月实施以来,颇受各省之诘难与反对。既加重中央财政之累,复妨碍省政之推行。行政与财政不可划分。省负行政之责,但无独立税源。在中央尚可恃发钞以延长寿命,在省则发钞特权已被剥夺;若举债以资挹注,则流弊滋多,限制亦严。省为求自身出路起见,难免不起恢复苛杂之念头,殊非计之得。故为避免苛杂之复活,推进省政之建设,与夫减轻中央财政之负累,营业税似应全部划归省级财政,不容稍有异议。

自三十五年七月,财政收支系统改制后,营业税及契税全部,均划归地方(营业税省与县市各得半数)。从此可以希望地方财政脱离中央而有独立之收支。根据一年半的观察,营业税收入,裨益地方财政,实非浅鲜。就浙江省而论,自三十五年九月至三十六年三月,浙江省政府工作报告内云:"营业税一项,成绩最著。三十五年下半年度,中央核定浙江省营业税预算数为17.02亿元,省得半数为8.51亿元。截至三十六年二月底止,已据省库通知,纳库之数已有30亿元,较省预算列数约增加3倍半有奇,对于省县财政之补助,殊非浅鲜。"由此一段报告,可知营业税在地方财政上所占地位之重要矣。

(乙)按成分给制可以补救划分后之困难

何税应归国家,何税应归省,何税应归县市,已经规定。但规定之后,仍不免有若干困难。国家税与地方税既然分开,中央与省县所应办之事,自然亦须分开。中央应办之事,是陆海空军、外交、全国性的交通如路电邮航等等。至教育、警察、卫生、救济等等,则多归地方办理。如此即发生一种困难,即中央钱多事少,地方事多钱少,如何是好?欲解决此种困难,不妨将中央税之一部,由中央征收,再分给各省。依照三十五年颁布之财政收支系统修正案,中央分给县地方者为遗产税20%。这种拨给法,在中国历史上亦有先例。前清及民国对于穷省如甘肃、贵州等,有所谓"协款"。英国之遗产税亦如此办理,归国家征收后,分给地方。法国从前有四种税:1.有动产税,2.动产税,3.营业税,4.窗户税(法国前以窗户优劣,定贫富等级,因而课税)。此四种税中,有正税及附税;正税归中央,附税由中央征收,分派于各地方。其余如美国各邦,亦有此种办法,因为用此种分给法,补救上述困难,最为适当。

在收支系统法未于三十五年修正之前,本有所得税分拨地方之规定。修正之后,将此项规定删去,使地方减少有弹性收入之来源,不能发生自然调剂作用。故省县二级财政,决无法奠定基础。最近中央将有田赋归还县地方、营业税全额划归省、土烟土酒税分拨省县之讯。倘中央不将所得税仍照原定分成拨补,或将税源重行合理分配,仍属无济于事。但观我国现行之税制,约可分为四个系统:即1.所得税系统,2.收益税系统(如田赋营业税、土地增值税),3.登录税系统(如契税、印花税),4.消费税系统(如关税、盐税、统税、货物税)是也。三十五年修正之收支系统法,以收益税系统及登录税系统之税课,畀予地方,因其具有地方性,划归地方,固属正当。但其收入有其限制,缺乏弹性,不能适应自然之调整,难达自给自足之要求,似应恢复所得税分给制以适应需要。但就目前中央税制之重点而言,中央税制,偏重于消费税系统,并不向所得税方向努力迈进(但所得税开征以来,为期不久,进步亦不可谓迟缓),既不集中注意于负担之能力,亦且忽略社会政策之原则。为财政前途计,应有一个极大的转变。

(三) 归县市者

(甲) 土地税

总计全国性之财政会议,由财政部召集者,计有四次。第一次在十七年七月在南京召集,划分国地收支标准,主要之决定,为确定田赋为地方收入;第二次在二十三年五月在南京召集,废除苛杂;第三次在三十年六月在重庆召集,改订财政收支系统,省级收支并入国库处理,将田赋暂归中央接管整理;第四次三十五年六月在南京召集,恢复财政三级制,将田赋重定三(中央)二(省)五(县)分配比率。

综上四次会议,除第二次外,余均集议收支系统问题。这三次会议,主要课题,为分配田赋,因为我国以农立国,田赋当然为主要税源,有悠久之历史,人民纳赋,已成习惯,而关于田赋之册籍,亦较其他各税为完备,按图索骥,易于稽征。间有少数地方,甚至有"卖产不卖粮"之风气,即所有权移转后,纳赋仍视为原地主应尽之义务,仍照章完缴以为荣。另一说为出售祖宗产业,是最不名誉之事,照旧纳赋,以为掩蔽耳。二说谅以后说近乎情理。无论二说之真伪,田赋税制之基础,可以想见。有粮无田之怪现象,就如此形成。

在十七年以前,中央税制,基础未立,故留此大宗确实可靠之田赋为中央税。虽民国元年各省都督力争田赋应划归地方,卒未成功,中央只以田赋附加畀予地方。此乃中央财政一统之露骨的表示。但各省军政大权操在军阀手中,将田赋截留,充作地方经费;中央财政一统之局面,因而破坏,惟名义上田赋仍视为中央税也。十七年之第一次财政会议,始划分国地收支标准,确定田赋为地方税。三十年对日战事方殷,中央为控制军公民食,适应非常时期起见,复将田赋划归中央,改征实物。胜利之后,征实政策未尝放弃。但三十五年召开第四次财政会议时,恢复三级制,确定省的地位,将田赋分成支配,以三成归中央,二成归省,五成归县市。

田赋为财政上一大收入,何以不可由中央办理,而必须由地方办理者,其理由有:(一)中央于地方情形不熟,而土地所在地之居民则近在咫尺,几于无事不晓,且观最近政治趋势,中央集权恐一变而为国地均权。须知从前之自治与今日之自治,不是一样的东西。从前之自治是对官治而言,一切省长、道尹、县知事都是中央所任命,凡若辈权力所及者,都是官治,所以地方自治之范围甚小。因为地方自治之范围甚小,其费用亦小,故所有重要税源尽划入国家税之内。地方税(省与县之税)只占几种杂税杂捐。这种划分,并不是按国家与地方而分,乃是按官与民而分。现在不然。今日所谓自治,据一般民主人士的意见,是真正的自治。所有省长县长,皆须民选,其权力范围限于地方,与从前之自治是不一律。中央集权,既一变而为国地均权,则国地赋税之划分,必须重做一次。国地均权,如果实行,则省有省宪。到宪政时期,省有省议会,决不肯把本省田赋划归中央。即退百步而勉强将田赋划归中央,则各省之立法委员,必竭力减低本省之赋额,他省议员或立法委员,势必相率效尤,互争税率之高低,纠纷难免。倘田赋依土地法之规定,改为地价税,抽百分之一之税,势必相率将地价以多报少,则纠纷之来,必如浪涛之不息。盖确能估计土地之价值者,莫如各该地方人士。倘田赋归中央,地方人民,安肯按其实价以听让中央抽税耶？倘各省相率将100元之税额减缴50元,将1000元之税额减缴500元,则田赋之短收,必有不堪设想者。此非仅我国如此,欧美亦然。过去之立法院所以不致意见分歧者,因所行者,是中央集权制,并非国地均权制。所谓政治,是党治而非民治,武治而非文治,君主而非民主,官生而非民生,治标而非治本。立法院之立法委员,均站在党的立场而非代表地方也。一到宪政时期,党治将一变而为民治,若中央仍欲把持着田赋,必遭失败,田赋之所以必归地方者,此其一。

依照国民党政纲,一省宪政有赖大部分县自治之完成;全国之宪政,有赖大多数省份宪政之完成;故欲促宪政从速实现,端赖地方自治之努力如何。言地方自治,则须兴办教育、修筑道路、整理警卫、救济等事务。地方无税收,则建设事业从何着手？乡人既无公债股票之财产,更无庄票巨款之存放,他们所谓财产,田地而已。若田赋不归地方而归中央,地方自治之完成,势必如河清之无日。且根据建国大纲第十一条,土地之岁收,地价之增益,公地之生产,山林川泽之息,矿产水力之利,皆为地方政府所有。又地方自治开始实行法第四点定地价内"……以地价之百分抽一……为地方自治经费……。"孙中山先生说:"地方自治者,国之础石也。础不坚,则国不固。"财为庶政之母,田赋之所以必归地方者,此其二。

田赋应归归县地方,是天经地义的,无可异议。田赋之为地方税,是十七年第一次全国财政会议所决定的,行已有年,尚无大弊。至三十年,因抗战需要,省财政纳入中央系统,田赋也并为国税,由是财政分为国家财政与自治财政二大系统,省无独立的财政。此制行于战时,已感诸多不便;不但省政受了掣肘,运用不灵,就是自治财政,也东拉西扯,百般拮据,结果酿成了中央肥,地方瘦,头重脚轻的大毛病。国民党二中全会决议,将田赋发还地方,并为之分配,中央得三成,省得二成,县得五成。发还的原则是对的,因田赋征额,为数甚巨。向为地方的主要税源,约占地方税三分之一强,今再得此税,自可比较宽松。但有一点不同:战前田赋正税主要是归省政府,县市田赋收益端赖附加。若照二中全会分配的比例,则省不如中央,中央不如县市,这已经走样了。何以中央还要抓住一大部分呢?推厥源委,不是为补足国家财政,就是为控制粮食,二者必居其一,或兼而有之。这两个目的,就时代的潮流言,都是不对的。

先说财政目的。按三十三年度自由区田赋实收 5,700 余万石,可折合法币千亿元。中央分得三成,即 300 亿。此数对国家 25,000 亿的庞大预算是少数的,但在地方却是一大笔的收入了。同年自由区全部自治财政不过 60 亿而已。中央实无理由不慷慨地把征自地方的田赋全部归还地方使用。国家度支诚有困难,但总不如地方之甚。国家可伸手向有钱的开源,要使租税效果带上社会政策,不可尽刮地皮。

再说粮食的目的。我们不知政府聚粮是要打仗呢?要配给公教人员呢?还是要救济缺粮地方呢?不管粮食部的理由说得如何漂亮,实际纯然是为争军粮,附带才为公务员搭上一点,民食向被排在后面。

在另一方面,为征实,势须保存一个大机构,中央有粮食部,省有粮食局,县有粮食科,一层一层地推下去,愈推愈广,吏多如毛。照过去后方征实的经验,为几斗米,常驱农民负载于途,粮吏嫌这样,嫌那样,要贿赂然后许收。收得一石,在粮吏手里,搀砂灌水,就走漏了多少。到运输时,又是船沉,又是贼劫,又是霉烂,无所不损失。总而言之,粮弊最多,粮缺最肥,扰民之至!战时为确保军粮,征实还有话说;如今战后,此制万不能任其存在。保存此制,徒为粮吏开造孽门路,裨益国家甚小,失尽民心,很不值得。且征实是复古的,这种制度不应复活。不论田赋如何分配,财政收支系统是几级,最好先把粮食部撤销。

(乙)契税

契税何以划归县地方?盖田赋既为地方税,则田契所征之税,自然亦应划归地方。此税数目甚小,无关重要。今日契税全部已归县地方所有。

括上所述,中央有所得税、关税、盐税、遗产税等大宗收入,地方有田赋,省将若何?倘省府可以取消,自无问题。倘不能取消,则省方之收入,又将若何?昔日有厘金之附加税以资挹注,今则并附加税亦无之,于是不得不开办营业税,以补救之。

第三章 中国赋税体系

赋税种类繁多,名目互异,若不分门别类,构成体系,不易使人民知其性质之异同,关系之疏密,尤不足供改革赋税者以一有价值之参考。近代财政学者对于赋税之分类,著书立说,不遗余力,尚未能求得一个完整的体系。因为各项赋税间之明确界限,不易划分也。下列三种分类,是其最显著者:

1. 第一种分类为所得税、财产税与消费税。
2. 第二种分类为对人税与对物税。
3. 第三种分类为直接税与间接税。兹逐项加以检讨。

一、第一种分类
——所得税财产税与消费税

德国财政学家瓦格那氏(A. Wagner)将财富与劳务分为"取得""保有"与"使用"三个阶段。课于"取得"者,谓之所得税,课于"保有"者,谓之财产税,课于使用者,谓之消费税。此乃以课税客体为分类之标准。此种分类,颇有问题。譬如房屋是"保有"之物,课之以税,谁曰不宜。但在"保有"之过程中,无时不"使用"。所不同者,通常消费品如烟与酒,皆一次用罄之物,使用一次即化为乌有。房屋、钢琴、汽车等等,可以使用无数次,而最后亦必归于消灭。故二者之使用,虽有一次与数次之分,其为使用则一。房屋、钢琴、汽车于未用罄之前,固必须"保有",而烟与酒于未使用之前,何尝不要保有。故以"保有"与"使用"为分类之标准,似不能求得一圆满之体系。

不特此也,可供使用者,未必一定是消费品。譬如以棉花纺成棉纱,必先使用棉花;以棉纱织成棉布,必先使用棉纱。不仅使用(Use)棉花棉纱,同时亦用去棉花棉纱(Using up)。布成而棉花与棉纱不见了,消耗了。但这种耗消,不是消费,而是生产,焉得谓课于使用者谓之消费税?况在瓦格那的分类之中,其余赋税如印花税、牌照税、及其它行为税,皆无法归纳也。

二、第二种分类
——对人税与对物税

此外有一种以租税主体与客体而分者,即对人税与对物税是也。英文谓之 Taxes on Persons and Taxes on Things or Personal taxes and Real Taxes,或称主体税与客体税(Subjective Taxes and Objective Taxes)。前者以主体(人)为目的而征收之者,如所得税是也。后者以客体(物)为目的而征收之者,如营业税是也。依此标准,人头税、徭役税、家族税、窗户税、所得税等都是对人税。土地税、营业税等都是对物税。这种分类颇遭若干学者非难,谓一切租税,俱由"人"缴纳,对人税固由"人"缴纳,而对物税亦由"人"缴纳。故他们以为此种分类,颇不适用。殊不知所纳之税,虽皆取之于人,所得税营业税均可称为对人税,然其目的或客体迥乎不同。营业税是对营业而课税,无论营业者为谁,且不问营业者产业之多少，凡属同一之营业，均须课以同一之税。如开酒馆者，如资本相同，营业之总收入相同，或营业之盈余相同，则其所纳之营业税，亦必相同。虽甲酒馆之东家富有千万，乙酒馆之东家借用他人资本，其所纳之税则一，以其所营之业相等也。兹将对人税与对物税详细说明于次：

（一）对人税

昔日之对人税，以资本或资产为标准，不以所得为标准。尔时人民多务农，产业多属于有形的(如田地)，一切工商业都是小规模生产，社会上无贫富大相悬殊之现象。故以资本或产业为标准，是简而易行，且负担亦极为公平。及至18、19世纪，机制方法逐渐发明，资本集中，生产量大，社会上发生劳资两阶级，产业上发生有形无形的区别。如房地产属于有形者，债券股票属于无形者。有形者逃税甚难，容易捕捉；无形者查征不易，类皆无税。故欲以资产为标准而课税，殊欠公允。况富至巨户之所得，未必尽变为资产，往往用之于无谓之消耗。加以近来投机盛行，如以年中之所得，投之于投机事业，则所得未必变为营业之资本，亦未曾化为有形之资产。若以资本或资产为课税之标准，则此项所得尽在逃税之列。不特此也，其有资产者，年中收入，或不甚丰(如农田之收入)，而家无资产但富有能力者，其年中收入，或远过之，以致成巨富(如医士律师之收入)。在此种新环境下，若仍用中古时代之方法，以资本或资产为课对人税之标准，势必失税法之平衡。故今日之新税法，不重固定之资产与资本，乃重活动之所得与收入。此所得税较优于产业税之所以然也。但今日外国于施行所得税之时，仍不肯舍弃其产业税者，则有两种用意。

（甲）以产业税为一种紧急手段，如战时之筹款。

（乙）以产业税为所得税之附属税或辅助税，如有产业而无别种所得者，则课以产业税，殊为公允。

与所得税同来者，有累进税制与类别税制两种。累进税者，量纳税人因纳税而牺牲之能力者也。牺牲之能力愈大，税率愈高；反之，牺牲之能力愈小，税率愈低。类别税者，量纳税人所享权利之大小而定其税率者也。大抵分因劳而获(Earned Income)与不劳而获(Unearned Income)二种。因劳而获者，税率较低，如薪俸之税率然。不劳而获者，税率较高，如城市中之土地增值税然。

此外尚有一种对人税，即量纳税人消费之多寡而定其税额者也(Taxes on Expenditure)。例如在我国，凡百货物无论为必需品（如煤盐茶棉）、便利品（如舟车等类）、或奢侈品（如烟酒），皆须抽捐纳税。然人民对于必需品之消费量，未必以其财富增加之比例而增加。富翁对于油盐米面之消费量，未必几倍于贫户。以此之故，所谓百货捐者，不合于经济原则。故英美等国之消费税，只限于烟酒茶等奢侈品，此外各种物品一律免税。

消费税既限于奢侈品，而奢侈品之消费量与纳税人之负担力成一正比例，则奢侈税者，必能量纳税人之能力者也。力大者，其消耗奢侈品之数量亦大，其对国家纳税之能力亦大。故奢侈税适合于经济原则，各国皆采用之。奢侈税与所得税之性质虽不尽同，而其为对人税则一。故奢侈税亦适用类别法，如烟酒税列一等，课以最重之税，绸缎列二等，课以较轻之税。至于累进法，虽亦适用于奢侈税，然手续太繁，不易施行也。

(二) 对物税

以上所述之所得税与奢侈税,为对人税之主要部分。其与对人税并立者,则为对物税。约略言之,则有三种:1. 营业税,2. 资本税,3. 土地税是也。先言营业税。

(甲) 营业税

营业税为对物税之一种,只就营业而课税,不问营业者为何人,以其非为对人税也。有时虽以营业资本为课税之标准(如德日中三国),然并非对于资本而课税。

营业税最发达之国家,当推法国。当法国革命时,所有对人之税一律废除,代以对物之税。其中最有成绩者,为营业税。但在过去之七八十年中,有渐舍营业税(对物税)改征所得税(对人税)之趋势,而营业税因此一蹶不振。惟自第一次欧战之后,纯粹之对人税渐露其缺点,于是营业税逐渐恢复昔日之地位。不过,此次之营业税,为对人税之补助税,非为对人税之代替物也。

美国之营业税与法国之营业税,稍有不同之处。盖美国公司发达,故有公司税而无营业税。但所谓公司税者,即营业税之变相。第一次欧战之时,复行新式营业税,就公司中有过分利得者而税之(Excess-Profit Tax),与中国之过分利得税相类似。

(乙) 土地税

有主之地为产业之一种,产业既为对人税,则土地税亦当为对人税,何以列为对物税乎?殊不知地之为物,与他种财产性质不同:

(子) 地之数量有限,不能随意增减,他物不然。

(丑) 他物之价值,时有变迁,如汽车发明之后,脚踏车大减其价,而地则不然。人口愈多,地价愈高。虽地价常受政治经济之影响,暂时跌落,然以长时间而论,只见其继长增高,无复跌落之趋势。城市中之地价,更为显著,故有征收土地增价税之举。德国尤为盛行。此项增值税,是对于土地而征收,与他种财产税之对人而征收者不同。故不问地主之为何人,亦不问地主之有无,凡百土地,均须纳税,盖以土地为征税之目的也。

(丙)资本税

资本税亦是一种对物税,不问资本家为谁,凡百资本,均须纳税。资本税可分为两种:

(子)为普通之资本税,例如总遗产税是,对于遗产而课税,并非对于继承者而课税也(对继承者另课继承税)。但由继承者一方面观之,遗产是一种临时收入,尤以远亲之得遗产者为然,故遗产税亦可作为所得税论。因此,遗产税居于对人税与对物税二者之间。

(丑)类别资本税,例如投于地产之资本,与投于公司之股票债票皆须纳税。投于地产之资本,其应纳之税已于土地税一目中详论之。至于公司之股票债票,则属于产业性质,故股票税与债券税完全系一种产业税(Property Tax),以其为无形之产业,易于逃税。故此种资本税,大抵以所得税代之,不税其投于债券股票之资本,乃税其出于债券股票之息金,用课源法征收之。故资本税一变而为所得税。

(三) 对物税为对人税之补助税

吾人在上面已说明对人税与对物税之性质与地位,后者为前者之辅助税,只能补前者之不足,不能夺前者之地位而代之。对人税之最要者,为所得税与奢侈税,对物税之最要者,为土地税与营业税,而遗产税居于对人税与对物税之间。近年以来,欧美之税制,皆以此方针而进行也。吾国之税制虽缺点甚多,亟应设法改善,然对人税中之所得税与奢侈税,已着手进行,尤以所得税之推行为最努力。对物税中之营业税,早已在各地普遍征收,而对物税中之土地税,在各大都市中亦已开始征收。今日尚未积极进行者,惟有介乎对人税对物税二者之间之遗产税,与今日甚嚣尘上之资本捐二者而已。

三、第三种分类
——直接税与间接税

（一）以转嫁与归着为分类之标准

一切赋税,亦可分为直接税与间接税二大类。普通财政学教科书说明这两大类的区别之所在。直接税是政府就净生产所课之税,直接由纳税人负之也。或谓此税是无法由纳税人转嫁于他人者。间接税则不然,大抵就进出口货物以及一般消费品而课征之税,可以由纳税人转嫁于消费者,并非由纳税人直接自负之也。故直接税与间接税之界限,在可转嫁与不可转嫁之间。但此不过是一个原则;原则之中,定有例外。例如房捐是直接取之于房东,是属于直接税范围之内。但在大都市,房屋之建筑不能与人口比例地增加之时,往往大闹房荒,如今日上海之情形然。不但大房东抬高房租,以补偿其缴纳房捐之损失,即二房东转租于人,所获房租远超过所纳之房捐。房捐转嫁于房客,为极显著之事实,故直接税亦可以转嫁也。又如间接税中之消费税,当市面萧条,销路呆滞之时，商人为维持其生意起见，往往不得不自负租税之全部或一部。故间接税亦有不能转嫁者也。大都立法者，意欲以转嫁为变更租税主体者，谓之间接税；不能以转嫁而变更赋税主体者，谓之直接税。然立法者之意欲，往往与事实不符。所以租税之转嫁与归宿，不能恰如立法者之意向。"归宿"是英文 Jucidence 之译名，即租税最后归于何人交付之意。例如征课茶税，无论纳之者为零售茶商，抑为批发茶商，其最后之归宿，多为消费者。往往立法者意欲其转嫁，施行之结果，却不能转嫁。反之，不意欲其转嫁者，反得转嫁。所以以租税转嫁与否为类别租税之标准，实是一个错误。吾人不能确定何种租税可以转嫁，何种租税不可以转嫁。若谓可转嫁者谓之间接税，不可转嫁者谓之直接税，则同一种租税（如独占利润税），有时可以全部转嫁，有时只能转嫁一部，须视其能否维持最高利润以为断。如是，同一租税，时为间接税，时为直接税；欲确定其所属系统，殊属不可能。故间接税与直接税界限之划分，难以精确清晰，实为不刊之定论，故此种分类，不过是一种想像而已。各国财政学者，以所处时代与环境之不同，其所想像亦不一致。依据亚当氏（H. C. Adams），直接税包括所得税、继承税、及财产税等；间接税包括牌照税、特权税、公司税、国产税、及关税。依据薛来斯（G. P. Shirras），凡所得税、盈余税、财产税、遗产税、人头税、及直接消费税皆为直接税；凡关税、国产税、营业税、交易税、娱乐税、印花税、及赌博税，皆为间接税。

吾国今日所行之营业税，其性质与一般交易税如出一辙，它是一种对物的间接税，其能否全部转嫁于消费者，原则上却成问题。

(二) 通常租税转嫁的场合

（甲）征课之税全部转嫁于消费者——在此一场合，商品之生产成本是固定的(Constant Cost)，不随生产量之多寡而增减其成本，或原有之利润已达到不可再降低之程度；并在社会上没有剧烈的竞争，及适当的代替品。

（乙）转嫁之数或大于所课之税——在此场合，生产成本是递减的，即成本随着生产之增加而递减，生产之减少而递增。如被课的商品，因课税而提高成本，因成本提高而生产减少，因生产减少而成本更提高，则转嫁之数，不止征课之税，尚须将增加之成本亦转嫁之。故转嫁之数，大于所课之税。但须以所课商品绝无弹性，方能办到。

（丙）转嫁之数小于所课之税——该项商品受成本递增例之支配，故生产愈少，成本愈低。加税之后，影响商品之生产。生产减少，成本递减，故移转之税，必小于所课之税。或该项商品，原有之利润过高，或富有弹性；一旦加价，销路立受打击。在此种情形下，经营者或生产者，不敢将全部税额转嫁于消费者，自己必须负担一部分。此为转嫁时之普遍的现象。

综合以上三种场合，吾人不能根据税课之能否转嫁以为直接税与间接税之分划也明矣。

（三）以弹性为分类之标准

或谓直接税与间接税之区别，可以从"转嫁"与"弹性"二方面看出来。我们已说明间接税固可转移于消费者，直接税亦非绝对不可转移者。若夫弹性，则在富强国家当然要推所得税，此可以从英美两国在第二次大战中之所得税收入方面观之。富国之所得税固富有弹性,但至今日止,尚不能说中国之所得税亦富有弹性。我国的所得税,自施行以来,已有十余年之历史,而成效未著者,原因甚多:税制不合理,一也。通货膨胀,资产不易重估,二也。人民纳税习惯或未养成,三也。工商业不发达,四也。无论如何,不能说中国之所得税,弹性甚大,可以无限增加,以充国库,而应急需。在另一方面,亦不能说中国之间接税或消费税,弹性甚小;若税率无限提高,人民受压迫太重,必发生恶劣的影响。以我国之烟酒税为例。在战前或从量征税,或从价征税,或办统税,或办特税;税制不一,税率亦分歧,情形之复杂,不难想像。直至民国三十年七月七日,因物价猛烈上涨,始经国府公布货物统税暂行条例,与国产烟酒类税暂行条例,一律采用从价征税之制。是时规定卷烟从价征收80%,薰烟叶从价征25%;洋酒啤酒从价征60%,国产烟叶按产地完税价格征30%,烟丝征15%,国产酒类按产地完税价格征40%。该项货物统税条例,先后于民国三十三年九月,及三十四年十一月修正,对统税酒烟税税率虽无变更,但三十三年七月修正之国产烟酒类税条例,则将国产烟叶,改为按产地完税价格征40%,烟丝改为征20%,酒类税则按产地完税价格改征60%,较前增加20%。迄三十五年八月十六日,国府公布现行货物税条例,规定卷烟从价征100%,薰烟叶征30%,洋酒啤酒征100%。国产烟酒类税条例,规定烟叶按产地核定完税价格征50%,烟丝征30%,酒类征80%,税率均较前提高。似此每次修改条例一次,烟酒税税率即提高一次。但税率虽提高,而烟酒之消费量,不但未有减少,而反有增加之势。据一般观察,卷烟之消耗已普遍于城乡全面,竟驾昔日鸦片之消耗量而上之。我国中央税收,分关、盐、直、货四种,而中央财政政策,似偏重于货物税,并不向直接税努力进攻。因此三十五年度货物税税收,已超过关、盐二税,而货物税之中,烟酒税所占成分为最大,足见烟酒税税率之屡次提高,于烟酒税收并不发生影响,且对平衡国库收支有甚大裨益,其弹性之大,可以想见。因此提高烟酒税率可以达到增加税收之预期目的。我们可说烟酒税之弹性比所得税为大。

我们要知道,租税之目的,不止财政收入一种,政府往往利用之以达到其他目的也。财产税与所得税之目的,除充裕国库外,亦在加重富人税负,平均财富分配。关税之目的,除财政收入外,亦在保护国内幼稚工业。同样烟酒是足以伤害国民健康之嗜好品,故烟酒税之课征,含有寓禁于征之意,是以课税为手段,以增进国民康健为目的也。提高税率,使消费者感税负过重,自动地节省消费,则不禁自禁。但至今日止,据吾人大量观察,此项目的,并没有达到,且其消耗量日益增加,足见国民对于烟酒税之负担力,尚未达到其绝对的限度。此非弹性而何?所虑者,税率愈高,逃税之弊益炽,加以缉私工作,收效极微,故欲求税收之不断地增加,端视财务行政之能否加强改善以为断。财政学者有"旧税是良税"之名言;而在中国现状之下,与其开辟新税源,不如整顿旧税之为愈也。

但所得税在中国何以缺少弹性?似应一考其原因。所得税为赋税中最优良之税,人人皆知,毋待烦言。但工商百业之所得,必须赖会计来表示其正确之所得数额,政府亦须赖会计来核定纳税人之所得,故所得税与会计有相辅的关系。英美为所得税最发达之国家,亦为会计最发达之国家。吾国工商业幼稚,会计未曾普遍推行,除少数公司外,大都采行旧式会计,而旧式会计之缺点,不一而足,不易求出一个正确的纯收益额,于所得税之推行,实一大阻碍。民十九年财部甘末尔顾问在其税务报告书中亦曾指出吾国商业簿册尚欠整齐为理由,不能举办所得税。昔俄国于十九世纪末拟采行所得税之时,财长维特即以其时俄国一切公私机关之会计尚欠发达,对所得之调查,不易获得确实根据为理由,反对举办所得税。吾国固为赞成采用直接税制者,不过欲采用直接税制,其他条件亦必须具备,否则收效不宏,更无弹性之可言。

吾国各种直接税法之制定,以自身无过去经验可资参考,不得不借镜于欧美税法,因此未免侧重理想,不切合实际。例如关于登记申报调查计算之规定,其手续之复杂,表格之繁多,绝非知识水准极低之一般人民所能了解。结果,反致不能切实施行,皇皇法令有时竟成具文。如三十五年修正之所得税法,特加入综合所得税,因为税法内容与实际情形相差太远,迄未开征。立法等于闭门造车。是以徒有理想太高之税法而不能切实施行,反使人民对税法不加重视。如是而欲其踊跃报缴,无异缘木求鱼。所得税之在中国无弹性固矣,但亦不能说烟酒税有无限的弹性。烟酒是奢侈消费品,于人生康健无益,重课几为公认之租税原则。惟此种消费品,人民用之已成习惯,浸假变为日常生活所必需。苟因重课而致价格甚昂,则此日用必需之物,用之者既因习惯已成而不能改,势必减少其他日用必需而有益康健者,以购用此物。结果,重课之下,对于一般平民,亦足以增加其生活困难。故对烟酒课税,亦有限度。

(四) 以公平与普遍为分类之标准

在资本主义国家,贫富悬殊,为不可避免之现象,若欲使富者多纳租税,非课以直接税不为功,一以直接税不易转嫁,二以直接税依据能力原则而征课。反之,若欲使社会各阶级悉被网罗,又非旅行间接税不为功。换言之,用直接税可以使税额恰与纳税能力相称;用间接税可以使租税之负担普遍于社会中各阶层,予人人以对国家尽其纳税之义务。即奢侈品之课税,固恒为富人纳之,然在某种情形之下,亦不尽如此。各国烟酒税之主要负担者,仍为中下层阶级,即其一例。至于一般消费品税,更能与社会各个阶层相互连系,使一切阶层悉为所网,了无所遗,此为直接税所不能及者。要之,二者相互为用。二者兼用,税税之分配,方能合理。

直接税与间接税之划分,是以租税分配原则为依据。租税之分配原则有二:1. 重税富有阶级(公平),2. 租税应普及于一般民众(普遍)。直接税的征收,与第一个原则相符合,间接税的征收,与第二个原则相符合。依第一个原则,征收高额累进直接税,使纳税能力大者多纳税,以减轻能力小者之负担,可以使负担公平。"有钱出钱"的口号尚嫌不足,须益之以"钱多多出"的口号。依第二个原则,征收普及一般民众之间接税,使全体国民感觉其与国家及政治之关系,以促其对财政及一般政治之注意。这是"人人出钱"的原则。不过,原则固如此,而现实往往离原则太远。所以直接税与间接税究应如何配合,方为得当,应视社会经济发展之程度以为断。在经济繁荣、人民富裕之国家,租税制度,可以着眼于直接税;而在经济衰退、人民贫困之社会,则以间接税为主,比较适当。自十九世纪资本主义发展以后,社会已形成"有""无"两大阵营,勾心斗角,相持不下,而"有钱出钱""钱多多出"之租税原则,凑合社会正义之要求,遂奉为租税上之金科玉律。

以上所述,不过是一个原则,但原则之中,亦有例外。将租税分为直接税与间接税者,乃以其归宿为标准。或谓直接税是良税,以其直接取之于富人;间接税是恶税,以其间接取之于贫户。实则直接税亦可取之于贫人,如往昔之人头税是也。间接税亦可取之于富人,如今日盛行之奢侈品税是也。所以赋税不能以贫富为标准而区分为两大类。况直接税本身未必一定是良税,间接税本身未必一定是恶税。其为良为恶,须视与税收有关系之各种情形而定。劳动者所得,是勤劳所得;土地投机者所得,是一种不劳而获。若以同一之税率课之,则课于劳动者之直接税,不能因其为直接,即谓其为良税。课于富人之奢侈品税,不能因其为间接而谓其为恶税。

(甲)直接与间接,公平与普遍,相互配合之理由

在大体上讲,直接税合乎公平的原则,间接税合乎普遍的原则。但二者各有优点,亦各有缺点。如以之相互配合,可以优补缺,使成为合理的税制。兹将二者作一比较,以明相互配合之必要:

(子)直接税之优点

1. 适合纳税能力,可以用累进制课税。

2. 适合经济原则,征收费用,比间接税为少。

3. 比较富有弹性。在非常时期,提高税率,即可增加税收。

(丑)直接税之缺点

1. 纳税人容易感觉痛苦。

2. 于征收员估计之时,易予纳税人以逃税之机会,并予征收员以武断,甚至纳贿之机会。

(寅)间接税之优点

1. 纳税人毋庸设法取巧以干犯法网而逃税;因为间接税是一种可以转嫁之税,并不由纳税人直接负担,对他并无利害关系,至

负税人更属无可逃避。

2．间接税甚少为人民所觉察。人民于支付费用时,附带纳税,不易察觉,因之不觉其痛苦。且在经济景气时,收入至为丰旺。

3．间接税之负担普遍于社会各阶层中,因为间接税之构成分子,大半是消费税。每一人民不论贫富老幼,欲生存,必须消费;欲消费,即须纳消费税。所以课税之普遍,即为消费税之特征。

(卯)间接税之缺点

1．间接税违反公平之原则。它的负担,大部分落于中下阶级身上。

2．提高税率,税收或因而减少。

3．征收费太大。

综合间接税之优点与缺点而判断,若与直接税相互配合,行之尚无多大流弊,否则利少害多,不可不慎也。

不过,在中国今日的实际情形之下,直接税之征收费用,反比间接税为高。据说,直接税自开办以来,税收数字,虽年有增加,但征收费用也大得惊人。直接税虽然是进步的税制,但以中国环境来讲,反而成为最不经济的税制。纳税义务人的负担加重了,而国库并不受到如何的补益。但一旦征收机构能改善稽征手续,而纳税义务人能养成纳税之习惯,直接税之前途,未可限量。至于间接税,缺点虽多,并非不可弥补。如对于专为富人享受之奢侈品提高其消费税,对于若干种民生日用必需品,减低其消费税,则富人负担,自然加重,贫人负担自然减轻,仍得收公平合理之效。总之,直接税与间接税各有优点与缺点,倘使二者相互配合,以间接税补直接税之不足,可以使税制愈臻于完善。

我国在战争时期所行之租税政策,是合于直接间接二税相互配合的原则。此时之租税政策，可分两端言之。在积极方面，造成直接税系统，使今后租税重心由间接税移于直接税；而所得税、遗产税、非常时期过分利得税，乃其中坚。以目前国税税收情形而论，直接税已由战前第六位进居第二位。不过征收费用太大，将来如能积极整顿，发展未可限量。至于间接各税如烟酒税、卷烟税等，税率亦已酌量增加，统税范围亦已设法推广；并为适应物价高涨情形起见，改为从价征税，以裕税收，而利抗建。在二十九年度国家总预算内，根据着以直接税为中心的政策，而增列了所得税、遗产税、和非常时期过分利得税的数额。三十年度所列之直接税预算，较上年度同类预算增加一倍以上。二十九年度预算内间接税与直接税在总税收中为九与一之比；在三十年度税收总额中，此两种税收即成四与一之比，直接税之迈进诚属可观。如最近将来再能彻底地从公平和有效各方面开展新财源，对一般发国难财、胜利财、接收财、建国财的大小官僚与奸商予以重征，大量增加岁入，则财政益为健全而合理矣。

在消极方面，虽对于战区及接近战区之受战事影响者，酌予豁免或减轻税率，以顾全民生，体恤民力，但税率甚高，税负仍重，尚不足以培养国民之元气，增裕将来之税源。幸战区人民愤敌人之横暴，益激发其爱国思想，仍多自动地缴纳其所应缴之赋税，以尽其报国之天职。

即以英美二国而论，租税之征课，固不能与财政目的截然分离，但亦有运用租税制度以矫正国民所得分配与国民财富分配的不均之至意。所以英美两国久已盛倡所得税制之优点。但一考二国赋税体系，间接税始终未失其在税制中之重要地位。在此次大战之前，在1933年至1934年的一年中，英国的直接税约4亿镑，间接税约3亿镑。美国自1932年至1933年的一年中,直接税约有9亿美元,间接税约有9.6亿美元。直接税与间接税的相辅而行,无可讳言。

由此观之,直接税固是良税(但亦有例外),间接税未必一定是恶税。直接税之征课,既按照纳税人之负担能力而定标准,则一方固可充裕财政上之收入,他方亦可以矫正国民所得之分配,与国民财产之分配。在国民经济平均发展之社会,如我国古时之农业社会,征课单纯之间接税,亦不致违反租税公平之原则。盖间接税之普遍性,使之适应以财政为目的之政策。但在社会财富偏在的情形之下,欲使税负公平,非间接税所能为力,则直接税尚矣。关税盐税货物税为我国间接税之三大骨干。如果按实际情形分别予以减征,一面把直接税逐步整顿提高,以弥补减低间接税之损失,则税制自然纳于正轨。故为矫正农村土地兼并、都市财富集中,我国的租税政策,不应仅仅以收入为鹄的,而有采取"租税社会政策"之必要。

(乙)如何达到公平与普遍的目的

直接税之优点,在税负公平;间接税之优点,在税负普遍。公平与普遍,构成租税社会原则之两翼,辅车相依,缺一不可。能公平,始能普遍;欲公平,必须普遍。但欲达到普遍的目的,必须注意下列二事:

(子)租税主体　一说租税主体就是纳税人,以人为课税对象,人在税亦在。凡具有纳税能力者,无论何人,均须纳税。自然人、法人、本国人、或外国人,凡在国家主权支配范围以内者,均应负纳税之义务,不容其逃避。是为租税主体之普遍,故征课时,采属人主义。

（丑）租税客体　租税客体，就是课税目的物。以财产或其代表物为课税之对象，物在税亦在。凡在本国领域内之课税目的物，不问其所有主为本国人或外国人，苟合乎课税条件，一律加以捕捉，照章纳税。是为租税客体之普遍，故课征时采属地主义。

（寅）合法　欲使公平与普遍二个原则到处遵守，必须使租税案经过一定法律程序，以防止税吏之滥用权力，任意敲诈。立法者一本公平与普遍之精神，选择税源，厘定税率。换言之，公平与普遍二个原则，透过法律，方获得安全与保障。在现代国家，不但租税之创设有度，即一切税务行政，亦有严密之法律规定，一以防止恣意诛求，一以杜绝胥吏中饱。例如现行之利得税，简化稽征，实施时，税吏往往有越出税法以外的行动。例如存货一项的估价，依照税法规定，得以该年度初盘存价格，与一年间进货价格之加权平均价格为原价，作为估价标准。但是审查员，则须以最后一次进货为估价标准。前后二法的估计，虽然不一定相差过巨，但在存货早进、价格最低、存量最丰的情形下，设于年终再购入一部分，那末数字方面，可能发生很大的差额。税吏有这种行为，必须据理力争，或依法控诉。

（五）中国的赋税体系表

著者就中国之情形及个人之想象，拟定一个赋税体系表，名之曰中国的赋税体系，分直接税与间接税二部分；但所谓直接税与间接税，其意义与西方学者大不相同。著者并不以可转嫁与不可转嫁为标准而分类，亦不以富于弹性与不富于弹性为标准而分类，乃根据公平原则与普遍原则而分类。间接税之优点，是税收之普遍；直接税之优点，是税收之公平。虽然直接税之中，亦有普遍而不甚公平之税在内（如田赋）；间接税之中，亦有公平而不普遍之税在内（如交易所之交易税），似合乎"原则之中有例外"的原则。

吾谓直接税合乎公平原则，并不谓直接税之中，没有"普遍"一因素在内。其实两种因素都有，不过其成分上有差别而已。例如分类所得税，着重在"普遍"，在综合所得税着重在"公平"（详所得税几章）。吾谓间接税合乎普遍原则，并不谓间接税之中，没有"公平"一因素在内，其实两种都有，不过其成分上有差别而已。例如营业税中之普通营业税，置重于"普遍"，而交易所之交易税，置重于"公平"（详厘金与营业税一章）。

从这个赋税体系表中，可以看出各省所有的收入，只有直接税中之地价税（田赋）二成，与间接税中之普通营业税五成。所有大宗税收，如收益税中之各种分类所得税、综合所得税、特种过分利得税；间接税中之关税、盐税、货物统税、矿产税、土烟酒税以及特种营业税，与行为税中之印花税、烟酒牌照税，尽属于中央。足见我国税制之不合理。省的地位如此重要，而省财政税收如此微薄，莫怪已经裁撤之苛杂，有死灰复燃之机会。

（六）最良的税制应以所得税为核心，以间接税等辅助之

现代各国租税之趋势，大抵以所得税为核心，以财产税、营业税、财产交易税、及消费税四者补其不足。在我国，过去的税制，实无系统之可言。近年来，直接税中之所得税，经政府努力推行，虽已有相当进步，然卒无坚强之基础。因为所得税系统，既没有完善的组织，亦没有普遍的推行故也。若仅就已办的所得税增加税率，未必一定与纳税人的能力相符。若欲扩充税基，更有一定的限度。

```
                        ┌ 地价税——在未实施地价税区域,仍为田赋(中央三成,省二成,县市五成。)
              ┌ 财产税 ┤ 土地改良物税——在未实施改良物税区域,仍为房捐(地方税)
              │        └ 遗产税
              │        ┌ 营利事业所得税
              │        │ 特种营业收益税
       直接税 ┤        │ 薪给报酬所得税
              │ 收益税 ┤ 证券存款所得税
              │        │ 财产租凭所得税
              │        │ 一时所得税
              │        └ 财产出卖所得税(只列综合所得税,不列入分类所得税)
              │            ┌ 土地增值税
              └ 不劳利得税 ┤
                           └ 特种过分利得税
国赋税体系 ┤
              ┌ 关税 ┤ 进口税
              │      └ 出口税
              │        ┌ 盐税
              │        │                ┌ 卷烟税
              │        │                │ 熏烟叶税
              │        │                │ 洋酒啤酒税
              │        │                │ 火柴税
              │        │                │ 糖类税
              │        │                │ 棉纱税
              │        │ 货物统税(此三种消费│ 麦粉税
              │        │ 税统归货物机构征收)┤ 水泥税
              │        │                │ 茶叶税
              │ 消费税 ┤                │ 皮毛税
              │        │                │ 锡箔及迷信用纸税
              │        │                │ 饮料品税
              │        │                └ 化妆品税
              │        │        ┌ 铁、煤、炭、煤气、石油五项
              │        │ 矿产税 ┤ 石膏、滑石、明矾、磁土、火粘土、天然硷、铜、锡八项
       间接税 ┤        │        └ 其他矿产品税
              │        │        ┌ 土烟叶税
              │        │ 土烟酒税┤ 土烟丝税
              │        │        └ 土烟酒税
              │        └ 屠宰税——原是贩卖税或营业税性质,现在是消费税性质(县市地方税)
              │        ┌ 一般的 ┌ 普通营业税(县市地方税)
              │ 营业税 ┤        └ 筵席及娱乐税(省与县市各得五成)
              │        └ 特种的 ┌ 交易所之交易税
              │                 └ 特种营业税
              │        ┌ 印花税
              │        │ 契税——土地法实施后改为土地登记费(划归县市地方)
              │        │        ┌ 烟酒牌照税
              └ 行为税 ┤        │ 营业牌照税(县市地方税)
                       └ 牌照税 ┤ 使用牌照税(县市地方税)
                                │ 牙帖税(县地方税)
                                └ 当帖税(县地方税)
```

225

营业税虽系间接税,但可获得大量的收入,和办到普遍的负担,能补直接税之不足。

当前我国之所得税问题,不外乎:1.增加税率,2.扩充税基,3.改善查征三项。第三项另行讨论。过去所得税之税率,原为推行尽利计,比较和缓。揆以建国度支需用之孔亟,应予提高,似很合理。但以今日之情形而论,与其提高税率,毋宁力求普遍与严密。盖税率愈高,不肖商人隐匿愈多,逃税之风益炽。不但于税收无大增进,且易养成作伪恶习。若普遍推行,严密稽核,反可使税收大量增益。况现行之营利事业所得税与特种利得税(在战时称为战时过分利得税),合计之,其最高限度可达60%至70%。税率不可谓不高。在中国负担重税之习惯尚未普遍,而旧税逐渐推行,比较容易收效。故若干人士不主张举办新税,乃主张整顿旧税,并推广之。统税之办有成绩,职是之故。因此与其提高税率,不如将已办之所得税普遍推行。在战时,开办过分利得税时,在政府固积极推行,在商民则作伪隐匿,企图逃漏。且商民作伪之技术,愈久愈巧,即税吏纳贿之门,愈开愈广。事实确实如此,无庸讳言。

但扩充税基,亦有一定的限度。譬如举办农业所得税,原期各项国民经常所得全在课征之例。近年以来,粮价飞涨,地主收益增加不已,课以所得税,谁曰不宜?惟田赋征实继续施行,加以征借与征购,地主负担,日益加重。若再课征农业所得税,势必阻碍横生,自当从长考虑。况农业所得税之税源,广在乡村,异常分散。若欲举办,必须加强机构,充实人力财力,但此谈何容易?吾故主张推广营业税以补所得税之不足。

四次全国财政会议仅定国地两税划分之标准,并屡次变更之,尚未涉及租税之分类。不过,吾国财政行政长官多重视直接税与间接税之分类,一切财政政策,均依此分类而决定。所得税是直接税,营业税(即一般交易税)是间接税。以间接税中之营业税补直接税中所得税之不足,固甚合理。殊不知所得税是对人税,营业税是对物税。以对物税中之营业税,补助对人税中之所得税,亦何尝说不通。

例如甲商铺资本10万元,营业额200万元;年可得净利2万元,赖其信誉,稳有所得。另有乙则千辛万苦,冒极大之危险,始得2万元。是所得之额同,则劳逸各异。若单课以同一之所得税,不可谓平。故对于甲之营业,必课以营业税,此以营业税为补助税者一也。

又如交易所中之买卖,入所交易者,如为普通人,既无牌号,不能对之征收营业税。其资本或借自银行,无财产可言,亦不能对之征收财产税。其所交易,更非直接供消费者,又不能对之征收消费税。买卖双方,当买卖之际,无所得可言,所得税亦不能税及之。再四思索,只能以财产交易税的方式征课之。此以财产交易税为补助税者二也。商品交易应纳一般交易税,此乃交易税之主要精神。但劳役交易,是否也同样课税,或竟予以免税呢?这也是值得研究的问题。法国的立法例,对于劳役交易,原则上予以免税。惟对经纪人掮客之流的劳务收入,仍课以交易税。其它国家,除全予免税外,亦多仿照法国的规定。

所得税法,每有免税额之规定及逃税之弊。所得税虽极公平,因此未能普及。假定免税额为千元,千元以下者固应免税,千元以上者每以多报少,尤以愈近免税额者,愈易逃避。甚至大所得税亦有逃避者。如执有外国公司债券股票等,其红利息金,每非政府权力所及。故所得税必补以货物税,冀收普遍之效。且单征直接税,人民易觉负担之重。若辅以间接税，如关税、统税、货物税等，有使纳税者不觉其负担之优点，此所以需间接税为辅助税者三也。

以上三种补助税之上，又可加上屠宰税，因为屠宰税是消费税，而消费税亦是一种补助税，可以今日中国现行之屠宰税为例。屠宰税原是营业税之一种，称为"屠宰营业税"，是省地方税。各省皆有屠宰营业税征收之单行章程，对屠宰之营业行为课税，向屠户屠商征收。其自宰自食者，既不营业，自可免税。其征收方式，是按牲畜每只斤量及成本肉价为标准，与照营业额课征之营业税，又甚相似。

又三十年八月行政院公布"屠宰税征收通则"十二条，三十二年八月又公布"屠宰税法"八条，由通则而进入经过立法程序之法律。税法本身，虽未明定不论自用与营业均应课税，然各地实际征收时，则自宰自食，亦在征课之列。三十六年十二月国府新颁修正屠宰税法共九条，具体地规定："屠宰牲畜，无论自用或出售，均应征收屠宰税。"执此而论，实为对肉食消费者课税，不限于营业行为也。屠宰商虽为纳税人，然税负归着于消费者身上，则屠宰营业税至此已变为消费税也。

又屠宰税之征课对象，以猪牛羊三种为限，而猪牛羊三种在我国乡间，皆认为很有价值之财产。在猪牛羊未屠宰时，并未课税，可决定其并非财产税。于牲畜出售时，亦未纳税，可决定其并非财产交易税。

若谓屠宰税是一种行为税，或有几分理由，因其虽不对营业行为而课税，乃对屠宰行为而课税也。但行为税之说，缺乏理论的根据。盖屠宰并非法令所限制，或取缔之牲畜，其行为何以有课税之必要？故屠宰税是一种消费税，用以补助以所得税为核心之直接税。此以消费税补所得税之不足也。请举一例以说明之。

例如某房主与某医生,每人每年各得纯所得10,000元。但估计时房租比较容易。假定房租估作9,000元(估计所得,总比实际所得为低)。医生所得估作4,500元(个人所得容易逃匿)。税率均为20%。房主年缴1,800元,医生年缴900元,政府共收2,700元。二人平分,应各缴1,350元。结果,房主多缴450元,医生少缴450元。

假定于直接税之外,再征消费税。直接税率各定为10%,则房主缴900元,医生缴450元,皆所得税也。间接税计算如下:

房主方面　　所得 $10,000 - 900 = \$9,100$

$$\$9,100 \times \frac{10}{100} (\text{间接税率}) = \$910 (\text{应纳之间接税})$$

医生方面　　所得 $10,000 - 450 = \$9,550$

$$\$9,550 \times \frac{10}{100} (\text{间接税率}) = \$955 (\text{应纳之间接税})$$

如此计算,房主与医生二人共纳直接间接两税3,215元,二人平分,应各纳1,607.5元。因为房主与医生各人应缴之直间两税总额合计如下:

房主　$\$900 (\text{直接税}) + \$910 (\text{间接税}) = \$1,810$

医生　$\$450 (\text{直接税}) + \$955 (\text{间接税}) = \$1,405$

所以房主较其应纳之数,仅多纳202.5元,医生仅少纳202.5元。未征间接税以前,房主多纳450元,今仅多纳202.5元,而医生少纳之数,亦由450元降至202.5元。是房主与医生二人间负担之不平程度已减低甚多矣。从可知直接税低估与漏匿之弊,可以用间接税来救济。故最良的税制,应以直接税为核心,以间接税补助之。至于国库收入,未征消费税以前,只有2,700元。在实行消费税之后，则增至 3,215 元，溢出 515 元，则在国家方面，直间两税并征，总比单征直接税为有利。直接税课自有所得者，其低于起税点者免课之。故以多报少，就可逃匿。消费税则不问纳税人之经济状况，普遍征课，不容易逃匿，此其四。

所得税按纳税人之担税能力而征收，用累进法，似甚公平。然同一所得税，因所得者个人地位之不同，课以同率或同额之税，实质上未必公平。例如甲乙二人，各有千元所得，惟甲的所得由财产而来，乙的所得，由勤劳而来。使乙失其劳动力，即无所得；甲虽失劳动力，尚可赖其财产以求所得。是甲之纳税能力，实大于乙。故于所得税外，应以财产税为补助税，使甲乙二人之负担相等。此以财产税为补助税者五也。

（七）从反面看（有补助税而无核心则如何）

我们在上面已经说过，最良的税制，是以所得税为核心，以营业税、财产交易税、与消费税为补助。现在我们且从反面观察则如何？假使仅以四种补助税为骨干，不行所得税，能得公平普遍之效乎？譬如有甲乙二银行家，资本及收益相等，各纳营业税，惟甲家庭大，负担重，苟有万元之收益，必需费去其大半。乙则人口无几，消费有限，剩余甚多，使只负同额之营业税，不对其剩余额再征所得税，殊违纳税能力之标准。财产税亦然。设有甲乙两地，面积相同，其税则亦相同。惟甲地日后因交通之改进，地位之优良，其收入远逾于乙地。不另征所得税可乎？同理，仅有财产交易税、及消费税、间接税等，而缺所得税，终不能收美满税制之良果。故所得税及其补助税必须双管齐下，兼筹并顾，无待烦言矣。

四、现行中央税制之重心在消费税系统

中央税制之重心,偏向于消费税系统,并不向所得税方向努力迈进,其所以不向所得税进攻者,约有两个原因:一个原因是中国财政制度的历史背景,上等阶级把财政负担摊在中下级人民身上(参考本书结论)。第二个原因是财政的进步,不能谋之于财政本身,要靠国民的富力来决定。我国是一个农业经济社会,而所得税是工商业经济社会的租税。以工商业经济社会的租税,旅行之于二三千年的农业经济社会,所以不无窒碍难行之处。办了十余年之我国所得税,至今还不能得到良好的结果。进步虽速,而开支太大,弊窦百出。虽可归因于技术问题与道德问题,然归根结底,实由于我国工商业尚未发达到相当的阶段所致。要有进步的税制,一定要有进步的经济。要求税制进步,必须先求经济进步。譬如要增加契税,必先使人民有钱置产;要营业税收得起,必先使各种营业发达。同理,要所得税收得起,必先使产业兴隆,国民所得激增。能使税收旺盛,财政才有起色,才有进步。所以财政的进步,其关键不在财政本身,乃在经济。

这两个原因,实是二而一,一而二的。中国经济所以不发达,实是由于上层阶级治国不善所致。政治腐败,任凭具有良好的经济计划,亦无法实行。政府官吏,只会贪污,对于政治表现无能,缺乏指导能力,以致影响人民生产日困,而民脂民膏,为其搜括殆尽。此乃中国经济问题之主因。在政治修明的国家里,一切都走上轨道,经济生活或经济行为,或者可以取得主动的地位,受政治之影响较浅。但是,在贪污横行的政治作风下,经济是政治的牺牲品。

譬如盐税成本甚轻而售价甚高，使贫民有食淡之虑。所以盐税在赋税原理上，不仅是一种消费税，而且是一种累退的消费税，为历来学者所诟病，先进国家早已废除之。但在我国，仍为财政制度中的中流砥柱，其故何在？盖我国政治腐败，工业落后，新兴的直接税，还不能单独支持中央的财政。八年抗战，军需浩繁，国库的负担綦重。胜利以后，又不幸而进入内战的阶段。内战需要经费，国库的负担，有增无减，收入的泉源有限。素来在国库收入中占有重要地位的盐税，更因此而加重了它的任务。一面要确保军糈民食，一面又要充裕国库收入，这是当前盐税的重要使命。明乎此，则中央财政所以偏向于消费税系统者，非无故耳。

五、现行之税制偏重于财政原则忽略经济原则与社会原则

现阶段之中国财政，本身尚无一个现代化的系统，一切措施，似以获取财政收入为惟一目的。除此以外，不及其它。尤其在军需倥偬之际，更不能讲究任何经济政策，与任何社会政策。讨论财政，有以租税论为重心者。现代民主国家，租税之创设，必须经过一定法律程序，不如专制时代之租税，出于君主之专断，罔求民意之可否。所以民主国家租税之征课，与人民生活，息息相通，决不能仅以获得财政收入为已足。此外尚有许多问题，必须兼筹并顾。租税之重要原则，固不外乎财政原则，而财政原则，在获取所需之财，以供政府支用。但欲扶助产业发达，国富增殖之国民经济原则，亦不能不讲，而平均人民负担、缓和贫富悬绝之社会原则，尤不能忽略。盖国家所需之财，取之于民。欲求税收旺盛，必须培植国

民富力,以固税本而裕税源。是藏富于民,则可取之不尽,用之不竭,故必须重视,并遵守国民经济之原则。在资本主义经济组织之下,因自由竞争之结果,贫富阶级,判若鸿沟,驯至生活不安,社会骚动,亟待设法改良,至少亦须将此种趋势,予以遏抑。欲达此目的,可于征课租税时,兼行社会政策,重税富者,轻税贫者。国库税入之目的,既易达到,公平之原则亦易实现。租税必得其平,实为社会原则之灵魂所在。不能做到此点,社会原则根本瓦解。在直接税与间接税两大系统之下,当然以直接税最能发挥公平原则。但以此原则衡量我国税制,殊多未合,盖我国直接税系统,至今尚未完全确立也。

余不谓我国税制对于社会目的,根本不加以注意,因我国税制中尚有兼顾财政与社会两种原则之租税。例如奢侈品税与烟酒税,一方面获得收入,同时禁止国民过度消费。所谓寓禁于征,实含有崇尚节俭及提倡国民卫生之目的。又如重课财产所得,便有获取收入与限制资本集中之双重作用。不过,就整个税制而论,获取收入之财政目的,极为显明;社会目的,微不足道;而经济目的,根本谈不到。谓余不信,请证以事例。

(一)在抗战期间,常闻人言,县长是万能的,无所不为,无事不管,故兼差竟有三十余种之多。胜利之后,又闻人言,人民是苦死了,无税不缴,无理可讲,故有"中华税国"之称。若人民所纳之税,能涓滴归公,依据取之于民用之于民的原则,真正为人民服务,则亦所心愿。但一税之征,徒使弊窦丛生,弄得各地商民纷纷拒绝查账,复加上"中华弊国"之号。此是奇耻大辱,亟应湔雪。此其一。

(二)三十五年财粮两部召开第四次全国财政会议时,行政院长宋子文出席致词,谓:"新财政收支系统实施后,地方当局不再自立名目,对老百姓作种种之摊派,中央亦不随便向地方要钱要物,如此,方可使老百姓得到安息。"财政部长俞鸿钧氏更强调云:"方今地方财政,无一日不在摊派之中,无一物不在摊派之列,百姓困穷,国库亦空。"摊派之弊,强者少派,弱者多派,根本谈不上社会公平原则。俞氏归结到新财政收支系统实施后,即可矫正此弊,从此天下太平。时至今日,新财政收支系统法实施已及二年有余,果已矫正此弊而已达其理想乎?不但不能,且更紊乱。

在中国中央政府心目中,不认地方财政有独立性。地方财政固不能脱离国家财政而孤立,但国家财政亦不能陷地方财政于附庸的地位,二者理应并肩发展,各守岗位。但中国财政向无制度之可言,尤以地方财政为甚。"中央吃省地方,省地方吃县地方",而县地方为求生存,不得不乞灵于摊派。地方并无特定大宗收入。从前仅能从国家收入中截留一部分充用,现在仰仗于中央之补助金。此种措施,由来已久。汉代侯王可以安坐,衣食出于租税,尚多放纵家奴欺压善良之事实。唐代藩镇,在政治军事上,虽骄嚣跋扈,而财政上不能独立自主。地方经费,数目庞大,收不敷支,不得不悉出于"摊派"或"附加"。故杨炎对于当时财政,有下列之批评:"科敛之名凡数百,废者不削,重者不出,新旧仍积,不知其涯。百姓受命而供之,旬输月送,无有休息。"此出于唐代财政部长之口,以视现在财政部长"无一日不在摊派之中,无一物不在摊派之列"的言论,先后如出一辙。可知中国的财政制度,是一种"摊派制度",根本谈不到什么租税原则。此其二。

(三)在中国,不但无财政制度之可言,且往往中央与地方争利。以营业税言,初属地方,三十年全部划归中央,三十五年又划出归地方(普通营业税以五成归省五成归县市)，但复收回一部分，仍归中央(特种营业税)。这是演戏，并非制度。欲立制度，必须有稳固之永久性，而后方可取信于人民。尤可笑者，中央一面三令五申，废除苛杂，不准地方巧立名目。一面对地方又有所谓"县市特别课税限制条例"之颁布，"地方因地制宜税"之默许。今日禁止地方巧立名目，明日见了地方纷立"特别税源"，又见猎心喜，或见钱眼红，重定"特种"税捐，各尽其巧取豪夺之能事，目的在聚敛，不讲培养税源，亦不讲公平负担，弄得民怨沸腾，反抗之声四起，自陷于"上下交争利而国危矣"的深渊。此其三。

凡此种种事例，不仅与现代租税原则，不相吻合，即揆诸我国古代经济思想，亦殊多未合。古代经济思想，虽不发达，但于赋税一层，不无见地。儒家谓"不患寡而患不均"，又谓"与其有聚敛之臣，宁有盗臣"，皆主负担均而分配平，与现代租税之社会原则，若合符节。儒家又谓"百姓足，君孰与不足，百姓不足，君孰与足。"是藏富于民之意，亦是培养税源之意，其思想与现代租税之经济原则，如出一辙。虽为现代学者所景从，但不为今日政府官吏所遵守。然历代当国者，颇受儒家思想之影响，恒以"省刑罚，薄税敛"为治国急务。事实上，国君能与民休息，则享国日久。若征敛无度，必激起民变。此中隐隐然受租税原则之支配也。

第三篇 赋税各论

第一章 关税

先进国家之税制,大概以直接税中之所得税为主体;经济落后国家之税制,以消费税为主体。各国如此,我国亦不能例外,而我国消费税系统中之赋税,当推关、盐、统三税(统税现改为货物税);但关税因受过去不平等条约之束缚,绝不能自由,无论从国民经济方面观察或自财政方面观察,均为无可救药之弊害。现在不平等条约已经取消,吾国可以按照国家之利害与人民之需要,订定新关税政策。关于进出口税则之制定,可依照货物性质及其与国民经济之关系,课以轻重不一之税。兹将吾国关税税则过去的史实,现阶段的情况,以及将来之展望,分别论述之于后:

一、过去的史实

(一) 在过去吾国海关进出口税则之缺点

在过去吾国海关进出口税则缺点甚多,举其要者,有下列几项:

(甲) 吾国关税在过去为完全协定税——关税有单一关税则(完全国定)与复式关税则(国定与协定并行)之别。前者无论对于何国,均以同一的税率待遇之,如英国然。后者稍有不同。如对于某国情感较好,则课以较低之税率;对于某国情感较恶,则课以较高之税率。日本所采用者,即是复式税则,其中一部分是自定的,他一部分系协定的;而吾国之税则则完全协定,甚至出口税亦在协定之列;不但出口税,即内地税亦须与各国商定。因此吾国所受之损失甚巨。

(乙)吾国关税为浑一税——一切货物,均课以值百抽五,无论其为竞争品,如洋茶、洋磁等;或为奢侈品,如洋缎、洋酒、洋烟等;或为便利品,如绒棉类中各种织物;或为必需品,如种籽与我国不能生产之物;或为利益品,如书籍、图画等,一以值百抽 5 税之。如吾国江西磁器,素系有名出产;日本磁器与我国竞争,当用关税保护,增加其进口税以抑制之;然限于值百抽 5,无可如何。对于奢侈品,本应高其税以遏其输入,而卒不可得。又如种籽、书籍等类,应当减轻其税,使之多多输入,亦限于协定而不能变动。太平洋会议,对于修改税则,曾规定于值百抽 5 之上,再加抽一种附加税为一律值百抽 2.5。惟某种奢侈品,虽负重税,尚不致妨碍商务者,得将附加税总额增至值百抽 5,但不得超过此数。此项规定,虽较从前稍为活动,然亦限于一定范围之内,不能由吾国自由增减也。

(丙)税则表太粗——物类繁多,物价不同,税则表之区别与分析,愈细愈好。从前日本税则表,大别有 647,小别有 1,557。美国尚不止此。中国税则表,粗疏已极。咸丰八年所订税则之分类,大别为 13,小别为 175。后改为大别 17,小别 689,虽较有进步,仍觉过于粗疏。如洋纸一项,每年进口者种类甚多,价格不同,应当独立分为一门,而竟归纳于颜料胶漆之类,不能依其价值之高低而区别之。吾国所用之各种机器,亦多自外国输入,种类何啻百十,似应独立成一门,乃归入钢铁铅锡类中纳税,其价值之贵贱,相去甚远,安得不受巨大之损失哉?可知税则表太粗,于国库不利。

（丁）货价亦要协定——货价固当自由估定,而亦不免于协定。按照1858年中英天津条约,中英两国协定进口税则每10年可以修改一次。按当时物价估计,值百元之货,须抽税5元。至1922年,物价涨起不少,彼时值100元者,已值200元以上矣,而关税则仍照前征收。然则所谓值百抽五者,实际上只值百抽2.5矣。更可笑者,为修改税则期之争执。中日战后,中日订通商行船条约(1896年),亦订明税则每10年修改一次。故第一次修改之期为1906年。尔时中国提议修改,而英美则借口均未到期,彼此推延。及至1908年,中国又提议修改,而日本则借口已经过期,颇多牵掣。至1918年始能修改。1922年又为第二次之修改。华盛顿关税协约全文第四条,规定自1922年修改完竣之日算起,四年后对于实在税率应再行修改。我国尔时物价,据统计所载,平均每年涨4%以下,2%以上。倘能订定每4年修改一次,所受影响,不致甚巨。

（戊）子口税之不公平——子口税者,外人免去内地各处厘金之代价也。外人自通商口岸运货至内地,除照章缴纳值百抽5之进口关税外,再加半税(2.5),共计7.5%,其货遂可通行内地无阻。此种特惠,非华商所能享受。因此本国货物之成本,永比洋货为重,欲与之竞争,其可得乎? 例如干茧,外人由中国输出,纳关税并子口税共七成五;他日制成熟货,输入中国,亦照输出时一样纳税,两项合计不过15%。若夫华商,则自内地输送至海口,其间经过各处厘卡,平均计算,非纳税费二十七成不可。以故不肖华商,冀免各省内地之税,辄借外人名义以行之;而无耻外人,遂得从中渔利矣。不宁惟是,中国政府以为子口税不过用以替代一口岸及一内地间之厘金耳。不料外人得寸进尺,不但免缴厘金,即其他一切内地之税,亦要豁免。1902年,中英条约(第八节第八款)且特为声明:凡货物之由外国来者,不问其在何人之手,既经海关查验之后,即可通行全国,免除各种税捐,且不得有停止或留难之事。

(己)陆路减税——海运费轻,陆运费重,俄国与我国贸易,必取道陆路,因此要求中国减轻税率,改为值百抽 3.33,而政府许之。由是日本之于朝鲜,英国之于云南,法国之于安南,均援其例,从事于减轻陆路税率之要求,结果一与俄同。查当时要求减税之时,无不以减轻负担,提倡两国通商为词。日后交通便利,陆运与海运无异,自应及时修改,免受巨大损失。况各国条约亦特别声明。例如光绪七年,伊犁条约第十六款云:将来陆路通商兴盛,税则可以重定为按值百抽五之例。又该约第十五款云:陆路通商章程等,均以十年为期,期满可以酌改。1921 年太平洋会议,关于此层,有允许修改之表示,故九国关税协约有"中国海陆边界均应按值课以划一之税率"之规定。

(庚)四国新约——按四国新约,肇于辛丑条约。光绪二十八年中英订定商约十六款,其中第八款即系关于裁厘加税之事。以后美、日、葡三国相继仿行。四约之内,皆有进口货税加至值百抽 12.5 之条文;惟以裁撤厘金,加办产销税、出厂税为交换条件。结果我政府因厘金收入年在 4,000 万两以上,而关税所加约有若干,无从预算,深恐得不偿失,实际仍然如旧。民国六年,曾对于无约各国颁布国定关税条例,事实上亦未施行。德国自我加入第一次大战后,旧约固早已无效,我国自当与之改订国定税;而政府又许其暂照四国新约办理,因此无约各国似亦可以援例照办。

(辛)杂货箱——我国海关对于进口洋货,向例抽收进口正税之后,即准其分作零件,或将货包拆开,任意择取,装入杂货箱内,以便转运于其他通商口岸,种种税捐一律免征。以故洋货零件转运,无重征之累。若夫吾国厂货,则一经批出,即须按值纳税,向无杂货箱之规定。如须转运他埠,亦须照章纳税;且多一转口,多一重征。因此华货不能与洋货立于平等之地位,几何其不遭失败也。

(二) 修改税则之困难及关税自主之奋斗

我国进口税之协定,始于清道光二十二年(1842年)之中英江宁条约,至道光二十三年(1843年)耆英等在香港议定《五港进出口应完税则协定》及《通商章程》,采用值百抽5之片面协定税率。至1858年(咸丰八年),为第一次修改。提议修改者为英国。尔时物价惨跌,洋商所缴之进口税超出值百抽五,要求中国修改。至光绪二十八年(1902年)为第二次之修改。溯自庚子事变,联军入京,吾国不得已作城下之盟,认赔4万万两之巨款,以海关收入作抵。但关税税则自咸丰六年(1858年)修订以来,已历40余年,当时银价下落,物价上涨,即订明从速改正税则,以适合于切实值百抽五之数,以前三年之平均物价为新税则之标准。但其结果,不过值百抽4。以后物价腾贵,税表仍旧,所抽之税率,降至值百抽4之下。10年之后(1912年即民国元年),我国照每10年修改一次之规定,提出修改。尔时中华民国尚未得各国之承认,不得结果。次年各国承认后,中国又提出修改案,要求修改;乃日本以中日续约,至民国五年,始届十年之期为理由,拒绝修改,又无结果。迨至民国五年,日本政府允许修改,但附以严酷之条件,为我所不能承认。至六年,第一次大战方殷,协约国方面要求中国对德宣战,始赞成修改税则以为交换条件之一,以符切实值百抽5改正关税之条件。民国七年(即1918年)十五国代表在上海开会,实行修改税则。以民元至民五之五年间平均价格为新税则货价之标准。但尔时欧美各国疲于战争,不遑顾及极东之事。日本乃得乘机为种种之要求,凡关于修改税则一切事宜,非得日本承认者,不能通过。故1918年之修正,偏利于日本。但物价继续上涨,协定税则是以从价值百抽5为标准,而事实上又采从量税办法,故所抽之税,仅合值百抽3.5而已。至1921年太平洋会议,九国协约认1918年修正税则之欠公道,约定再行修改,以适合于切实值百抽5之数。至民国十一年(1922年)为第四次之修改。这次修改是根据于1922年华府会议之决议。该会议对于我国关税之协议分三个步骤:第一步切实值百抽5;第二步切实值百抽7.5;第三步裁厘加税至12.5。1922年之修改,是实行第一步办法,以最近6个月之平均市价为税则之标准。

以上四次修改,无非欲达到切实值百抽5之目的。华府会议《九国间关于中国关税税则修约》第三条规定所谓特别会议,此会议以讨论裁厘加税为专责,即以上所述之第二步,即在裁撤厘金以前,对于应纳关税之进口货,规定切实值百抽7.5,但某种奢侈品,得将附加税加至值百抽5。其中2.5为一种过渡期间之附加税,所加之2.5,即为裁厘之代价或抵补金。不料我国代表在华盛顿会议席上,主张将增加之税款作为整理外债之基金,居然甘心放弃原来抵补裁厘之主张。在代表,必以为提出加税之案,如不以整理外债为加税之理由,恐无通过之望,故特将以此为饵耳。况外人许我征收者,亦非含有抵补厘金之意,不过作为一种过渡金。英人之所以慨允值百抽12.5者,亦有以增加税收担保外债之意。但外人对于提高我国关税,原无诚意,故迟迟不决。于是广州国民政府,于十五年十月实行征收2.5附加税,对奢侈品进口,则增至值百抽10。列强提出抗议,卒归无效。十五年末,北京政府亦决定自十六年二月一日起实行 2.5 附加税。当时海关税务司安格联拒不奉命,遂被免职。

民国十七年末(1928年),国民政府已与美德等十二国结关税自主条约,公布海关进口税则,自十八年二月一日开始实行。所实行的,即北京政府关税特别会议英、美、日三国专员所修订之七级税率,其税级如下:

正 税	5%	5%	5%	5%	5%	5%	5%
附加税	2.5%	5%	7.5%	10%	12.5%	17.5%	22.5%
总 额	7.5%	10%	12.5%	15%	17.5%	22.5%	27.5%

从以上所列,可知最低之一级为值百抽 7.5,最高之一级为值百抽 27.5,表面上固有七级之分,但事实上大量输入品,尽照最低级之税率课征,因为照最低一级税率征税之输入品,按英、美、日三国之修正案,有 61 目之多,而中国之原提案,只包括 10 目而已。称之为自主,毋乃欺人乎!其比较旧税则稍胜一筹者,旧税则定修改之期为 10 年,而新税则仅定 1 年,此其一。旧税则采协定方式,而新税则采国定方式,至于实际上究竟得了多少利益,实无从臆测。然关税自主原则已经各国承认,无可取消,此后只待自己努力,积极推进以完成真正自主之工作。况国内要求自主之呼声,高出云霄。因此民国二十年(1931年)把关税自主税则施行,二十二年(1933年)修改一次,二十三年(1934年)又修改一次,以迄于今日,尚未全部加以修订。

回忆我国修改关税税则惨痛经验,已足够吾人之教训。自清道光二十二年(1842年)江宁条约订立后,迄至民国二十年(1931年)之关税完全自主,其间经过 89 年之长期片面协定的束缚。在此长期中,仅修改税则 6 次。前四次之修改,可谓是在完全有利于外国人的条件之下进行的,第五次始为由协定至国定之过渡办法。修改税则之困难,与获得自主之奋斗,于此可见一斑矣。

(三)关税自主之过渡

在民国十六年国民政府奠定南京以前,我国关税自主运动,已历有年所,但外阻于列国之无诚意,内梗于裁厘之难实现,故不能迅速成功。当民国十四年段祺瑞执政时,以迫于时势要求,曾根据华府会议之决议,邀集关系国,如美、比、丹、法、英、意、日、荷、挪、葡、西及瑞典等十二国代表,开关税特别会议于北京,以谋关税自主之实现。结果仅允我国增加2.5附税(即于正税值百抽5之上再加征2.5),尚须于整理外债条件下,方得施行,即以增加之税款为整理外债之基金。至自主案原则,虽亦在该会通过,然其税率等差如何,仍须出于列国之协商允许,并限于十八年一月一日裁厘后方可施行。列国之不欲我国关税收回自主,灼然可见。其后执政政府不及关会之终,即因政变而瓦解,于是列国代表更有所借口,将关会已决各案无形搁置。至十六年秋,国民政府统一南北,本中山先生对外取消不平等条约之政策,亟谋关税自主之实现,初拟于十六年九月一日,直接宣布自主。旋鉴于国际情势恶劣,不得不改变方针,另由外交方面,徐图解决;乃于十七年(1928年)三月,一面在财政部设国定税则委员会,限期制定税则,以为实施之准备;一面由外交部照会列国,分别就其旧约已满期者,改订新约;未满期者,修改旧约,务使海关进口税则,自某时期起,完全依我国所定者以为准则。除日本一国,以西原借款问题,百方刁难外,其余各国,均一致承认我国此项要求。国际情势既如此好转,国定新税则,遂于十七年十二月七日经国府正式公布。此项新税则,为避免列国反对,大半皆根据十五年关税会议议定之七级等差税制定,全部分十二类,共718项。所增附加税率,自2.5至22.5,正税为5,故七级税之最低一级为7.5,最高为27.5。征收方法兼用从价从量,自民国十八年二月一日起实施,以一年为有效期间,俟期满后,再施行完全之自主税率。故此项国定税则,为关税自主之过渡办法也。

在过去,我国依赖关税为国家收入及担保各类公债之情形,从上面所述可以明了;换言之,关税之征收,完全为财政目的,并不含有保护国内产业的作用在内。关税自主之后,依旧不能改观。这亦是莫怪的。在国家财政未辟新税源以前,放弃海关为纯粹税收机关之策略,当然不能贸然采用,勉强采用,殊属不智。但为保护国内产业起见,自不能不在税收与保护两者之间,权衡轻重,酌量兼顾。因为借关税以抵御外货之侵夺国内市场,已成举国一致之呼声。但修改税则,即在已获得自主权的今日,亦非中国片面可为之事,首先必须获得美国之谅解,且不得引起他国之报复运动,与国际关税壁垒之阻碍吾国出口贸易之发展。故吾国在今日仍滞留于自主之过渡期间中,离完全自主时代尚远也。

(四) 施行不完全自主关税之结果

自民国二十年施行自主关税以后,国内经济情形有显著之转变。就进口货一端而言,在民国二十二年以前,大宗输入品有棉花及其制品,米粮及杂粮等等,至抗战前数年,则进口货以钢铁为第一位,机器及工具为第二位,此即表示消费品之输入减少,建设性货品之输入增多。就出口货价值而言,逐年亦颇有进展,由民国二十三年之5.3亿余元,增至二十五年之7亿余元,入超之数则逐年递减。二十三年为4.9亿元,二十四年为3.4亿元,二十五年为2.3亿元,二十六年为1.1亿元。此为抗战以前之情形,亦可谓为运用关税之效果,苟无抗战发生,收效自必更宏。

在抗战之前,入超之数,虽逐年减少,然仍居于入超地位。既有入超,必负责清偿。尔时正在银本位时代,必以现金支付,势必吾国现金源源流出,陷中国于穷困。乃一考事实,适得其反,现金不但不流出,反源源流入。谅必有种种无形收入,足以补偿入超之数而有余裕,其中最重要者,首推侨汇。侨胞之乡土观念素深,且大半有亲属留居国内,其生活所需,有赖于海外汇款之接济。抗战以前,每年华侨汇入款项,平均在2亿元以上,为我国国际收支平衡中之重要项目。据中国银行统计,民国二十二年至二十五年间,每年华侨汇款与我国国际收入总数略如下列(单位国币百万元):

年　份	华侨汇款	国际收入总数
二十二年	200	1,609.2
二十三年	250	1,516.9
二十四年	140	1,569.6
二十五年	320	1,776.8

二、现阶段的情况

(一)关税征金及海关金单位

民国十九年财长宋子文氏声称,政府每年汇往外国以偿付各债之款,不下900万镑,按今日之汇款偿付,较诸民国十四年之平均汇率,须多付60%,即较一年前之汇率亦须多付26%。当民国十八年(1929年)二月间实行关税自主之时,上海规元一两可购英金2先令7便士,今日规元一两,只购2先令零半便士,政府所受之损失达26%。为谋救济此情形起见,遂拟定办法,于十九年一月十五日,由国民政府颁布海关进口税征金之命令。其文曰:"近日金价暴涨,银价低落,影响金融至巨,而偿付外债所受损失,尤属不赀,亟拟设法补救,所有海关进口税,应一律改收金币,以价60.1866公厘纯金为单位,作标准计算,由财政部妥筹办法,令海关自本年二月一日起实行。"云云。按60.1866公厘纯金等于美金4角,英镑19.7265便士。当时美金英镑,尚在稳定状态;金本位币制,尚不失为国际本位,故海关金单位折合各国金币,得以固定,其比例如下:

美金	0.40	法郎(瑞士)	2.073	荷币	0.995
英金	19.7265	比币	2.877	意币	7.600
日金	0.8025	瑞典丹麦	1.492	新加坡币	0.705
法郎(法)	10.184	挪威通币	1.492	卢比	1.096
马克	1.679	奥币	2.843		

查美金1元含纯金23.22格兰(grains Troy),则美金4角,必等于纯金9.288格兰。英美官定比率,15.432格兰,等于1格兰姆(gram),(确实比率为15.43235639格兰,等于1格兰姆。)则以15.432除9.288,即得0.601866格兰姆,可知美金4角,含纯金0.601866格兰姆。海关金单位,既等于美金4角,则所含纯金,亦必为0.601866格兰姆,即等于60.1866公厘(centigram),(100个centigram等于1个gram)此海关金单位金值,等于美金4角之计算也。

英金1镑重123.27447格兰(grains Troy),成色十二分之十一,含纯金113.0015格兰,则海关金单位,等于英金多少,可以比例求得之。

$$240 \text{便士} : 113.0015 :: x : 9.288$$
$$113.0015\, x = 9.288 \times 240$$
$$x = \frac{9.288 \times 240}{113.0015}$$
$$= \frac{2229.1200}{113.0015}$$
$$= 19.7265 \text{便士}$$

以上系一个海关金单位金值,等于英金19.7265便士之计算也。以下系金单位用银折合之方式:自民国十九年二月一日至三月十五日(即第一期)进口税,按关平一两,合一海关金单位有半,此系按规银一两合2先令2便士半折合,其折合方式如下:

一个海关金单位 = 19.7265便士,

半 单 位 = 19.7265/2 = 9.86325便士,

故一个金单位有半 = 19.7265 + 9.86325 = 29.58975便士,

但一个金单位有半合关平银一两,

一个金单位有半既等于29.58975,

则关平银一两 = 29.58975,

以1.114折合规元银(规银1.114合关平一两)

故规银一两 $= \frac{29.58975}{1.114} = 26.56$(合二先令2便士半)

自十九年三月十六日起(第二期)进口税,按关平一两,合一海关金单位又75%,此系按规银一两合2先令7便士折合,其折合方式如下:

一个海关金单位 = 19.7265便士,

半 单 位 = 9.86325便士,

四分之一单位　　＝9.86325/2＝4.931625 便士。

　　故海关一单位又 75%＝19.7265＋9.86325＋4.931625

　　　　　　　　　　＝34.521375 便士。

　　但海关自十九年三月十六日起关平一两合一海关金单位又75%。

　　故关平一两＝34.521375 便士。

　　以 1.114 折合规银，

　　故规银一两＝$\frac{34.521375}{1.114}$＝30.98（合 2 先令 7 便士）。

以上系自十九年三月十六日起，规银一两，合 2 先令 7 便士之折合方式也。

（二）现阶段之进口税则有根本修订之必要

我国的关税政策，自江宁条约以来，演变至现在，其重心理应自以财政收入为目的之关税移至保护为目的之关税。纵观世界各国，关税仅限于进口税，其主要目的无非为保护国内产业，使国民经济地位稳固，不受舶来品之威胁。目前中国所需求者，亦无非是保护幼稚工业之关税，非徒增国库收入之关税。目前外国货物之充斥国内市场，尽人皆知，而此等货品，大抵属于轻工业之出产品，大都非国内生产机构所不能制造者，或非国人所急需者。查外货所以充斥国内市场的原因，约略言之，有下列数种：

（甲）海关缉私工作欠强。

（乙）外汇率调整太缓，致外货比国货为廉，购买者自然踊跃，加以暴发户之崛起，挥霍更大。

（丙）外国生产技术高，出品美观耐用。

（丁）关税税率自二十三年以来尚未全部加以修订，因而税率过低。在抗战期内，我国处于被封锁状态，为争取必需物资起见，减低必需品进口税率，亦是出于不得已之举。凡军需、民生、或建设所需物资，一律奖励其输入，其关税一律按照减税办法，按原定税率三分之一缴纳进口税，此为民国三十二年二月一日之事也。这个减税办法于日本投降之初，即由财政部命令海关停止执行，并照原税率恢复征收全税。在战后过渡时期，复一仍旧贯，即沿用二十三年（1934年）六月三十日之进口税则，未免有过低之嫌。所不同者，从量税一律改为从价税耳，于国库当然有益。二十三年之进口税则，仍沿用旧日分类方法，分为16类，672目，从价税率凡分十五级，最低为完全免税，其次为5%、7.5%、10%、12.5%、15%、20%、25%、30%、35%、40%、50%、60%、70%、80%，与旧时税则完全相同。

我国关税税则之税率可分为四个时期：

第一期自清道光二十三年（1843年）香港议定五口通商之应完税率以迄民国十八年（1929年）宣布关税自主前之通商进口税则。在此八十余年之中，采5%片面协定税率。

第二期自十八年宣布关税自主后以迄二十年（1931年）实施国定进口税则之时期，在此期内所用之税率为协定税率时期之七级税率，最低者为7.5%，最高者为27.5%，是一种过渡税率。

第三期自二十年实施国定税率起至二十三年止，为国定税率时期。在此期内，税则税率修正二次，二十年税则之税率分为十三级，最低者为5%，最高者为50%。二十三年修正税则之税率为十四级（连免税为十五级），最低者为5%，最高者为80%。

第四期为抗战期内之特定税率时期。在此期内，为适应战时环境,将二十三年修订之十四级税率的一部分,酌减其三分之二而按三分之一征收,计凡二十四级,最低者为1.7%(5%的三分之一),最高者为80%。

今日之关税政策,不应与战时一致。战时之关税政策在于奖励外国物资之输入,既不立于财政关税之观点,更不立于保护关税之观点,乃立于战时关税之观点。今日情形不同了,非行保护关税政策,不足以救中国工业之全体崩溃。所有不必要,不急要,及次要物资,如不禁止,亦应设法限制。有人主张调整汇率以挽救危机。但如政府于调整汇率之外,不能以其他方法配合运用,则徒属枉然。最要之方法,莫过于对物价作有效之控制,否则调整汇率,无非使外货与国货之价格,作竞赛式的上涨,囤货居奇者固额首称庆,而恃固定薪给者则深入火坑矣。故此种调整,害多利少,似应在国外贸易上,早作适当之措施。凡农工矿等业在建设上所需之机器材料,应准其免税输入;凡自己不能生产,或能生产而数量不敷应用者,于输入时,酌予减免;凡有竞争性之物品课以重税;奢侈品课以更重之税;一切足以伤害身体之物品,分别取缔或禁止。纵观世界各国,关税殆仅限于输入关税即进口税,而进口之各种货物,对于中国之适应性,亦各各不同,应以轻重不同之税率,作差别之待遇,以尽其保护之功能。若夫调整汇价,则各种进口货物,不分必需品、奢侈品与损害品,一律受到影响,牵一发即动全身,对于复杂之情况,无法适应。汇价偏高,不啻对各种货物普遍地加税;汇价偏低,无异普遍地减税,则保护幼稚工业,与扶助发展产业之意义完全失却了。似应于调整汇率之后,再运用关税政策,使二者相互配合,双管齐下,方能收异曲同工之效。

三十五年八月立法院通过修正进出口关税税则之立法原则,

可称适时之步骤,计有:1.海陆空关税税则应不分畛域,为一致之规定。2.进口税则应采国定税率。3.中国尚未能制造之工业农业设备机器仪器工具等之进口,得减免进口税。4.凡有关国防民生之必需品,得征较轻之进口税。5.凡与应行保护各幼稚工业出品有竞争性之进口物品,应征较重之进口税。6.凡奢侈品应采寓禁于征之进口税。7.凡出口货物之应奖励者,一律免征或减征出口税。

(三)走私之可惊

但提高关税亦当有限制。我国海关缉私工作欠强,税率愈提高,走私之风益炽,不可不谨慎从事。目前进口税率正税最高不过从价值百抽80,除极少数奢侈品加征附加税50%外,税率不能算重。乃自国外贸易正式恢复以来,陆海空三路走私,已成为公开之秘密;偷运之工具,非普通航海帆船,即飞机兵舰。私货公然在市场陈列。如缉私方面不加改善,则关税愈提高,走私必愈益猖獗,走私方法益加新奇;国库损失,尚属次要,而民族产业,为之摧残,殊难补偿。

财政部长俞鸿钧氏于三十七年三月二十日,假上海市政府会议室关于走私问题对各报记者发表重要谈话。渠认为走私影响关税收入尚在其次,其妨害国民经济,实最重要。故缉私实为海关中心工作。走私以华南为最猖獗。财政部于三十六年六月订定加强华南缉私方案,并督促执行。三十六年全国走私案件共23,000余起,没收之物资价值3,100余亿。三十七年一月至二月半,走私案件2,900余起,没收物资价值1,000余亿。华南与港、澳毗连,在华南缉私必须取得港、澳合作,方能收效。财政部遂指示广州海关与港方接洽,结果,在一月中与港方订立中港关税协定。订立之后,即可在港执行缉私工作。但协定中之若干条文,尚待香港立法机关完成立法程序,方能实行,已由外交部向港方催促。至于澳门方面,已与中国订立缉私协定。同时财政部所拟缉私条例已经立法院通过,对走私者除没收货物外,并处五年以下之徒刑。

中国海关与澳门所订立之中澳关务缉私协定,于三十七年五月二十日在澳门由双方代表签字,其要点如下:

澳门政府表示甚愿采取必要之立法及行政措施以执行下列各条:

(甲)澳门政府禁止一切船舶于夜晚:1.自澳门境内驶往中国,但经澳门政府与中国拱北关税务司另行商订者,不在此限;2.自中国境内驶往澳门,但遇险船舶及经澳门政府与中国拱北关税务司另行商订者,不在此限。

(乙)澳门政府为协助中国政府防止私运,属于中国海关所规定之违禁及限制物品,或中国政府所颁进出口贸易办法附表所列暂行停止及禁止输入物品前往中国起见,对于该项物品,不得发给出口许可证或装船准单。

上项物品表,应由拱北关税务司随时送达澳门政府查照。

(丙)澳门政府应责令结关前往中国船舶之船主向澳门政府呈递出口舱口单,澳门政府应将该项出口舱口单签证属实,于该项船舶结关前以副张送达拱北关税务司查照。

(丁)澳门政府应责令由中国到达澳门,或由澳门结关前往中国之船舶或民船将行程簿或民船往来挂号簿呈送澳门政府签证,并注明到达或结关日期。

据中央社广州十三日电,中澳缉私协定实施后,已获良好效果。粤海关缉私副税务司吕少西称,该协定实行后,由澳运货来穗之船只舱口吨均须经澳门航政局签证,中途不得起卸转运。抵市后如查验与单所载货物品量不符,即以走私处罚。旬日来私枭匿迹,获私货亦绝少。

(四)差别外汇与差别贸易

(甲)差别外汇

或云关税对进出口各种货物,固可以运用轻重不同之税率,作差别之待遇,以尽其保护与扶助发展各项产业之功能,外汇何独不可运用高低不同之汇率,作差别之待遇,以达到同样之目的?第一次大战之前,德国曾行过所谓"差别外汇",即国内货币之对外汇价,不限于一个;汇价之高低,视进出口货需要之大小而定。如向国外购买必需之物品(如机器、化学品等),以振兴吾国之工业,则汇价可低;如用以购买非必需之物品,则汇价可高;对奢侈品,汇价可以更高,以抑制这类物品之输入。如欲采用此种政策,不无先例可援。德国曾采用之。倘德国所需要者,为甲国之出品,则对甲国之汇价偏低,倘对乙国之货品,需要不大或无需要,则对乙国之汇价可以偏高。乙对德之情感虽不免因此而稍减,甲对德之情感必定日增。行之一久,国际间之摩擦,固不能免;但不施行差别外汇,而代以差别关税,又何能免于摩擦?所不同者,差别关税可以施用于不同之货品,而差别外汇则往往行之于不同之国家,一以货品为对象,一以国家为对象,故后者比较前者更容易引起国际间之冲突也。以我国今日之情形而言,仰仗于英国者固少,而对美国,几于无事不仰其鼻息。若对美独示优异,英国原甘心忍受乎?此差别外汇在今日所以不能采用而遭放弃之理由也。

(乙) 差别贸易

差别外汇既已放弃,我国今日所采用者为"差别贸易"。三十五年二月二十五日行政院公布"进出口贸易暂行办法?,将国外进口货分为三类如下:

(子) 自由进口类——凡工业及民生需要物品,未经(甲)(乙)两表所列的,均可不必请求政府许可,得随时购买,自由输入,其所需的外汇得向中央银行指定之银行购买之,但须证明非(甲)(乙)两表所列的物品。

(丑) 许可进口类——凡(甲)表所列的物品如烟草、火油、汽车、毛织、丝织等物品进口,须陈经海关签证处签发进口许可证,凭证向指定银行结购外汇。于附表(甲)表中并加列"照现行税率加征 50% 奢侈附加税之物品"一项,其品目如下:

403 至 419	酒类及汽水、泉水;
420 至 422,424	纸烟、雪茄烟、鼻烟、嚼烟、烟丝;
643	未列名首饰及装饰品;
653	真假珍珠;
658(乙)	真假宝石(未切未磨者不在内);
261(一部分)	表。

(寅) 禁止进口类——凡(乙)表所列的物品和禁止进口物品表所列物品的进口绝对禁止。但禁止物品表中所列的物品如经主管机关核准,不受约束,也可向指定银行结购外汇。

此种以"差别贸易"为对外贸易之政策,不以国家为对象,决不致引起他国反对之理。但一考现行之差别贸易(甲)(乙)两种表格,则其所包括者不过等于各种货品的十分之一,自由进口之货物,反占十分之九,是禁止之物品,等于不禁,而差别贸易几无差别。况经主管机关核准者,即禁止进口之货品,仍可进口,则国营事业必能得到特殊待遇,置民营事业于不利地位,是岂吾人之所期望哉?在过去吾国之国营事业多无良好成绩表现,开支之大,营理之劣,是无可否认之事实,其成绩不及民营远甚。此种有利于国营事业之政策,将使我国之民营事业,日趋退化,当可预测。

至于走私能否真正杜绝,还要看日后税率是否要继续提高。今日最高级之税率为80%,再附加50%,合计正附120%,不可谓不高。但税率愈高,走私愈能获利,易使政府失去控制之能力。

第二章 关税(续)

三、今后之展望

(一)今后我国应采之关税政策

目前中国关税政策系偏重于财政收入,而忽略管制国际贸易政策,所以今后关税政策必须确立。当然,此项重大革新,非举手之劳所能奏功,必须加以缜密的考虑,周详的计划,方可着手进行。我国中央税制系侧重于消费税系统,而今日之公平税制当以直接税中之所得税为核心,而以间接税中之关税、营业税、消费税等辅之。但欲求所得税推行尽利,必先具备客观的条件而后始可运用灵活。回顾吾国,则1.经济落后;2.人口资本两不集中;3.文盲遍地;4.健全的会计制度未曾完全树立,故稽征所得税,诸感困难。但据这几年经验的提示,只要吾人有决心能力行,循序渐进,则一切困难,无不可以逐渐克服。关于所得税之稽征已专章讨论。至于补助税中之关税则此后应采用保育政策,理由如下:

(甲)中国产业落后:要采极端之自由贸易及保护贸易政策,均不可行,因为极端自由贸易政策将予中国之幼稚工业以致命之打击;而极端保护政策,又因中国需要美、苏、英三国之帮助,复有碍于国际局势,亦不可行,尤其是在经济建设之目标下,不宜引起友邦不必要的反感。

（乙）要采极端保护贸易政策，货品名目之分类当极精细，俾便于分别课税，以示限制进口；但货品之分类，非常困难，非具有专门知识不可。例如机器一项，如分类很精细，不但税收丰裕，且能收保护之效。某类机器吾人能自制者，税率不妨提高；反之不能自制而又有需要者，不妨减低税率以资鼓励进口，决不能一视同仁。过去把机器归列于五金之中，实无理之甚。法国对于化学品之分类，达四五百种之多；吾国科学落后，似不宜分之过细，因限于专家之缺乏，检验上不免发生困难。又例如第一次大战后国际联盟所组织之关税小组委员会于1937年发表之"关税品名草案"，其中第十类第四十六章讲纤维纱线，其方法要看其中包括之纯丝或杂丝，以及纯丝中夹有多少杂丝，或废丝中夹有多少杂丝等等而定其分类。这样详细分类，非化学师不能鉴别，在中国实际应用起来，不免窒碍难行。

（丙）吾人仅希望未来世界局势好转，各大国间和谐相处，走上和平之路，由中、苏、美、英四国领导世界，趋向于集体安全。因此吾人不能再采极端之保护贸易政策，再造成战争之原因。保护政策固须采用，但非极端自由贸易政策，于可能范围内，亦可采用，但亦非绝对自由，而是于保护及自由二者之间，寻一折衷之路，因为在现世界中，中国一面要培植幼稚工业，而不能采极端之放任自由；同时又不能于世界上孤立无援，而断然采取极端保护贸易。所以这条介乎二者之间的路线，才是吾人贸易政策之鹄的。此种政策，无以名之，名之曰保育政策。兹将保护关税之种类与目的论列之于后，以供参考：

(二) 保护关税之种类与目的

关税从目的与方法方面观察,可以分为财政关税与保护关税两大类。前者之目的在增加国库收入,后者之目的,在保护本国产业。但保护关税,从保护之程度与方法方面观察,亦可分为五种,列之如下:

(甲) 纯粹保护关税——纯粹保护关税以保护幼稚工业为主旨,其税率以足以抑制外国有竞争性的商品之输入为标准。

(乙) 拒绝关税——其保护之程度较第一种为高,以完全拒绝外国有竞争性商品之输入为主旨。

(丙) 退回关税——本国工业所用之原料,凡自己不能生产者,多从外国输入,已征有进口税,或在国内已征消费税;及制成商品,于输出之时,自应将相当于进口税及消费税之金额完全退回,故称此种关税为退回关税,其目的在奖励输出,并在避免课税之重复。

(丁) 报复关税——如有一国对本国之输出品,征课不利于本国输出之差别税率,则本国对它的输出品,于输入本国时,亦可以差别税率报复之,故称此种关税为报复关税。

(戊) 差别关税——同种类之进口物品,或因其原产地不同,或因其输入路径不同(由陆路或由海路或由空路输入),或因船舶飞机国籍不同,或因与输出国所订通商条约不同,课以较普通税率稍低或稍高之税率,称之为差别关税,但无报复之意。

以上五种保护关税之中,第二种之拒绝关税,除对敌国外,绝对不宜采用,以免国际间之纠纷。

以上是关于国际贸易政策问题。政策既定,再谈修订税则技术问题。要使关税税则(Custom Tariff)足以表示中国的贸易政策与关税政策,是技术问题,不是政策问题。而技术问题,可分两段说明之。

(三)修订关税税则之技术问题

1. 关税政策与税则配合起来之技术问题。
2. 关税政策与货品名称配合起来之技术问题。

第1.段系吾人讨论之范围,第2.段应由专家研讨,吾人于此略予揭示而已。

(甲)关税政策与关税税则配合起来之技术问题

关税政策必须透过关税税则方可表示出来,通常研讨关税税则制度之专家,大概将其分为两种:1. 单一关税税则制(Single Schedule System)与2. 复式关税税则制(Multiple Schedule System)。

(子)单一关税税则制

单一关税税则制又可分为:1. 国定单一税制;与2. 协定单一税制。前者是根据本国之立法,不与他国协商。此为英国自10世纪以来所采用者。尔时英国是产业先进国家,物美价廉,他国无法与之竞争,英国乐得名利兼收。后者是根据商约,经与他国协商后方得决定。比利时曾采此制。采单一税则制者,大都是自由贸易之国家。

(丑)复式关税税则制

单一关税税则之反面,即系复式关税税则制。行此税制者多系采保护关税贸易之国家,如战前之德、法、意、日、美等国家。其本身又分为四种:

1. 最高最低制。税则分最高最低两种,在此中间请外交官与外国甚酌之,只要两国实行最惠国条款,当可采最低税则,否则须看当时情形而定。

2. 一面采国定制,一面采协定制。

3. 特惠制即最优惠母国之税则。例如英国之自治领,像加拿大、澳洲、纽西兰等,对于母国所定之优待税率。

4. 缓冲制。此制是英国之自治领与他国订立互惠协定条款时用之,其税则居于国定与特惠制之间,以备其他订立商约之用者,故称之为缓冲制。

1. 最高税则与最低税则制

此两种税则皆由本国之立法机关自行决定,不经过与他国缔结商约的手续。对于本国之生产者,以最高税则提示国家保护之最高限度;对于外国交涉时,则以最低税则示本国可以对外让步,而不致妨碍国内生产者之最大限度。如此规定,对于最惠国与非最惠国,对于条约国与非条约国,对于商业关系良好之国家,与对我实行报复之国家,不必予以同样之待遇,如过去之片面的单一税则制然。如此规定,对于泛泛各国,可用最高税则;对于享有最惠国待遇各国,可用最低税则。当然在最高与最低税则之间,可设若干中间税则,谓之多重税则;究应采用何种税则,要看货物来源之国家以为断。但在缔结商约时,最高与最低或可兼用,以一部分货品适用最高税则,另一部分适用最低税则,全仗外交家斟酌情形而定,原无一定呆板之税则。且代表民意之立法机关,早已片面规定可能让步之最大限度;外交家之行动,不能越出这个限度,丧权辱国之事,不致发生也。

最高税则与最低税则,是双重税则,采行之国家为法国、西班牙、俄国、巴西、罗马尼亚、希腊、挪威等国。最高税则,可为最低之若干倍,罗马尼亚与波兰之最高税则为最低税则之2倍,亦有定最低税则为最高税则百分之几者,于交涉之时,则以此百分之几为让步之最大限度。

2. 国定税则与协定税则制

最高税则与最低税则制有一极大的缺点,就是行此种税则之国家,既受本国税制最大让步之限制,则在缔结商约之时,不能向主要贸易国家,要求优待之税率,因缔约国对方,亦无法要求比最低税则更低之优待税率。因此实行最高最低之国家,在国际贸易上不得不处于被动的地位。如我有求于人,势必弃此而改行协定税则制,对于享有最惠国待遇各国,可以用协定税则;对于非最惠国待遇国家,仍用国定税则;必如此方可增加税则之弹性,外交家方可竭力设法从世界主要贸易国家,获得税则上之优待,而居于主动地位。

国定税则之税率较高,协定税则之税率较低,前者相当于最高税则,后者相当于最低税则。在交涉之时,往往以国定税则为磋商对象,而后再用"讨价还价"的方法,来决定最后的协定税率。实行国定协定税则制者,除德意外,尚有捷克、瑞士、匈牙利等国。

(乙) 关税政策与货品配合起来之技术问题

货品通常分为奢侈品、半奢侈品、非必需品、及必需品四种,其税率各不相同。采用保护关税制之国家对奢侈品课以极高之税率以限制其进口,此税率恒达200%。中国最高之税率为80%,最低为5%。第二次大战以前,日本对烟酒进口即采200%的税率。反之对必需品之税率则极低,甚至免税以鼓励其进口。于此有一困难问题,税率等级之高低容易规定,而货品性质之分类则极不容易,因其缺少划一之标准耳。奢侈品及必需品较易分类,但因各国文化、风俗、习惯、历史背景之不同,工商业发展之迟速,其间界线亦难分清。例如汽车在美国认为是必需品,在中国则认为是奢侈品。所以欲获得一绝对的界线,徒劳而无功。编制货品分类表,系一种专门技术工作,非任何人所能为者。各国税则之货品分类,参差不一,此系当然的情形;由于各国地理的特殊,资源的多寡,生活水准的高低,以及农工商各业发展程度的不一,自难期其划一,此理甚明,无庸赘述。农业发达之国家对于农产品分类当极着重。工业发达之国家,对于制造品分类,颇为重视。商业国家对于应用品分类决不轻忽。由此可见各国对于货品之分类,轻重不一,难期一致。例如在二次大战以前法国对于化学品一项之分类,即达400项,德国80项。

第一次大战后,国际联盟聘请欧洲各国专家十数位,成立关税小组委员会,从事研究,于1937年发表《关税品名草案》,共分二部:第一部是关于税则品名分类;第二部是品名分类之解释。该会所用的方法,系将货品按性质分为动、植、矿三大类作为经,又以原料、半制品、及制成品三大类为纬。总括起来分21类,凡八十六章,991号列,2075子目。这个草案不讲税率高低,征课单位,故无关于各国的关税政策。其目的在研究世界各国税则而定出一个共同标准分类法,以备各国采用。此草案具有特殊之价值,及崇高之理想;但实施起来,未能切合实际;对远东各国更不合实用;对于中国之国际贸易,隔阂之处更多。此种情形,是无可奇怪的,因所聘专家,均系欧洲人士,自然偏重于欧洲各国工商业的情形,品名之应用,亦以欧洲之习惯为准,故其缺点即在偏重货品在欧洲用途之分类,忽略其在世界商场与国际贸易之特殊性。此缺点对于远东关系极深,例如于此草案中第一类动物产品凡分五章,其中第三章鱼介品内,并未将远东海产名品如海参、鱼翅、鱼肚、干贝包括进去;同时编辑此草案时,国际联盟当局并未延聘世界知名的关税验估专家发表意见,此亦为其疏忽之处。

中国税制之品名分类为进口税则及出口税则两种:进口税则之分类注重贸易之特征及用途;出口税则之分类则重原料及制造。进口税则分为十六类,672号列,以大分类言,相当完备;小分类则尚有调整之必要。出口税则分六类,270号列;大小分类虽有需要调整之处,然可采之处亦不少。今后最好将关税税则品名重行编制,似应以现行进出口税税则作蓝本,择其精华,舍其渣滓,再参考国联品名草案之长处,而编一通用之税则。我国税则适合于远东商情,尤其切合我国贸易习惯,而国联草案之长处在集合农业、工业、制造业、以及化学等专家意见之大成而冶于一炉。

(四)今后我国应采单一税则制呢,抑采复式税则制呢?

此后我国应采单一税则制抑采复式税则制的问题,应看世界局势如何演变而定。对美、英、苏应一视同仁,而采单一税则,亦无不可,因为我国在建设时代求助于此三国者当不少。但今日之情形与三四年前大不相同。美国抛弃其波茨旦宣言中之义务,一味孤行,要扶植日本复兴,对于中国当然不利。为防再遭猛虎毒手,应采复式税则制,对日本货物必要予以致命的打击;对其他贸易关系较浅之国家,则可采用较低之税则。最要者即对美、苏、英三国不应稍加歧视,应用同一平等,互惠的税则,以示一视同仁之意。

中国应采复式税则制,不应继续采用单一税则制,不仅于今后为然,即在战前亦早应采用。民国十七年我国所订之中美、中德、中挪、中比、中意、中丹、中葡、中荷、中瑞、中英、中法、中西十二条约,皆有最惠国待遇一款;而民国十九年五月六日中日关税协定,则有互惠国待遇之规定。惟所谓互惠,实是片惠,并非互惠。然条文上如此规定,于是在国际法上遂发生下列的问题:

我国采行单一税则制,对其他国家为最惠,独对日则为互惠。若以对日互惠之部分适用于其余最惠各国,必引起轻重不均;他们所得于我者多,而我所得于他们者少,因他们对我未必肯予以同等之待遇。若对他们行单一税则,而独对日另行特别税则,则不啻破坏单一税则之原则。此即采用单一税则之困难。欲解除之,则非采用复式税则制不可也。

(五)课税之标准

课税之标准共有六种:

(甲)从价税(ad valorem duty);

(乙)从量税(specific duty);

(丙)复合税(compound duty);

(丁)选择税(alternative duty);

(戊)滑准税(flexible duty and sliding scale duty);

(己)指数税(coefficient duty)。

实在讲起来,后四种税不是从量,便是从价,均是此二者凑合起来。例如复合税系重价重量二者都有之税率,选择税系于此二者之间选择一个适当而有利之税率。滑准税有二:一为普通滑准税;一为专应用于粮食方面者。前者为防止外国货品之倾销,可高可低其税率。如外货进口或系按装运价格(Free on board)计算,或按起岸价格(Cost insurance and freight)计算,再以之与中国市价比较而定—完税价格之标准,然后再高低其税率,使售价得以平衡,无特殊利益可得。至于粮食滑准税,系于吾国食粮丰收之年,不希望外粮进口,因此对食粮进口提高税率,以示禁止。如于荒年则减低税率,欢迎进口,以示鼓励。此种税率于战前曾实行过。

(六) 中美关税与贸易协定

历时一年余之国际关税及贸易协定,经过三次国际会议,中国已于三十六年十月在日内瓦签字。关于中美间之协定,美国杜鲁门总统已于本年五月四日发表文告,称双方面所协商之条款不久将付诸实施。从此可知我们已开复式税制之端了。在进口货品方面,此项协定于672号列中所涉及者,仅188号列,其中三分之二强仍维持现行税率,其余六十二项减税,自5%至10%不等。就进口货种类之多寡来分,减让品目最多者为金属及其制品,次为食品类,次为化学品类,最后为油脂、纸张、竹木制品等,其总值应以1939年贸易额5,200万美元为准。各类进口货品中包括棉花、农产品、烟草、机械、自动车等。据中国官方宣称上述减让货品中金属器材及化学原料占十之七八,此等货品当系国内需要甚殷者。至对于少数食品饮料之减让,完全是交换条件,可于中国出口方面得以弥补。又对于国内工业具有威胁之制成品,于协商之中极力设法剔出,俟将来经济政策有全盘之规划时,再行修订税率,予以保护。

于出口方面,美国对我国输出货品让步的,计有222项,其中34项系免税。输出货品包括桐油、茶油、厂丝、蚕丝、苎麻、皮毛等项为完全免税,其余主要减让项目为干蛋及冰蛋、胡桃、刺绣、花边、花生油、大豆油、地毯、瓷器、及矿产锑钨等。全部总值亦以

1939年之对美贸易额6,230万美元为标准。但此数中有3,780万美元已列入免税货品内,我国主要输出品均列入免税或减让之项目中。今后我国政府应协助人民,谋特殊产品品质的改良及成本之减低,俾尽力扩充海外市场。但此次中美关税及贸易协定,对于中国经济之发展,吾人尚不能预测其反映。况今日尚在施行进口许可制,此项协定能否付诸实施,未敢预卜。

第三章　盐税

赋税中最难明了者,即为盐税,不仅国内无此专门书籍,求之外国,更少参考。故欲于学理上加以研究,是很困难的。所幸是民国成立以来,如淮南之张季直先生,经三四十年之研究,曾发表有价值之盐政论文,又如景本白先生,历年来刊印盐政杂志四十余册,著盐务革命史一书,均甚有价值。其余如外人丁恩(前北京政府财政部稽核总所会办)有英文之著作多篇。左树珍先生有关于盐税史之编撰,亦可供参考。在对日抗战期内,杨兴勤先生有中国战时盐务问题之出版,最后则就财政部盐务署之各种章则条例,可以略知引票税率,缉私等问题。除此之外,恐无他项书籍,可供研究参考之资料。因限于篇幅,不能多所论列,姑就下列各问题略加研讨:

一、盐税制度

盐税制度可分下列二系：

(一) 赋税系 { 1. 就场征税
2. 关税

(二) 营业系 { 1. 广义专卖(直接专卖)
2. 狭义专卖(间接专卖)

所谓赋税系,即将盐税列为赋税之一种,由财政部主管之。赋税系中,又分两种:一为就场征税制,即在产盐之区,设局征税,一税之后,任其所之。此法为德、法、荷兰等所采用。其次为关税制,即在进出海口时,由海关征税。此法为俄、美、丹麦、挪威、葡萄牙、西班牙等国采用。

所谓营业系,即不征盐税,而由政府专卖者也。如现时国内铁路、邮政及电报等,均为国营事业,寓税于价,划为中央之收入。我国在最近的过去,曾行过盐专卖。因成绩不佳,改为就场征税制。营业系之专卖,可分为广义狭义二种:

广义专卖——官制,官收,官运,官卖。

狭义专卖——民制,官收,官运(或商运),民卖。

广义专卖,又名直接专卖,其法由国家设局售盐,各地人民,均可直接购买,日本采用之。狭义专卖,又名间接专卖,国家只执收买之权,另行招商,代为运送,以售予人民也。但此种商人,并非运商,实则代国家运盐之代理人,故与其称商运,不如称官运。

然则中国之盐税制度,果采何系何制乎?抗战以前,曾采商专卖制;三十二年至三十四年,曾一度采官专卖制;现在则采就场征税制。请分别论述之。

二、商专卖制

商专卖制既非营业系之专卖制,亦非赋税系之就场征税制,因为若谓其为专卖,则一切收买运销之权,均执于商人之手,并非握在政府官吏手中,可知并非狭义专卖。若谓其为就场征税制,则只盐商有垄断之权,此外无论何人,皆不得自由买卖,可知其并未就场征税。然则商专卖的性质果何如乎？曰：欲知其性质，非知引地与引票之性质不可。何谓引地？何谓引票？

中国之盐，向由盐户制就，售于场商。场商或自行销售，或转售于运商销售，初无定例。惟其行销区域，则有严格之规定。故不经纳税手续，而买卖之盐，固谓之私，其侵越行销区域之盐，虽已纳税，亦谓之私，甚至有"视为邻盐，格杀勿论"之令，而此种行销区域，即为引地。盐商因有引地之限制，在引地内，即得一专卖权，无论盐价之贵贱，盐质之优劣，引地内之居民非吃不可，否则除淡食外，别无他策。因此盐商在引地内，操纵垄断，无所不为。然则彼等果有何凭据得以如此乎？有之，即引票是也。引票者，即国家给予盐商运销额定盐斤于引地之特许证也。有此引票，盐商可以在指定之区域内（即引地内）销盐。

从上可知，商专卖制度不良，尽人皆知；欲改革盐政，非取消之不可。从历史上观之，中国之盐政，初行计口授盐，本系专卖政策；后因人繁地广，按户分配之非易，乃行签商摊派之法。后则一变而为雇商承运，再变而为占有行销区域之引商，故引票乃一销盐之特许证而已。惟此特许证与各国通行之特许证不同：第一，各国通行之特许证，系依法律之规定，而引票为一命令式之执照也。第二，各国通行之特许证，均有一定之期限，而引票则无之。第三，各国通行之特许证，均须缴纳手续费，而引票则亦无此规定。惟此种引票，既无期限之规定，当可随时由政府取消，而不能由商人退回。翻开我国盐政史来看，"专商引岸"占了大部分的篇幅，直至民国二十年，依然没有脱离专商引岸之窠臼，陷在"产盐有定场，销盐有定地，运盐有定商"的局面里。二十年三月，立法院制定新盐法，七章三十九条，把"专商引岸"制废除，采取就场征税制，任人民自由买卖,无所限制,不得垄断,盐制于焉确定。兹将就场征税制与专卖制作一比较的研讨。

三、就场征税与专卖制之比较

(一)两制相同之点

就场征税　　　　专卖制
1. 破引地；　　　1. 破引地；
2. 废商专卖；　　2. 废商专卖；
3. 消灭贵盐；　　3. 消灭贵盐；
4. 平负担；　　　4. 平负担；
5. 围场聚制；　　5. 裁并；
6. 杜绝场私；　　6. 杜绝场私；
7. 交仓。　　　　7. 交仓。

(二)两制相异之点

(甲)就场征税
(子)采用放任主义,一税之后,任其所之,且任人销卖,并无限制,引地自破。
(丑)以自由竞争之法,废专商,卖贵者自然淘汰。
(寅)以自由竞争之法消灭贵盐。
(卯)只能均税,不能均价。
(辰)旧有盐灶均存在,故围场聚制,范围大。
(巳)范围既大,剩盐较多,盐户贪利,自易售予私商,故杜绝场私之势逆。

（午）交仓只为暂存,须俟盐商付价后,盐户始能收钱;如迫不待缓,即有贩私之虞。

（乙）专卖制

（子）采用干涉主义,运盐有定商有定所。(极端专卖制,不用定商,实行官运。兹改用定商,迁就环境也。然定商非商专卖制下之专商,乃国家之代办人也。)

（丑）废专商而有定商,惟运至销地,即须卖于人民,转行零售,故定商只可总卖,不能零卖。

（寅）盐价由国家规定,不能如商专卖垄断价格之高。

（卯）除在销地须依路之远近增减盐价外,在场地之盐,其价一律。

（辰）贵盐之区均由政府收买封闭,故用裁并之法,范围小。

（巳）国家封闭贵盐之区,且限制盐之产额。产额既少,如有存盐,可由政府尽产尽收,私盐不禁而自绝,其势顺。

（午）盐产交仓,国家即将盐价,交付盐户。

（三）两制在场产上的比较

故就场征税与专卖制之目的,虽均为破引地,废专商,而其手段不同,其结果亦各异。依上述之情况,专卖制或有良效可见,而就场征税,私盐或难避免也。盖我国土地辽阔,各地情形复杂,产盐区域遍及全国,海盐、井盐、池盐、岩盐,无不俱备。产制方法,或晒或煎,或由自然而成,零星而散漫,场产管理,极为困难。在场产管理尚未臻于严密以前,此项就场征税,自由买卖之制,实行起来,势必私盐充斥,税收损失甚巨。不特此也:1. 就场征税之盐场太大,虽有场警,亦不易杜绝私盐之走漏。而专卖制则封闭贵盐,限制产额;既有尽产尽收之法,自可不生私盐之路。2. 至于中国盐户,均为赤贫之家,如交仓而不能得钱,盐户均将弃官而走私。专卖制则一面交仓,同时即付现金;盐户既可安心,私盐亦可杜绝。3. 就场征税,采取放任主义。商人贩盐,避远而就近。而专卖制则由国家指定地段,即无偏破不均之弊。如西南西北边僻之疆,虽人人可往运销,然往往有捷足先登者,岂非难得厚利,反不如即在近处销售,尚可略有把握也。故在此情形之下,即非采干涉主义不可,而昔日之所以发生引票者,亦此故也。4. 在就场征税之下,如盐户不能待盐商购买,其间即易发生二弊:一为"屯买"巨资之盐商,乘机将盐产收买;待小盐商购买时,即可提高盐价,垄断操纵,其弊与昔之场商相同;二为"贩私",盐户以少数之盐交仓,以敷衍政府,暗中将大量之盐,售与私商。故其结果,不生昔日场商垄断之弊,即有私盐充斥之虞。

但据主张就场征税者之意见,专卖制亦非即可行者,其理由有三:1. 国家实行专卖,即须准备巨资,试问于目下中国财政状况之下,是否易办,不言而喻。若行就场征税,则国家不必出资,当易采行。2. 尽产尽收不能实行。盖于盐引制度之下,盐之产额,可依销额而定。如由国家尽产尽收,则虽封闭若干盐场,然如增加时间,扩大盐区,其产额亦可大量增加,如是,国家自穷于应付。3. 即不能限制盐之产额,盖行就场征税,贱盐畅销,贵盐自然淘汰,而产额乃有限制。至专卖制,并无天然淘汰之力,其裁并封闭者,乃人为淘汰。此种人为淘汰,既易引起民怨,又不能切实限制产额也。

但主张专卖制者,则谓上述三点不成理由,因为1. 盐政之改革,既须采用专卖制,自应借用外资。彼铁路电政等国家事业,可借外资,何国家事业之盐政即不能借债。2. 尽产尽收,能否实行,全恃产额能否限制。如采行专卖制,产额未始不可限制。国内产盐成本较重之区,即封闭之;较轻者,存留之,并由政府派人管理,不特盐产可以限制,而成本较轻,盐质改良,均可优然为之。3. 就场征税,天然淘汰之力,恐反不及人为淘汰之能得其实效。例如两淮之盐,在淮北者,每斤之成本在战前仅2分,在淮南者每斤之成本1角3分。依就场征税制,若征盐税3角,则淮南四角3分之盐,自不能敌淮北3角2分之盐,而有受天然淘汰之虞。然此系指官盐而言耳。如淮南之盐户,为图维持其生活,而售与私贩,则私盐之额,自有增加之势。盖此项私盐,成本只有1角3分,逃避赋税,销于市场,则淮北3角2分之盐,即可反被压倒。或谓可减税率以敌之,则今之盐税,有绝对不能削减之理由,惟恐其影响财政收入也。或谓可缉私以除之,则今之缉私,成效果何如乎？故目下中国之改革盐政,就场征税之天然淘汰,实不足恃。只能以人为之方法,或可挽救于万一耳。

(四) 两制在运销上的比较

以上系就场产上之比较而言,今试再将就场征税与专卖制于运输上之比较观之,二者相同之点如下:

就场征税	专卖制
1. 破引地;	1. 破引地;
2. 废专商(指运商而言);	2. 废专商;
3. 购买自由;	3. 购买自由;
4. 在场收税。	4. 寓税于价。

二者相异者亦有四点如下：

就场征税	专卖制
1．以放任主义破引地；	1．以干涉主义破引地；
2．废专商，任人购买；	2．废专商，而另设定商运盐之制；
3．买卖无限制；	3．定商总卖，人民小卖；
4．在商人购盐时，征收盐税。	4．定商买卖盐时，寓税于价。

照上列二者相同之点，其目的均为破引地，废专商，然其运销之法，则有两点须加注意：1．即转运机关是否需要。据历来各专家之研究，盐之转运机关非设不可，因中国地域广阔，交通不便，如无指定之运盐机关，偏僻之区，即有淡食之虞。此点在二者之间并无不同之意见。2．既须转运机关，则此项机关，系自由组织，抑由国家组织，亦须选择。依就场征税，自由买卖之主张，则一税之后，任其所之，转运机关自应自由组织。而专卖制则认为非国家组织不可，应由国家指定若干人为定商，组织转运机关，指定区域，各自运送，决不能自由组织，因自由组织之弊甚大。其较著者约有下列三点：

（甲）国库损失　盐与米不同，米之产额及产时均有定，而消费或可无定。至盐则不然，产额产时均无定，而消费则有定。盐之产额无定，应加以限制，故专卖制采行定商，即使产销之供求相应。如无限制，则盐户尽量生产，其结果将何如？如行自由买卖，路近价贱之盐区，其买卖加甚；路远贵盐之区，即无人过问。如此供求不相应，则贵盐势必流为私盐。私盐多一斤，即国家损失一斤之税，是则自由组织，于国库有损。

（乙）食贵食淡　西南云贵等省，前因划有引地，予专卖商以在引地内有专卖之权,故商人敢放胆前往,无盐缺之虞。如改为就场征税,自由买卖,虽有人人能往之权,实无一人敢往之胆。盖商人之目的为求利,如费尽心血,跋涉山川而往,适有人已先往,即不亏本,亦难售得善价,得不偿失,人同此心,运往之盐自少。故其结果,盐少则价贵,盐尽则食淡。欲救此弊,实非行专卖制,强迫定商前往运盐不可。惟须注意者,专卖制之定商,系就总卖而言;运至当地,仍应归人民转售消费者。如此庶可免引商之弊,而得引商之利。

(丙)垄断 实行垄断,须具备三个条件,即:1.产额可以限制;2.用有定量;3.本轻而利大是也。盐之为物,即具此三条件,产额可以限制,消费可计,而资本又甚轻微。在战前,如定量为50万担,筹款1,000万元,即可尽数收买。如此,如行自由买卖,则盐托辣斯之实现,无可避免。

综上所述,就场征税之自由买卖,实非上策,而专卖制则尽产尽收,永无私盐,国库即无损失;各地运盐均有定商,即无食贵食淡之弊,而全国盐政均由国家组织之机关处理,更无垄断之可能,三弊可免,而专卖制于产销上,又较就场征税为善矣。

四、在战时新盐法不能施行之理由

民国二十年立法院通过新盐法,采就场征税制,以自由贸易为主旨,把几千年来商专卖制度铲除。自此以后,无论何人,不得享受专卖权利。但未及实施,而抗战军兴,即欲实施,亦不可能。因在战时食盐零售,成为问题。沿海产区沦陷,交通艰难,食盐因运输不便,有求过于供之患。在抗战初期,已发生民食问题。日后军事变化恶劣,食盐即成有无问题。商人以血本有关,抛弃其责任,而盐务机关,责无旁贷,不能不直接负起配销之责任。若依新盐法而施行自由贸易,决不能达到平均分配之目的,不得不由政府采取管制而行计口授盐之统制政策。此为事实所必需,无可奈何者也。所谓自由贸易,就是就场征税,一税之后,任其所至,放任销售毫无管制。一旦实施自由贸易,就要发生两大问题:第一,交通发生极度困难,非商人之力量所能解除;第二,商人不愿再牺牲其资本,或劳力去办理收盐,运盐。至配销方面,更不管了。商人以牟利为目的,此种情形,亦无足深怪。

战时全国盐务重心,在江南六省,而江南之盐务重心在湘赣,因为战时需盐,最迫切之销区为湘赣两省。内地各省无论如何困难,尚有井盐、池盐、矿盐,可以维持。如沿海各场所产之盐斤,我们不能掌握,江南民食,就很成问题,不但影响国家财政收入,实为全国盐务重心之所在。湖南月需15万担,江西月需7万担,两区合计月需22万担。江西所需之盐可以由福建供给一部分,但全部7万担由福建供给,事实上不可能。欲解决湖南盐食问题,必须开辟川盐运道。开辟川盐运道,分陆运水运两种。陆运比较困难,且运输成本也太贵。当然最理想的莫过于水运。可是在抗战时,水运路线的开辟,非进行自由贸易之商人所能为力,必须靠政府以强大兵力收复宜昌不可。宜昌不仅是军事上重要据点,即对盐务亦有重大之关系。宜昌如果收复,川盐可以用轮船运到宜昌,再由宜昌转运到湘北和鄂西,不但运输线很方便,就是运量也很大,运往别省也很容易。只要这条水运路线开辟成功,不但湖南江西两省民食问题可得到解决,即江南六省盐务,亦可稳定。万一宜昌不能收复,只得实施定量分配制度,令人民节约消耗,人人少吃一点,以渡过难关。但定量分配制不能行之于自由贸易之下，故在战时新盐法没有实施可能，专卖制遂起而代之矣。三十一年颁布盐专卖实施条例，将盐改为国营，专商，行岸之积弊，始一廓而清。新盐法虽未施行，商专卖制亦无继续存在之可能，理由详后节。

五、专商引岸制因不适应战时环境而解体

　　近三百年来，引岸专商已渐形成为盐务上之特殊阶级，操纵垄断，无所不为。此种畸形之专商制，实为我国盐政上最大污点。以过去言，盐商只知惟利是图，对于国计民生，绝不一顾。遇有政府改革之动机，辄借题要挟。民国二十年颁布新盐法，因受盐商之阻挠，同时有种种顾虑，致未能实施。所谓阻挠，就是盐商在场不收盐，以困盐民之生计；在途不赶运，以造成民食之恐慌；在销地提高盐价，以加重民负。处处阻碍销量，减少国家收入，而办盐务者，莫可如何也。十八年中央三届二中全会，对财政盐务问题，决议通过，交财政部订定计划，负责执行。当时立法院根据此原则，制定新盐法，二十年五月间由国民政府公布，采就场征税制，以自由贸易为主旨，满拟把几百年来商专卖制度铲除。自此以后，无论何人，不得享受专卖权利。虽未及施行而抗战军兴，已足以证明改革盐务之必要，而在盐史上，亦有法律之开端。

　　二十六年"七七"抗战发动后，盐务对军需民食，负有极大之任务，一般盐商不尽丝毫力量，皆相率逃避其责任，因此盐务问题，遂发生急剧之变化，显然由税收问题，演为民食问题，当时曾有"民食为先税收次之"的口号。由税率高低问题，演为供应有无问题，此种事实之教训，实足启示我人。此时沿海盐区相继沦陷，海盐运

销,完全阻绝,旧时引岸制度,所谓"产盐有定场,行盐有定额,运盐有定商,销盐有定岸",已不复适应战时之环境,乃不得不另定调剂运销办法。商人为顾虑资本亏折,对收运盐斤,相率裹足不前,固可逃避其责任,而盐务机关,却责无旁贷。为求充分供应军糈民食计,不能不求根本之解决。国民党第五届五中全会提出第二期战时财政金融计划一案,关于调剂运销一项,有"除本产本销,不发生民食问题外,其余各区,亟待赶运济销"等语。以三十二年为例,浙盐运销,因受战事影响,重行支配。自浙赣线战事发生以后,浙盐已无法输入赣省,经规定酌减济赣浙盐,一面增加闽盐运赣,以资补救。但因交通关系,闽盐接济江西的数量很微。济黔滇盐,则因产量不多,经予停止,改由川盐补济。粤西产区,不敷运销,则吸收流散盐补充。此外,川北盐济鄂,粤东盐济湘,陕区土盐济豫,豫区吸收淮盐济鄂,均不失为因时因地制宜之计。于此情形之下,行盐制度根本解体,废岸改制,遂成水到渠成之势矣。故专商引岸制之取消,乃事实上逼上梁山之结果,不能归功于新盐法也。

六、盐专卖制度中之官收问题

三十年四月国民党五中全会第八次会议决议举办国家专卖事业,食盐一项,亦在其列。全部专卖资金,定为24亿元(该时币值)。惟据三十一年九月四日盐务总办缪秋杰氏对记者谈话中,有"盐专卖原以实行官收官运为主要手段,惟局方以资金8万万元,仅足供官收一项之用,故官运改采委托商运制度。"足见经费没有拨足。故所谓盐专卖,基本言之,仅属官收而已。依照规定盐专卖政策,应采全部专卖政策,采取官制,官收,官运,官专卖制度,即将国家经营推及于1.制产,2.收购,3.储囤,4.运输,5.配销五项业务不可,即自生产至消费全部过程,直接或间接由国家自行经营。停止征税,改征专卖利益,而专卖利益,则由场价运费及其他必要费用与仓价之差额决定之,计三十一年盐专卖利益收入共达1,174,903,009元,较预算数超收9,482,099元,较三十年未行专卖前收入,则增加816,309,946元,三十二年一月至九月底止,专卖利益收入,共为1,085,036,283.45元,约占全年预算总额70%。

盐业既改为国营,则产制亦应归由官办,但一旦实行官制,大量盐民发生失业恐慌,只得因事制宜,仍保留民制的方式,由政府严密管理。非经政府许可,不得采制,许可后,必须遵照规定应产之盐额照数产足。在原则上不得增产,亦不得减产,所产之盐,完全交由政府收购,不得私自销售。从这方面观察,盐民之制盐,应认为政府委托之行为。如依照新盐法实行就场征税,贱产畅销,贵盐自然淘汰,而产额才有限制。实行专卖制,由国家尽产尽收,虽封闭成本甚贵之盐场以限制产额,终是出于人为之淘汰。盐户赤贫,为饥寒所迫,私制私售,在所不免,殊难切实限制产额。如能做到照规定之盐额产足,不增产,使场无积滞之虞,不减产,使岸无脱销之患,自为最合理之解决。但政府为财力所限,只能做到部分之官收。以收购川康之盐斤为例,每担盐价垫付后,至少须有三个月之时间,始能周转,故每一区须有三倍于产额之资金。因此官收之实施,只得因应配销之需要,决不能无限制地尽产尽收,致陷国家财政于僵局。如将专卖政策分区实施或分期实施,则资金之负担,自然减少。

民制盐斤既不能全部官收,则走私堪虞。场务机构,势必加以整理，以便杜绝场枭走私。但我国盐场散漫，多数产盐处所，难为大规模企业之规划。以浙江黄岩场为例，该场宽广一百余里，如去视察，即使走马看花般的巡视一遍，非有两天的时间不可，何况每家每户要去调查一次，整理起来，殊难着手，只得办理盐民登记。盐民有专门盐民与非专门盐民之分：专以制盐为业者，为专门盐民；以制盐为副业者，为非专门盐民。一办登记，两种盐民各有若干，就容易统计。沿海各场，曾发过一种调查登记表，办理一次盐民登记。四川自流井东西两场及五通桥，俱已经办理登记。办理登记为整理盐场第一步工作。登记之后，根据过去三年的平均产量，计算需要多少盐民。制盐要尽先由专门盐民晒制；如人数不敷，再以非专门盐民补充。

整理盐场，是盐务的根本问题，许多年来，盐场整理颇有成绩者，不过一部分，多数从来未经整理，平日无整理而欲调整产盐之量，实为难能之事。不增产无以应付战时之供应，多生产，又恐财力不能支持。故政府对于盐产，必作种种间接的管制，调剂盈虚，统筹支配，以求生产合理化，不放任盐户自由制盐。据盐专卖暂行条例规定：

第九条——盐非政府或非经政府之许可，不得采制，制盐许可规则，由财政部定之。

第十条——制盐人非经政府许可，不得停业。

第十二条——产盐之区域及每年产盐之数量，由政府依全国产销状况及国计上之必要核定之。

第十三条——政府应依前条，核定各区产量，斟酌各盐场及各制盐人之生产能力成本及运输情形，分别规定其应产之数额。

第十四条——政府应令制盐人组织合作团体，集中设备，改良生产。

不仅盐的量要加以调整,即盐的质亦须加以改良,因为改良盐质,对于人民的健康,有很密切之关系;所以不合标准的盐,不应收购或勒令停制。我们已说过,收购问题包括品质问题在内。故第四条规定:盐之品质,视其所含氯化钠之成分,分为下列三等:1.一等盐含有氯化钠90%以上;2.二等盐含有氯化钠85%以上;3.三等盐含有氯化钠70%以上。一等盐所含水分不得超过5%,二等盐所含水分不得超过8%,三等盐不得充作食盐。

如此规定,过去产制上种种弊端,可以消除;搀杂作假等情弊,亦可以阻止。盐虽归民制,然制盐的法权、地区、产额、启停,以及盐之品质,均受政府严密的管制。

七、战时食盐之增产

抗战军兴,集中于沿海一带的产盐区域,如长芦、山东、两淮、两浙、淞江等大盐场,均先后沦陷。这几区的盐产,除供给沦陷地区人民的需要外,亦供内省的消费。沦陷之后,后方的供给量,就不足以抵消费量。故盐专卖上之盐产问题,着重在食盐有无问题,亦即着重在增产问题,幸而四川云南等省,盐源本甚丰富;推进不久,大后方的盐总产额,居然超过盐的消费量,其超过且达五六百万担之多。三十一年盐务总局总办缪秋杰氏,在其对外所发表的谈话中,有"目前全国盐产总额约为2,500万担;今年截至六月底止,已销900万担,预计全国销量为1,800万担"等语,足见每年有五六百万担之盐产过剩,而此"过剩"问题之发生,适值大后方各种物资深感缺乏之时,足见盐专卖之特殊性了。解决的方法,不出于两途:1.将这过剩之盐收储起来,以备盐产短少时之用,但收购储囤,又患资金搁置。

2. 限制盐的产量,但盐产应否限制,亦非一个简单问题。在盐源丰富之四川,盐产固不免有供过于求之患;但在安徽、湖北、湖南、江西、福建、广西、贵州、河南、陕西等地方,仍有食淡之呼声。因有食淡的可能,故有计口授盐的办法。大抵在这几个省份中,每人每月购盐量以8两为准,一年以6斤为准,比较日本每人每年消费30斤,美国每人每年消费100斤,不啻天渊之别。

盐之产运销三部工作愈能配合适当,愈能积极推进,则食盐之"过剩"问题,不免发生,但此亦不足顾虑,因盐之出路,除增加食盐消费外,尚可推广盐的特殊用途,就是它在工业上的用途。我们都知道盐的主要成分,是氯与钠。单提起这两个名称,就不难测知它们在军需工业和普通工业中的重要性。加以氯是重要的消毒素;在公用及卫生事业中,用途极广。他国广泛制造,为众所周知的事实,足见其在国防上之重要性了。除充作工业上直接原料外,盐又是化学反应上的重要媒介物。为促进各种化学上的反应,分化和结合作用,许多化学工业,必需用盐作副料。一旦建国工作开始,非依恃重工业与化学工业不可,因在建设过程中,必有待于代用品之制造,则化学工业为必不可少之基本工业。电分化在化学反应上,是最重要的过程,而盐是电分化上重要媒介品。欲使用盐的工业发达,大量的盐产,是先决条件之一,而在抗战期间,国防与民食军粮,更为重要,故国家对于盐的业务应作一通盘的计划,直接地与间接地加以管制。于是有三十一年专卖制度之产生,其动机当然不仅在增益税收一项。以财政言,固可增加税收;以国防言,应供给军需工业以原料;以经济言,应控制供销,使成为战时一般物价波动的中流砥柱。

八、盐专卖制下之盐价

(一) 场价之核定

专卖有价而无税,因税即寓于价之中,盐价之高低,要看场价之高低而定。故核定场价,成为盐专卖重要问题之一。盖盐价基于场价,而场价是制盐成本与规定利润之和。盐价是场价加仓价、运费及其他必要费用暨专卖利润之和。场价关系供求两方,一方面关系盐民之生计,一方面关系食户之负担。核定过高,于盐民固属有利,不仅其生活容易维持,即政府在战时所顾虑之盐荒,亦不致成为严重问题。但在食户方面,场价过高,盐价亦必随之而高。况中央决定实施限价政策,以盐粮两价为一切物价之标准,借以控制其他物价,因盐与粮均为人民日常生活之必需品,价格之高低,与其他物价有莫大之关系,故对调整物价,限制物价,以盐粮为先锋队。盐价过高,不免刺激其他物价上张。反之,场价核定过低,影响盐民生计,而增产效能亦必减低,致食盐不敷分配,使盐价上腾,对盐民生计,食户负担,均不能兼筹并顾。

但核定场价,并不容易,因各处制法不同,花色攸别,盐质不齐,成本各异。加以沿海产区,与内地产区之物价亦不一律。在这种情形之下,欲确定一个足以为标准之场价,殊非易易。比方沿海产区,制盐成本,不外乎人工,与工具的折旧,再加上天然力量(如日光)就可以制盐。内地井盐产区,于人工之外,又要各种器材与燃料。即以四川自流井为例,当井灶推卤时就要用燃料。机器与钢绳皆从外国运来,所以成本甚高。卤水推上来以后,有火井的盐灶,因可用自然的火力煎煮,否则就非用煤不可,故内地产盐成本比沿海产地高得多。即以内地盐场来说,因各场所用之原料、燃料、制法与产量不同,生产技术亦不一致,故生产成本亦有差异,标准价不易决定,是意中事。因此各地场价应派专员实地严格调查,精密审核,然后根据调查者之报告,将盐之质地分别检验,分为若干等级,以符盐专卖条例之规定。盐专卖条例第十九条规定盐专卖机关在场向制盐人收购之盐价称为场价,由财政部分别等级种类,参照标准成本酌加利润核定。所以分等之后,再计算制盐之成本、材料费、人工费、制备费、修理费、运藏费,加上利润来核定场价。如此核定,盐民之生计,食户之负担,以及政府所需之大量增产,皆能兼筹并顾,对于推行专卖政策,自可获得莫大之帮助。

于此吾人应加以注意的一件事,就是中央欲以盐粮两价为限制物价之先锋队,但所得结果,不能尽如中央之所预期,因为盐粮两价固可领导其他物价,而其他物价之波动,亦可影响盐粮两价,以致生产成本加高。加以运输困难,供求不能平衡,亦足以促成盐价上涨。幸至三十二年止,各地尚未有盐荒情形发生,不然盐价上涨之速度,必驾凌一般物价而上之,因盐为人生日用必需品,并无其他物品可以替代,既无替代,不免被私人操纵故也。

（二）仓价之核定

盐价是根据场价而得。场价不能定之过高,过高加重食户之负担,亦不能定之过低,过低有妨盐民之生计。盐价亦然。政府以盐粮两价为限制物价之先锋队,故盐价定得太高,促成一般物价上涨;定得过低,影响盐专卖对抗战财政之贡献。因此核定盐价之困难,一如场价。三十二年盐专卖利益,经中央核定为14亿元,故对于盐价之核定,无论在民食立场上,或国家财政立场上,即使再有困难，亦必全力以赴，此为盐务机关责无旁贷者。

核定盐价，首须根据专卖法令。盐专卖条例第十九条规定："盐专卖机关在场向制盐人收购之盐价称为场价……。"第二十四条又规定："盐专卖机关，应于各集散处所，设立盐仓，就仓发售。……"又第二十五条规定："盐专卖机关就仓发售之盐价，称为仓价……。"第二十七条规定："……盐斤之销售，得由盐专卖机关自办。"第二十八条规定："各县市之批发盐价及零售价，由政府视其实需成本，酌加利润核定之。——以上各条对于核定盐价有很大关系。我们可以从条文上知道盐价的产生，是由场价而至仓价。仓价之上，再加由仓至各县市之费用，就是实需成本，而实需成本之上，再加利润，就是盐之批发价及零售价，其算式如下：

仓价＝场价＋运费及其它必要费用＋专卖利益

批发价及零售价核定方式如下：

实需成本＝仓价＋由仓至各县市之费用

批发价及零售价＝实需成本＋利润

从以上所列的方式来看，如何核定场价、仓价、实需成本以及批发价、零售价等等，都要依据专卖条例做核定的铁则。但同时亦须顾到客观条件。所谓客观条件，就是实需成本运费，及其他必要费用。所以核定盐价，不仅要根据法令，亦且要调查社会上物价涨落之原因。其与盐价有直接关系者，如粮价、制盐工具、燃料、运输工具、以及工价等，均须调查其变动情形，然后根据这些实际情形作机动的合理之规定。一面向各界宣告，使人民了解盐价变动之必然性，以免其误会，并可减少核定盐价时所受之阻力。一面亦可使中央明白事实症结之所在。中央要盐价显示其为一切物价标准的功用，以为盐价不稳定，势必刺激一般物价上涨。故欲求其他物价不波动,非首先稳定盐价不可。可是一般物价均上涨,只有盐价不涨,亦为事实所不许。

(三) 仓价划一之重要

盐专卖条例已有规定:"盐专卖机关应于各集散处所设立盐仓,就仓发售……。"承办销盐之合作社或食盐公卖店(此项公卖店,是由各县市乡镇之殷实商人组成之,但须经盐务机关之考核,以具备承销食盐条件者为合格,大约以每乡镇一店为原则)可备价向盐务机关领销额盐,再凭证计口零售与民众。在盐务机关,必须先将仓价划一。否则成本轻的盐,虽易于脱销,但不能充分供给市场,而成本重的盐,便无人光顾,演成一方供不应求,他方堆积如山之现象。在此种情形之下,极易受人操纵,引起销市益加停滞,故划一仓价为推行盐专卖政策之必要步骤。先行分区划一,再求每一区划一,逐渐做到全国划一。

但欲划一仓价,就不能划一专卖利益,因为场价各处不同,而仓价又基于场价,则仓价当然也各处不同。欲平仓价,只得在专卖利益上来调整,甲地场价高者,少加专卖利益;乙地场价低者,多加专卖利益(假定甲乙两地之运费及其他必要费用相同)。

九、盐专卖制下之囤储问题

盐民所产之盐,如归盐民自行储存于盐民自建之坨,则盐民究竟产量多少,无从稽考,亦无从统计,或过多,或过少,无法管理。既不能统筹支配,亦不能调剂盈虚,必须将所有盐斤一律归堆,便可集中管理。但堆有公堆私堆之分,公堆是公众建的坨,私堆是盐民自建的坨。政府应在盐场适中地点建筑盐坨,为储盐之用,所有私人所筑的坨,应由政府备价收回,或由政府管理,使盐户所制之盐,悉数归堆,以便统计盐量,而防盐场走私。一面将缉私兵力散布于盐场周围,将走私的情事完全杜绝。吾国沿海的盐场,时有海盗出没,抢掠盐斤,陆路亦有盐枭走私。要防范安全,不仅要注意水路,而且要注意陆路。

盐的储囤,一方面是收盐储藏待沽,另一方面是囤积以备于适当时间,配运配销至各地,故设立盐仓之地点,须择离盐场与配销交通两便之处为合格,对于盐户缴盐和运销盐斤,都予以便利。不然盐民须将盐挑运到远处的地方,一往一返,费时耗力,势必影响到他们的生产工作。至于为保存盐质盐量所置之种种科学设备,更非以牟利为目的之引岸专卖商所愿顾到的。政府对于民制盐斤,这样收购,既可得到正确之数字,亦可减少走私之情弊。进仓进堆之盐,走私颇不容易,而盐户亦不致受到任何刁难。盖储囤既划入专卖机构,则储囤之盐,即为官盐,盐务机关自应随购随给价款,一扫从前专卖商为压低购价,时常故意延购,以图操纵之弊。盐民所最顾虑者,为已制之盐,无法脱手,一旦为生计所迫,易受盐商过分之剥削。盐价被专商压至不能维持生活时,势必铤而走险,发生违法情事。在专卖制之下,盐斤随时交仓,随时得到价款,生活可以维持,违法举动自然减少。故维持盐民生计为整理盐场之主要工作。

十、食盐之零售办法及其利弊

产运销为盐专卖政策之三项重要业务,性质各各不同,解决了产运问题,未必即能把销的问题连带解决了。销虽在程序上为专卖问题之末,但食盐与销费者发生关系之处,便是销的一阶段。专卖政策之成败得失,全系乎此。在商专卖制之下,亦须顾到盐产、盐运、与盐销三个问题,但其最后目的,是在增益税收。一到抗战时期,于财政目的之外,尚须兼顾国防上与经济上的目的。

食盐的批发,是归官办,足以控制批发的盐价,但不能统制零售盐价。过去之专卖,因事属创举,只做到官收而已。至于销售,亦与运输一样,尚不能达到完全官销的程度,于是有邀请各县县政府、党部委员、地方士绅、商人、以及乡镇公所、乡镇长、保甲长,分担盐务机关销售食盐之责任。下列几种,为其最普遍之几项组织:

(一)盐销制——此制之下,有食盐监销委员会,由各县政府、党部财务委员、非营盐业之地方士绅组织之。全县设总会一,分会若干。分会由乡镇公所乡镇长及地方士绅组织之,其办法是按照一定合法手续,由监销总会向盐务机关指定之监仓,整批领取额盐,分发各监销分会,计口售给民众。言其利,则:1.确能革除商人之垄断居奇;2.省却盐务机关不少麻烦。但其弊则远过于其利。举其大者,则有1.将原有之一切不易征收之苛捐杂税,悉数寓于盐价之内扣回,且巧立名目,加征新捐。2.因资金不易筹集,领销额盐,往往不能供应人民大众之需求,致有脱销现象,甚至影响盐务机关"运销配合"之计划。

(二)乡保甲制——此制是建在县的基层组织之上。其办法是由各乡乡长,或乡干事,按月向盐务机关领取全乡额盐,分发各保,由保分发各甲,由甲分发各户。以常理推测,此种制度决不致造成种种弊病。乡保甲长原是本乡本村之人,乡谊所在,决不敢顿起妄念,营私舞弊。乃事实适相反,乡保甲长之贪婪,不亚于商专卖制下之盐商,致有"盐商仅抬价,乡盐则搀杂扣秤"之销。乡长吃保盐,保长吃甲盐,甲长吃户盐,成为普遍的现象,招引全乡人民之反感。专卖制之失败,可预料也。

除以上两种利用党政机构及自治基层组织所实施之销盐办法外,另行招商承销,设立商办公卖店,由殷实商人组织之。专卖条例第二十六条规定:"承办销盐之合作社或商人应经政府许可,停业时亦同。"但为防止商人之垄断居奇,保甲长之居间谋利,亦设立官销所,又在商人或保甲长不能负责零销之地域,亦可设立官销所。大抵由盐务机关训练大批官销人员,分派各县设立之。所以盐专卖条例第二十七条规定:"盐之销售,得由盐专卖机关自办",留下官销余地。盐务总局为此,先后在重要地点陆续设立所谓官盐场和公卖店。据盐务总办称:"官盐场系就国内各盐斤集散地设立之(三十一年),全国已达304处。此外并增设公卖店,三十一年全国已达11,000余所,计划拟以全国各保各乡,各有一公卖店为目的。"

(三) 商人公卖店

由商人组织之商办公卖店,类似官盐子店,每月向盐务机关领销额盐,再凭证计口零售给人民。至于零售价格,亦由盐务机关核定。每一市担之零售价格,以仓价、运费、沿途规耗、业务费用、及利润构成之。商办公卖店之制度,利弊互见。言其利,则有:1. 政府减少麻烦,在销售业务上,竟办到就仓趸售为度,对于零售业务,竟居于监督管理的地位;2. 可避免保甲制层层剥削之弊。言其弊,则有:

1. 价领食盐,有少数公卖店,不能如期零售与民众,而月终余盐(少数民户不克如期购领额盐),亦未能展期补发,可能将余盐另作黑市销售。

2.商人每以牟利为目的,苟承销食盐,因天气关系或特殊情形而损耗盐斤,超过规耗过巨,且政府所给利润不能弥补时,可能有搀杂和短秤事实发生。

3.一切售盐账簿,未合会计手续,盐务机关派员查核时,感无账可查之苦。

4.依照社会习惯,地方殷实商人(尤以离县市远者),多具有相当势力,可能与当地保甲长交接,狼狈为奸,而成保甲制之变形。①

(四)官销所

为消灭商人公卖店之垄断居奇,保甲长之居间谋利或特殊情形下,非商人及保甲长所能负责之地域,乃促成官销所之产生。各县设立官销总所一,分支所若干。总所负业务行政之责,分支所负直接零售之责。言此制之利弊,仍是利少害多。

(甲)在利的方面

(子)按期售盐,民众无食盐脱节之弊。

(丑)售价平允,无刺激物价上涨之弊。

(寅)直接售与民众,无保甲长居间谋利之弊。

(卯)甲月份食盐发售,如超过一月期限时,于乙月份仍有一星期或十天补发食盐时间,可使民众从容筹措食盐价款,不致有向隅之叹,达到真正便民主旨。

(乙)在害的方面

(子)遍地盐官,开支太大。

---

① 杨兴勤著:《中国战时盐务问题》初版第75至76页。

（丑）所需人员太多，罗集不易，若施以相当业务训练，为时间所不许，而费用亦不赀。

（寅）盐务资金搁浅，影响官收官运。

（卯）地方治安可虑，官销分支所盐斤保管，税本安全，在在堪虞。

（辰）官销人员良莠不齐，可能酿成利益上不在于国，下不在于民，而中饱一班盐官。①

十一、盐税的分析与食盐负担之重

自盐专卖政策实施以后，食盐的制运销三层业务，已成一种国营事业，自应遵照孙中山先生之遗教，以食盐无税之政策为目标，且一般学者均认盐税为恶税，不应继续征收。即因抵补方法，尚未觅得，一时不能裁撤，亦当实行低税政策，参酌各地情形，分期分级逐步低减，以至于最低限度。在抗战初期，盐政当局以民食重于税收，颇有一翻改革，打破专商引岸制，实行计口授盐。七八年来，后方食盐无虞匮乏，实为此项增产政策之结果。但财政当局仍以为盐务对于国家财政上之负担，比较重要，不愿放弃以财政政策为前提的措施。虽云所行之政策，无非实行"寓税于价"。所谓税，在专卖制度之下，不过是专卖利益之收入，当无其他盐税之科目，借以清醒众人之耳目。盐政当局虽悬此为鹄的，曾积极推行，无如军兴以来，支应浩繁，财用益艰，故自三十年以迄于今兹，仍不能摆脱财政政策之支配，食盐税率，递次增加，并国军副食费，亦包括于其

---

① 杨兴勤著：《中国战时盐务问题》初版，第74页。

中,其数约当正税之十倍,而食盐附税约当正税之60倍。试以三十四年四月二十三日加价后之食盐调整仓价为例,所有议价盐(销于重庆市区以外)及限价盐(销于重庆市区),仓价组合情形有如后表(单位100市斤)。①

征　别	议价盐	限价盐
盐税	110.00	100.00
国军副食费	1,000.00	1,000.00
战时附税	6,000.00	6,000.00
收回盐本运杂各费	7,844.00	1,865.50
兵险费	3.00	3.00
专卖管理费	300.00	50.00
偿本费	25.00	14.00
整理费	2.00	2.00
差价补偿专款	3.00	3.00
公益费	5.00	5.00
井灶保险专款	2.00	2.00
防空捐	1.50	1.50
盐井河工程建设费	4.00	4.00
合　计	15,300.00	9,050.00

以上一表,还是计算仓价的例子。若夫零售价,须于仓价之外,再加上运费、折耗、号缴、及利润四项。运费当然视路途之远近而定,折耗以仓价与运费之和4%为准,号缴以仓价与运费之和6%为准,利润则以仓价与运费之和5%为准。如是零售价必在仓价之上。以上表之首三项合计,就等于限价盐总仓价77%以上,

---

① 王逢辛著:《论中国之盐税政策》,财政评论第十三卷第六期。

等于议价盐总仓价50%以上。此一实例,足以证明我国食盐负担之重,影响细民生计不浅。欲办到食盐无税政策,以求符合中山先生遗教,不知何年何月。

十二、从专卖而到自由买卖——就场征税

在过去盐税组成分子异常复杂,于正税之上又附加了中央附税,地方附税,外债附税,盐场整理费,建设事业专税,公益费,省府加价,营运借款债本费。附税科目之多,不胜枚举。专卖开始之后,即废除之,改征固定利益与不固定利益,三十二年又合并改称专卖利益。专卖利益之固定部分指正税,不固定部分指附税。我们在上面已指出专卖制下食盐之负担,并没有减轻,反有变本加厉之感。胜利以后,战争结束,而复员开始,因专卖成绩欠佳,弊端层出不穷,又于三十四年恢复就场征税制度,仍由营业系之专卖回到赋税系之就场征税。故专卖利益仍改称盐税,附征专款,则有偿本费、盐场建设费、及盐工福利费三种。供销于近场地区的盐,就场征税,一税之后,听任在指定区域以内自由销售。供销于其他较远销地的盐,就仓征税,一税之后,指运据点投验,换发销盐单照,在指定区域以内,自由销售。当前的方针,是一面要确保军糈民食,一面又要充裕国库收入,这是盐税政策的双重使命,故不得不于自由制度之中,稍寓管制之意,以适应时代的背景。

因制盐之成本各处不同,(例如淮北与淮南,成本大异,)所以均税与平价不能并存。欲均税即不能平价,欲平价即不能均税。如在战前盐之成本贵者,百斤须五角;成本贱者,百斤只须2角。倘实行均税,一律增税2元,则5角之盐的售价,至少为2元5角,

而2角之盐的售价至少为2元2角,税同而价不平矣。反之,倘欲平价,则5角者征税2元,2角者就须征税2元3角,价平而税不均矣。原来盐产于盐场,就场按担稽征重量税,但近场的地区,容易走私,故利用差别税率,在近场的地区,轻其税率以防走私;较远的地区,高其税率以裕税收。用意甚好,不料行之日久,弊窦丛生;税率日趋于复杂,一也。又以税率轻重不一,轻税区的盐,容易侵入高税地区,二也。税率高低不一,违反了赋税公平原则,且与新盐法的精神,亦相抵触,遂于三十六年八月放弃差别税率,代以全国划一的税率。

在抗战期间,因物价高涨,盐税在盐价之中,变了一个无足轻重的因素,国库受损而商人得益,且仓户亦得不到实惠。于是斟酌损益,曾一度改行从价的产销税以调整之。迨三十一年旅行专卖制,改盐税为盐价,寓税于价。抗战胜利,复员开始,又从专卖而改为自由买卖,就场就仓征收划一的从量税,复把税核入仓价,配一担盐,收一担税,仍可说是寓税于价。按公库法的规定,税款应由纳税人径缴国库,但没有国库的地方,只得缴由各地盐务分支机关代收,当日分别解库。不过为维护渔业和农业的发展,渔农盐的税率,从轻订定;为促进用盐工业的发达,工业用盐,免征盐税。

第四章　货物税

三十五年八月颁货物税条例,从广义言之,凡课于货物之税,均可谓之货物税,其种类包括至广。就我国现时中央税目而论,海关之进出口税、盐税、货物统税、矿产税、土烟酒税,均属之。惟狭义言之,则仅指我国现货物税机构经征之货物统税、矿产税、及土烟酒税三类,而今日一般所知之货物税就是狭义之货物税而已。货物税条例明列卷烟、薰烟叶、糖类、火柴、洋酒、啤酒、棉纱、麦粉、水泥、茶叶、皮毛、锡箔、及迷信用纸、饮料品、化妆品十三项,一律按照税率从价征收。矿产税以矿业法及矿产税条例为依据,税目分三类:一为铁、煤、炭、煤气、石油五项税;二为石膏、滑石、明矾、磁土、火黏土、天然硷、铜、锡八项税;三为其他矿产品税。土烟酒税以国产烟酒类税条例为依据,税目有土烟叶税、土烟丝税、土烟酒税三项。

一、统税之来历种类及推广

我国的货物税,大别之,原分关税与统税两大系统。关税是就外货进国境或国货出国境时征课之,而统税是就国内大宗消费货物于产地征课之。国人平日所称之货物税,系指统税、烟酒税、矿产税而言。但以课税制度言,三种货物税,都依照统税原则办理,并无两致。三十二年征收统税者计有12种。原有卷烟、棉纱、火柴、水泥、麦粉、啤酒、洋酒、薰烟叶、火酒、饮料品、糖类11种。自卷烟、薰烟叶、糖类、火柴于三十一年实施专卖后,陆续举办茶类、竹木、毛皮、陶瓷、纸箔统税计12种,而烟酒、矿产两税,尚未划入统税范围,但已依照统税原则逐步整理。因为烟酒产销,异常散漫,矿税向由地方把持,情形繁复,只得采取逐步整理的办法。故在战前烟酒、矿产两税在整个货物税收入上,不及统税地位之重要。

溯统税制度,自试办卷烟统税开始,其时内地货物税,尚在厘金时代,十里一关,二十里一卡,节节抽税,病商害民,久为中外所诟病。故先办卷烟统税以为裁厘之第一着。故统税是抵补厘金而创办的内地货物税。社会人士鉴于当时厘金之苛扰重征,妨碍国民经济之发展,督促政府实行就厂一次征收。所以名之为统税者,示统一所有一切货物税捐,代之以一物一税之内地税制之意。例如出厂卷烟,一税之后,通行无阻,商民称便,税收亦逐年激增。因之政府认定统税为适合国情的新税制。二十年实行裁厘,当即推广统税范围,举办棉纱、火柴、水泥统税,原有麦粉税亦改为统税,连同先办之卷烟统税,计共五项,因有五项统税之称,与关、盐两税鼎足而立,同为国库收入大宗。故统税制度之确立与厘金之裁撤,是有连带关系的。不过统税征收对象,在战前都属机制品,而我国新工业的发展,向系集中沿海沿江一带通商口岸,尤以沪、汉、青、津为工厂荟萃之区,因之统税税源,也集中于几个口岸。自沿海各大都市先后沦陷,统税税源,遭受重大损失,不得不在后方选择大宗产销货品,举办新统税。于是在二十九年,改汽水税为饮料品统税,并开征糖类统税。三十一年举办茶类统税,征收范围逐渐扩大，收入亦年有巨额增加。是年复调查各省大宗产销货品,以竹木、皮毛、瓷陶、纸箔八项货品,或有制造厂所,或有集中产区,便于征收统税,故将此八项货品亦列入统税范围之内。

自三十二年一月起,棉纱、麦粉二项统税改征实物。在政府,以为其余完纳统税之货品,于必要时,亦可按照成例,临时改征实物,借以加强管制,把握物资。

二、统税之性质与征收统税之原则

兹将统税之性质及征收原则,述之如下：

(一) 统税之性质

统税有下列几种特性：

(甲) 统税是出厂税,应于货物出厂时课征之。凡存在厂栈之货物,尚未运出者,不得课征。

(乙) 统税以一物一税为原则,不得对货物重复课税。

(丙) 统税系内地税。凡国外输入之统税货物,在国内销售者,应与国制品同样纳税。其已完统税之货物,运往国外时,准予退税。因为统税系属内地货物税,故为维护弱小国产起见,凡国外输入之竹、木、皮毛、瓷陶、纸箔,除缴纳关税外,仍应由商人缴纳统税。是在国内,市场行销之同一货物,舶来品尚有关税之负担,而国产品则无需缴纳关税也。货品中,有几种是我国重要输出品。我国一方面固然要保护国产,同时还得要奖励输出,以加强我国对外贸易。故已完纳统税之货品,运销国外时,准由商人检齐凭证,送请税务署核明,退还原征税款。

(二) 课征统税之原则

(甲) 统税应定为国家收入,地方不得重征截税。

(乙) 征收统税货物,须由法令明定,并以大宗消费品便于课源者为限。

(丙) 已完统税货物,遇有重征,应予退税,以确立一物一税之制度。

(丁) 统税货物,全国采用同一税率,以免负担不均。

(戊) 中外商人,一律平等待遇。

三、统税应多设级数

统税是消费税,而消费税的目的物,是奢侈品和生活日用品两种货物。卷烟是奢侈品,棉纱是日用必需品。卷烟统税开始于民国十七年一月,税率分七级,同年十二月加税。十九年改七级税制为三级税制,二十年二月制定新三级税制,实行加税;二十一年三月制定卷烟统税,改行二级制度,修正过渡办法,又由三级统制,改为二级统制。二十二年十二月又有改变。就华商利益论,级数分得愈多,负担愈轻,因为华烟多为低级烟,洋烟多为上级烟。级数划分愈少,上级烟负担愈轻。二十六年四月又改为四级,税率以百元为起点,采几何级数的累进。卷烟是奢侈品,似应多分等级。下级卷烟是平民所消耗,税率宜极轻;上级烟则宜急剧地重税,使富人的负担加重。

民国二十年一月制定棉纱、火柴、水泥统税条例,棉纱统税税率极不合理,仅分粗细两级,未免过于简略,不能适应人民的负担能力。纱之粗细,以支数而分;支数愈多,价格愈昂"支数愈少,价格愈贱。若同一级中,支数多者与支数少者,纳同等的税,显然违背公平的原则,并不合乎消费税应多分等级的原则。二十六年六月改两级为四级;因华纱比洋纱粗,所以四级税可以稍减华商的负担。

四、货物税制之改进与演变

所谓货物税,通常是指统税、烟酒税、矿产税三项而言。兹将改进情形分别述之于后:

(一)征收税率改从量为从价——在抗战以前,货物税税率,除洋酒从价抽30%以外,其余如统税范围内之卷烟、棉纱、火柴、水泥、麦粉、薰烟叶、啤酒、火酒、汽水等,烟酒税中之土烟叶特税与土酒定额税,莫不为从量征收者。但矿产税自始即采用从价征收制。大抵在物价稳定之时,采用从量税,简便易行,而在通货膨胀,物价变动剧烈之时,若继续采用从量税率,税收上必蒙重大之损失。故为平均负担,增加税收计,于三十年七月,一律改从量为从价税率。但于订定税率时,仍有寓禁于征之意。故奢侈消费品税率,比前增加,如卷烟税率由66.7%增至80%,洋酒、啤酒由30%增至60%是。普通消费品税率,则没有增减,如火柴、水泥等项税率,即系根据战前从量税率与当时市价之百分比而定。至于日用消费品税率,则较战前稍稍减低,如棉纱由5%减至3.5%,麦粉由5%减至2.5%是。

(二)改办专卖及征收实物以控制物资——开征货物统税,以卷烟统税之成绩为最佳,糖类统税次之。至三十年春国民党五届八中全会决议,为适应战时需要,举办消费品专卖制度,规定先就盐、糖、茶、酒、烟类、火柴六种物品试办。到三十一年度起,除茶酒二项,暂缓专卖外,其余盐、糖、烟类、火柴四项已正式举办专卖。此种租税政策,固为库收着想,但亦注重调剂社会供求,使日用消费品之价格平稳,获得合理分配。四项专卖物品中,盐专卖系由盐税改办而来,其余卷烟、熏烟叶、糖类、火柴四种统税,不复征收,其税额包括于专卖价格之中。为扩充统税范围计,自三十一年四月起,将缓办专卖之茶类,先行举办统税,并自同年七月起,将棉纱、麦粉二项统税改为实物征收,以应战时之需要,并加强控制物资之力量。三十二年三月开征竹木、皮毛、瓷陶、纸箔统税。三十三年七月糖类复由专卖改办统税征实,并将烟类及火柴由专卖恢复改征统税。三十四年一月为简化稽征,取消竹木、瓷陶、纸箔、火酒、饮料品等九项统税;同年九月糖类棉纱征实取消,仍照规定税率从价回征法币。

五、统税与战时消费税之关系

在抗战期间,各省财政困难,竞征货物通过税,名目不一,实质尽同,流弊所及,粤、桂、湘、赣、闽、浙、陕、甘、宁、青、苏、皖等十二省,年征税额共达7,600万元(战前币值),以"省自为政,节节重征,步步查验,造成国内经济壁垒,阻碍货物流通,促成物价高涨,妨碍生产建设,影响抗战前途,至深且巨。"故三十年第三次全国财政会议取消省级财政,纳省财政于国家财政之中,省不复有单独征税之权,遂乘机取消各省之货物税。为划一征收起见,改行全国统一之战时消费税,以为因时制宜之计。自此以后,把各省名目繁多、办法分歧之种种税捐,如消费税、饷捐、专税、特种营业税等等悉数废止。此后一征之后,不再重征,既可以减少国民经济负担,复可以维护国地税制之合理性,不仅充裕收入已也。

不特此也,战时生活最重节约,而获得暴利之富人,其生活之豪奢,或者甚于平时,其消费能力之加强,足以表示其富力之增大与所得之增高。现既不能以所得税及过分利得税捕得其所得,似可举办战时消费税,重课奢侈品及高级便利品,以捕捉此辈暴发户之所得。例如银耳一物为豪富所嗜,但自其生产以至于消费,并无何等租税负担。类于是者,不一而足。揆以有钱出钱钱多多出之原则,殊欠公允。开征战时消费税,即向有纳税能力的人征收其应纳未纳的税,一以弥补税制中之罅隙,一以完成健全之税制。漏洞既杜塞,主要奢侈消费品难以幸逃,国库充实,负担公平。不过一面仍本着推广统税范围的既定方针,就战时消费税征收税目中,择其便于征收统税者,陆续改办统税,其理由有二:

(一)统税是货物出厂税及货物出产税性质。就制造厂所或产区市场,核定征收,易于控制税源,防止私漏,而商品一税之后,通行无阻,尤符便民之旨。故自二十年实行裁厘后,推广统税范围,已成重要决策,即在战后,亦应依照既定方针,努力推进,以发展善良税制,巩固财政基础。

(二)战时消费税之举办,原为接收省税后的一种统一征收办法。因其品目繁多,而且产制散漫,所以不得不就国内交通据点征课,以免苛扰。但此种课税方法,不能控制全部税源,易启商民逃避绕越,发生负担不均之弊。且在运程中征收,稍有不慎,即可影响商品流通。所以这种征收方法,虽为整个消费税制中所不可少,究非十分完善的制度,故仍以尽量改办统税为宜。

根据上述两种理由,统税与战时消费税二者,应按其税制性质,划分领域。凡大宗产销货品,有制造厂所,或集中产区者,以举办统税为宜。至零星产销货品,不能征收统税者,即就交通据点,征课战时消费税。这两种税制,需要密切合作,善加运用。在民国三十四年以前,竹木、皮毛、瓷陶、纸箔八项货品所以改办统税者,或因有制造厂所,或因有集中产区,均便于征收统税之故。又如薰烟是美国种,规定在山东、河南、安徽三省种植。种区既定,易于控制,故于二十一年由烟酒税中划出改办统税。但烟酒则不能办统税,因为我国私人往往在家庭中自制烟酒,以备自己之用,并非为交换之物品,故不能派员驻厂就场征课。因而在过去,税款收入最多只有一半,其他一半,乃由走私消失。故烟酒不能办统税,只能采取烟酒公卖,划一税率,通行全国(公卖详专卖一章)。

六、征收统税之方法

统税货品,有系新式机制者,有系旧式手工业制造者,亦有农林产品。征收统税之方法有三:

(一)机制品有规模较大之工厂,产量较大者,即用驻厂征收方法,由主管税务机关派员驻在厂内;厂商将成品出厂运销时,报由驻厂员照章征收。

(二)旧式工业或农林产品,大多有若干个集中产区,如川省梁山、铜梁、夹江等县所产之纸,如嘉陵江、岷江、赤水河、乌江一带所产之竹木,均有集中市场,就用驻场征收方法,由主管税务机关派员驻场,商人将货品离场运售时,报由驻场员照章缴税。

(三)产品较少之各场厂,不便派员驻征者,由商人报由该管税务机关征收。

七、货物税何以采出厂税与出产税的形式？

统税所以名为统税者，用以昭示统一所有一切货物税捐，代之以一物一税之意。但何以货物税要采用出厂税或出产税的形式？推厥原因，不外乎下列几端：

货物税是消费税，可用种种方式征收之：1. 于货物出产之时征课者，为货物出产税；2. 于货物达到销场时征课者，为落地税，或销场税；3. 出产税与销场税并征者，为产销税；4. 于货物之运送中征收者，为货物通过税；5. 于货物之交易时征收者，为货物贩卖税，或货物销售税。形式虽不同，而目的则一，无非欲将租税负担移转于消费者。我国之货物税，采出厂税或出产税形式，因为：

（一）若采用落地税或销场税，则管制稍疏，偷漏至易；稽查稍严，商民不堪苛扰。况一物不免落地二次，则重复课税，又不易避免，故货物税不宜采此形式。但自国外输入之大量消费品而为本国人民所需者，于其入境之时，可以比照出厂或出产税率，课以同等之销场税。

（二）若采产销税形式，显犯重复课征之弊，不可为之。

（三）若采通过税形式，则有四不可：(甲)阻碍货物流通。过去之厘金即生此弊，已为举国人士所深恶痛绝，安得使之重现？(乙)缉私难密。若于冲要之区，重重设卡，则间道四出，走漏极易；若严密侦缉，费用太大，深恐得不偿失。(丙)征收人员容易敲诈苛索。货物过境，查验估课，手续繁重，予征收人员以上下其手之机会，借故滞留，得贿至易；深以病民，无以裕国。(丁)重复课税。征收通过税,最易重复课税,每过一卡,复征一次。总而言之,凡昔日厘金之一切弊病,货物通过税尽有之,所以此税必不可行也。

(四)若采用贩卖税或销售税,亦有三不可:(甲)今日我国营业税之征课标准,大抵采营业总额,即以销货之总价值为标准。若货物税亦采销售税形式,亦必以销货价值为标准,势必与营业税陷于重复课税之弊。(乙)抬高物价。依理货物于最后由消费者购入时始课以税,方可避免重复;但事实上,其用于制造之原料,是否用于直接消费,常不易判明,于是不得不将各商店所售之物,无论制品、半制品或原料,皆一律课税,而无例外。故货物自出产以至于最后消费,每经过一个阶段,即重课一次,物价因以提高,物资供需愈益失调。(丙)稽查不易。施行销售税,必须查明销货数额,但各商店多没有完整记录,多没有可以公开之账簿,全靠稽查人员之暗中摸索,殊难得其真相,所以逃税与漏税,比比皆是也。

因以上种种原因,货物税不得不采用出厂税与出产税形式,其利如下:

1. 便于征课,不易偷漏——如课税之对象为制造品,则可施行出厂税,即税讫出厂之意。如对象为某地区大量产物,极易施行就场征税制,就其产区,先加统制,后再征税,可以杜绝偷漏。至于进口物品,于其入境时,当课以同等之税,似属于销场税性质,可视同出厂税或出产税之例外。

2. 无重复征税之可能——货物税既是就厂或就地一次征足,一税之后,任其所之,极少有重征之可能。

3. 进货成本及其利润,皆得正确核计——税款既已一次征足,不再重征,则税额有定,核算产品或制品成本,不致缺乏把握,营业之盈亏,亦可以预计,所以采这种形式的货物税,不致妨害商人之营业也。

4.重税奢侈品,轻税日用品——税负加于富人者重,加于平民者轻,使贫富之负担趋于平衡。

八、货物税如何计算

统税在过去是独成一门,现在则包括于货物税之内。统税原是出厂税或出产税,且一次征收后不再重征,而税额之多少,全视完税价格如何而定。完税应以出厂或出产价格为完税标准。但事实上欲调查出厂或出产价格,不易准确,只得以批价按照公式推求其出厂或出产价格作为完税价格。所谓批价,就是批发价格。按货物税条例的规定,系以课征货物税之货物出产地附近市场每三个月平均之批发价格为根据。原则上每隔三个月评定一次,每年一至三月为第一期,四至六月为第二期,七至九月为第三期,十至十二月为第四期。惟价格变动之范围到达四分之一时,得随时调整,由上期平均批价计算下期完税价格。其计算之公式如下:

出产地附近平均批价:

完税价格::〔100+该货税率之数+10(或15):100〕

以上应先加以解释并说明。原来出厂税或出产税只课于出厂或出产价格,其中并未包括政府所征之税与自厂或产地至市场之运输费用。但税务人员所知者是市场批发价格,而批发价格之内含有税款与运费。然税上不应加税,运货费用亦然。所以一定要将这两个因素从批价中抽去,方得其完税价格。因此平均批价实包括下列三个因素:

(一)完税价格。

(二)原纳货物税之数——系完税价格,依照货物税条例第四条之规定,核实征收。

(三)运费——货物税货物由制造场所或产地运送附近市场所需费用。因(二)(三)两个因素本不在出厂或出产价格范围以内,故必须抽去。但运费因产地距离附近市场之远近而异,加以内地交通不便,运输又有种种困难。为便利计算起见,特定为完税价格的10%。(矿产税定为5%至10%,国产烟酒税定为15%。)故次期完税价格,为上期市场平均批发价格,减除上期原纳货物税及由产地至附近市场所需运费之差。原纳货物税款即该项货物完税价格乘以税率,因此可得下列方式:

完税价格 = 平均批价 − (完税价格 × 税率) − (完税价格 × $\frac{10 \text{ 或 } 15}{100}$)

欲抽(二)(三)二项因素,可以利用百分数。将(一)项完税价格定为100,则(二)项必为该货物之货物税率,(三)项为十或十五。可知产地附近市场平均批发价格,应为(100 + 该货税率之数 + 10 或 15)。故产地附近之平均批价与完税价格之关系,可用以上之比例公式求得之,应为

产地附近市场之平均批发价格∶

完税价格∶∶〔100 + 该货税率之数 + 10 或 15〕∶100

即得   完税价格 = $\frac{\text{产地附近市场之平均批价} \times 100}{100 + \text{该货税率之数} + 10 \text{ 或 } 15}$

例如今年一二三月杭州之绍兴酒平均批价为每坛94,000元,税率为80%,运费为15%,则

$$绍兴酒之完税价格 = \frac{94,000 \times 100}{100+80+15} = \frac{9,400,000}{195} = 48,200 元$$

如是杭州之绍兴酒,每坛平均批价,为94,000元,即推定其出产价格为48,200元,应纳税款为38,560元。这样推算是否准确,颇成问题。盖完税价格之评定修订等事项,由主管全国货物税的税务署设置评价委员会办理。依照评价规则,完税价格每三个月评定一次,由评价委员会,根据各区上期各月批价平均计算下期完税价格。所以四、五、六、三个月的一期之绍兴酒完税价格(48,000元),是以上期一、二、三、三个月之杭州绍酒平均批发价格每坛94,000元为计算根据。

货物税原系从量征收的,后以物价腾涨甚速,为充实国库,遂改从量征收为从价征收。不过从价征收,因评价的资料,调查困难,且不易准确,手续异常繁琐,远不如从量征收时只须按照课税货品单位的重量或数量征收手续之简便。但非至通货整理经济安定时,不能恢复从量征税的办法。

九、举办新税之困难

国民党二中全会通过经济复员紧急措施办法之第一要点,为开辟新税源以增国库收入。其所谓新税源,计分三项:(一)举办财产税;(二)征收交易所税及交易税;(三)举办特种过分利得税。此方案既经行政院长提出,二中全会通过,党政双方皆欲其见诸实施,自无问题。惟怀疑其有实行之可能者,颇不乏人。其持论之点,则以吾国解决各种问题之原则,往往不难提出,所难者为具体的办法。其因办法难周,致原则落空者,不知凡几。方案中虽对举办财产税提供办法,但不易实行。例如举办财产税举出办法两项:(一)举办财产总登记,无论动产不动产,均限期据实申报,以累进制征收一次财产税,以增收入而平负担;(二)为使前项执行有效,即办理户籍登记,并修正使用姓名限制条例,如违反条例之规定者,不保障其产权,得予以严罚。然财产登记最难办理,户籍登记更难于咄嗟之间完成。有此两种困难,财产税焉能于经济复员期内举办呢?现在甚嚣尘上之建国特捐,一变而为救济特捐,鼓吹年余,尚未捐得分文,可为证明。特种过分利得税是由非常时期过分利得税蜕变而来,现已取消。

有几位学者以为就中央税与地方税整个的税制而言,应以简单为唯一原则,换言之,即就现有税源,加以彻底的整理,其收入不难倍增,毋须另辟新税源,徒增重人民之苛扰与负担,而无补于实际。西儒言财政之策,应以养鸡取蛋主义为原则,吾国历代亦以横征暴敛悬为厉禁。故他们深信自整个税制讲,中央租税,虽其中不无缺点,但因各种直接税之兴起,将来亦可渐成为一富有弹性之税制。至于地方税,有此大规模之中央税制,自应以简单为原则,而辅之以富有调剂性之补助金制度,则整个税制,不难踏入完备良善之境地。

十、举办新税不如整顿旧税与扩大旧税（以统税为例）

战时筹划收入,以增税政策较为妥善。美国开战不及一年,即采取激进之增税政策。我国抗战八年之久,因沿江沿海富庶区域,大部沦陷,原有税收剧减,而增办新税,又以人民对于纳税观念,多未养成，因此新税政策，未获有效实施，只得就整顿旧税加以努力。譬如自抗战以来，政府所举办之新货物税，除糖税一项外，其他非特无益于税收，反而徒增苛扰。政府立法之原意不为不善，无如执行者之阳奉阴违，往往曲解法令，任意需索，致商民载怨，货运维艰。故政府被迫不得不立将此项苛扰税制予以裁废，表面上借示利商便民，促进生产之意。且此项苛扰税制裁废后，既于国库无损，反使政府得以其余力整顿旧税，其效果自较举办新税为大。盖旧税之中，除机制卷烟、火柴、糖类、棉纱等统税易于控制，漏税极少外，其他手工卷烟、火柴、土制糖类等统税，以及烟酒矿产各税，无不因其产制零星散漫，控制不易，致漏卮之大，难以估计。后将此数项税收彻底整顿，严密控制，非特避免苛扰，且较举办新税，收效甚宏。例如土烟一项，酿户分布城乡，散漫零星，税务机关人员有限，稽察难周。三十一年实行认额摊缴办法，责令各地酒业公会查明酿户数量，认定税额，分月摊缴，以养成酒商自动纳税之习惯。今日已多由税务机关径行办理，一面限制酒商最低产量，全年不得少于24,000斤，无论新旧酿户，一律重行登记，不及标准者，限期由二家或二家以上酿户合并制造，否则不准营业，以期将酒类酿造渐趋集中，便于管理。如此整理之后，若提高税率，定于税收有利。我们在"我国赋税体系"一章中，已说过先进国家之所得税富有弹性；我国则反是，中国所得税之弹性，远不及烟酒奢侈品税，税收随着税率而增加。三十三年九月国府公布修正国产烟酒类税条例，提高税率，烟丝税从价征收20%，烟叶税从价征收40%，酒税从价征收60%，税收上大有起色。

整顿旧税，固比举办新税，收效较宏，即扩大旧税，亦可循老路推进，不必另辟新路，收效当然比较容易。

自抗战发生以后,因统税税源,大部集中于少数沿海口岸,当然不免受战事之影响,收入锐减。自后中央乃积极奖励后方生产,以培养税源,并迭经扩充统税范围以裕税收。计自二十七年十月起,凡后方各省以土烟叶制成之土雪茄烟,亦照雪茄烟统税税率,征收统税。至二十八年五月间,又以后方各省手工卷烟日盛,财政部亦令饬加征统税。汽水一项,至二十九年七月改征饮料品统税;除原有汽水外,并加征果子露及蒸馏水等项。二十九年十二月,以糖类为日用必需品,销量既多,产区亦比较集中,实为良好统税税源,亦明令举办糖类统税。经三十年试征结果,糖类统税征收成绩最佳,占十一种统税之第二位,仅次于卷烟统税。至三十年春五届八中全会决议,为适应战时需要,举办消费品专卖制度,规定先就盐、糖、茶、酒、烟类、火柴六种物品试办。自三十一年度起,除茶酒两项暂缓专卖外,其余盐、糖、烟类、火柴四项已正式举办专卖,于是卷烟、薰烟叶、糖类、火柴四种统税,因寓税于专卖价格之中,不复征收。为使统税范围再度扩充计,于三十一年四月,将缓办专卖之茶类,先行举办统税。

十一、举办新税应考虑的各点

(一)新税之能否施行,须视税之可能性如何而定。各国情形不同,其能行于甲国者,未必能行于乙国;其成功于乙国者,往往失败于丙国。故在国际间,一税之能否设置与施行,并无普遍一致之规律,因其与国民性格有密切之关系也。举例言之,德国国民富于国家观念,有坚强的忍耐能力。凡征收官吏有所查询与诘难,均能忍受,不但旧税之累进制,易于推行,即新税亦不难举办。法国人民则性格完全不同,尚自由,好享乐,不喜受拘束,不愿加负担,推行新税,异常困难。不但新税之推行,关系于国民性格甚大,即逃税现象,亦与国民性密切相关。英国国民以纳税为荣,其用各种方法逃避不纳者,人皆羞与为伍,故逃税现象不常发生。法国人则不然,往往假借名义以取巧逃税者,视为惯常,民性使然,无可奈何也。

（二）且举办一种新税之前,必有一种估计与调查的工作,并需要有技术有经验的员司。从前财政部直接税署开办训练班,招收大学毕业生集中训练,分发各局担任要职,即是一例。最重要的,估计调查,需时甚久;若敷衍了事,所得无几,不值一试。最好的例子,是三十二年开征的财产租赁出卖所得税,事前曾作广泛而详确的调查,才选定八项财产为课税的对象,而所课之税,仅限于租赁和出卖所得。在手续方面亦极简单——尽量采用源泉扣缴法。但所得结果,不能如所预期,离开标准太远,则调查更形棘手,征收手续更繁重之新税,其成败不难想像了。

（三）举办新税,尤须顾到国民的传统思想与传统观念。我国历代都以"轻徭薄敛"为朝廷之仁政,孟子谓聚敛之臣,莫如盗臣,故能聚敛者竟成国民的罪人。这种说法,递演至今,遂于不知不觉中形成一种少纳税之风气。今日社会上知名之士,对于现行税制,颇多怀疑,甚且表示不满。他们竟有以单一税来替代现行繁复税制的荒谬不伦的主张。足见古老的传统思想,深印在他们的脑海中,莫怪一种新税甫经提出,反对之声浪四起。故论者以为与其创办新税来煞费周章,毋宁就原有税制加以整理,比较直截了当。

（四）举办新税,除注意到人民的国家观念,课税对象的估计与调查工作,与夫人民的传统思想之外,尚须考虑这种新税,于整个赋税体系发生什么影响。例如契税,无论是卖九典六,或卖六典三,终觉得税率太高,不但契税税收短绌,且影响及于推收。既不验契,何必再办推收。结果并地籍整理亦受阻碍了。

(五)新税之能否推行,亦须视政府之行政效率如何以为断。行政效率如不甚强,施行起来,定有种种困难,而反对方面之舆论,亦不能不加以相当的估计。最好的例子,是我国已实施十年之久的分类所得税。以理论言,分类所得税之扩大,为举办综合所得税之准备。今日正宜开征综合所得税,以符合优良理想之对人税制。但事实上,征收分类所得税,尚有窒碍难行之处,故于三年前,不得不迁就事实而实行所谓"简化稽征",不啻摊派之变相,形成直接税间接化之恶结果,不亦行政效率低落政治日趋腐化之明证乎?以如此低能之行政,尚欲举办更高级更合理想之综合所得税,不亦缘木而求鱼乎?从前奥地利、瑞士等国曾施行综合所得税,亦以行政效率低落即归失败。前车之覆,后车之鉴,似应先提高行政效率,而后再办新税。

十二、战时消费税之取消

三十四年一月二十三日行政院通过改革财政办法:(一)取消棉花、夏布、麻布等12种货品战时消费税。这个取消是很合理的,因为他的存在,无益于财政,只能苛求人民而已。盖战时消费税是替代过去的转口税的一种货物通过税,亦是替代各省在抗战期中名目繁多办法分歧之种种税捐(在抗战期间各省竞征货物通过税)的一种统一货物通过税。但在三十四年的时候,每年仅有15亿元的收入,在整个税收中,所占的地位并不重要,起不了什么作用。

且以三十四年初湘、桂、粤战时影响,交通梗阻,收入更受大减。又因稽征战时消费税之故,不得不设内地关卡四百余处,所费甚大,实在得不偿失。由于稽征手续之麻烦,不但阻碍商品流通,影响物价,更予税吏以苛扰之机会,其所予人民之损失何可计算?

可是战时消费税的取消,可以给工商业及棉花、夏布、麻布等业以方便,但要使这些商品,在生产上,在运销上,能有发展,单靠取消战时消费税,还是不行的,因为在三十四年棉花的统购统销,明显地使棉农减产,使棉花被敌人购去,使纱厂亏本停工。这些都是政府需要顾虑到的。

第五章 田赋

我国社会既建筑在农业生产上面,赋税制度当然以田赋为主干,而田赋一项,自三代井田制,中经秦汉税亩制,初唐租庸调制,中唐两税法制,清代摊丁于地制,民初丁漕折价制,以至最近中央征实制,完全是中央主要财源。地方财源,不是任意附加,便微不足道,实无地方财政制度可言。惟自清末迄今,始见地方财政规制。

满清入关后,深知财政集权之重要,于是因仍明朝财政集权的旧制,以布政使司各省财政,总汇直隶于户部,地方根本没有独立税收。每岁收入全由布政使汇集解归中央,是为解款。按照定额来协助各省,是为协款。各地方的经费,亦率由该省岁入中转拨或统领。如此一收一支,均集权于中央。徒以田赋积弊深重,欲加整理,原非易事;复以地方因循玩忽,遂使法难自行。近十余年来,复有清理地籍之议,以为清理地籍为整理田赋之基本工作。盖粮由地出,地籍如不确实,田赋将如何征收?我国田赋征收积弊之发生,要以地籍紊乱为其主因,故清理田赋,必先清理地籍,实毫无疑义。清理地籍之方法可包括:(甲)土地清丈或测量;(乙)土地陈报;与(丙)土地移转登记,即田赋推收三项。以后当详加讨论。

一、中国地税之混乱情形

中国地税弊病之大者,是漫无标准与漫无统系。查中国现在所用之土地纪录,尚系根据明代之鱼鳞册,去今已三四百年,其间沧海桑田,不知几经变易,多与事实不符,地户粮三者往往不相联贯;或有地而无粮,或有粮而无地,或地多而粮少,或地少而粮多,或有契据而地已不知所在,或有地而无契据。兹申述其情形如次:

(一)有地已卖去而税仍未过户者。例如有王姓卖地与李姓,照章应向政府办理登记,推收过户,翌年政府应即向李姓征税,但彼未去登记。王姓将田卖与李姓以后,本人即迁居上海,翌年政府仍向王姓征税,而王姓已不知所往。又因不知其地已属李姓,故李姓可以不必纳税,是即有地无粮之一例也。中国向有所谓红契白契之别,红契为已登记之契据,其上盖有政府红色印鉴,故曰红契。白契即未经登记之契据,其上无政府印鉴,故曰白契。白契之地,容易逃税。

(二)此外又有一种情形,在土地转让之际,如买主不愿纳税,可与出主言明,买主情愿多出地价,钱粮仍归出主完纳。有时出主因体面关系,不愿冒卖田之名,故情愿仍纳粮,待出主一死,税又逃走矣。此亦有田无粮,有粮无田之一例也。

(三)又有田多而赋少,或田少而赋多者。譬如有大地主某甲为减轻其负担起见,乃与吏书(吏书即征收员,其个人持有粮册,故其对于一地情形颇为熟悉)串通,允以若干酬报,请设法减轻其应纳粮额。吏书乃为移转一部分于荒田绝户,此谓地多税少。大地主之税既多设法逃避,则政府税收短绌,必将加重税率。以前未能逃税者,负担愈重矣,是为地少税多。

凡此种种,足见中国地政,荡然无存,非图根本解决,不足以重建地政。

二、厘定田地等则为整理田赋之首要任务

夫整理田赋,固必须首先清理地籍,惟在进行中,与人民负担及国家税收最关重要之问题,是如何厘定田地等则。无论如何,其重要性不下于地籍清理。所谓田赋税制,包括等则(或称赋则)税目、税率及征收制度。所谓改进田赋税制,亦即改进赋则与征收制度和调整税目税率之谓。查我国田赋赋目,各省有十余种至百余种之多,甚至附加一项,即有数十种之多,于是田赋等则,高下失均;田赋负担,轻重失平;省与省异,县与县殊。即一县之内,亦无一定标准。结果所趋,地税负担与纳税能力,迥不相侔。上田薄赋,下田重征,地瘠粮重,地肥粮轻,与负税公平原则,大相抵触。按壤定赋,实为当务之急,而所谓赋,就产物种类及收获多寡,分为上中下三则。更有三则分为九门,称三则九门法,或三等九则法。然究之实际,各省皆系先定配赋数额,而后摊定税率,故税率高低极不一致,有一省上田之税率与他省下田之税率相等者,或同一下田,其税率亦各不同者。全国田赋,合地丁及漕粮计算,其税率有每亩高至一钱六分,低至四分五厘者。如是紊乱,徒使吏胥中饱。故厘定田赋等则,为平均负担之基本工作,亦为整理田赋之首要任务。

但厘定等则,应以何项标准为根据乎?聚讼纷纭,莫衷一是。按陈报纲要要点说明,以(甲)原有赋额,(乙)地价高下,(丙)使用性质,(丁)收益丰啬,以为改订科则之参考,而以按价分级,值百抽

一为原则。如其不能，则照地价收益，将原有科则，删繁就简。但"历年举办，陈报省县，对于标准之抉择，类皆意见纷歧，各行其是。"特绘下列一图以示意见之分歧：

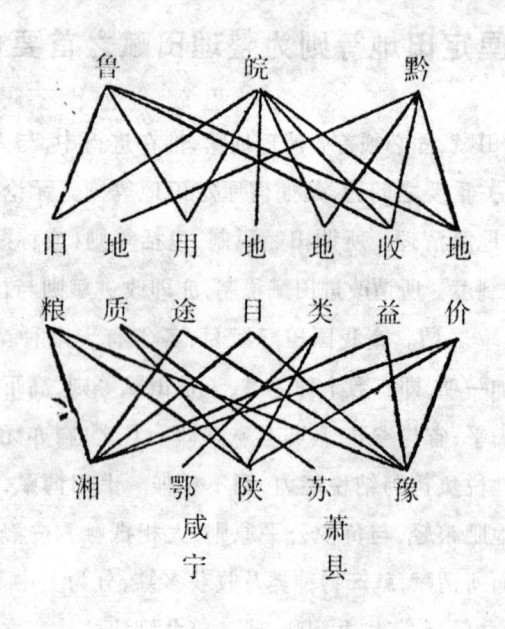

```
        鲁      皖      黔

    旧   地   用   地   地   收   地
    粮   质   途   目   类   益   价

        湘   鄂   陕   苏   豫
            咸       萧
            宁       县
```

上列七项标准，均为厘订等则之重要因素，各省县之选取，多者六项，少者一项，其能遵守陈报纲要要点之指示者，有皖鲁湘豫四省，部分遵循者，有黔陕二省。鄂之咸宁，苏之萧县，则仅采取一项。标准之采用，过于繁复，如能考查翔实，观察精当，固可以发挥公平负担之精神。惟实际多偏涉理想，难收实效。即如地质地目之判别鉴定，地质收益之调查估计，非学识经验粗具之人，曷克胜此重责？设有差池，弊垂久远。诚能允执厥中，毫无偏颇，戛乎其难。标准之采用，过于单纯，则易流于粗疏，亦非求全之道。故陈义太高,或取材过简,其失一也。①

据若干经验老农,知识人士的意见,决定厘订各类田地等则,应以地目地质为主要标准,地价收益为辅助因素,而以旧有科则为参考资料,并使地类用途显示于地目中。似此用舍从违,繁简适度,纯为因地制宜,不徒重理想,或失偏狭。譬如四川隆昌,扼成渝交通孔道,境内山形起伏,山岭绵亘,自然形势及土地经济,均呈错综复杂之象。故地目之多,不下数十,有:1. 坝田(田区地势平坦,阡陌相连,位置优越,坡度恒在五度以下),2. 冲田(田区地势不甚平坦,位置次于坝田,坡度约在十度以下),3. 山田,4. 宅地,5. 果园,6. 山地,7. 林地,8. 坟地,9. 荒地,10. 林山,11. 荒山,12. 水塘,13. 杂地等地目。1、2、3各种属于田类,4至9属于地类,10与11属于山类,12属于塘类,13属于杂类。田地山塘各地类都有,各类地目之排列,以优劣为准。至于地质,则是由于岩石分解与有机质混合而成,故地质由岩石种类之不同而异。岸石因风霜雨雪之剥蚀,气候寒暖之更迭,流水之冲激,地壳之震动,植物之滋生,动物之践踏,经年累月,逐渐崩坏破碎而成土壤。依土粒之大小,混合之比例,而别为砾土、砂土、壤土、黏土四大类。砾土在农业上价值甚小,不得谓为真正之土壤。

按陈报纲要要点说明,按价分级,值百抽一是原则。顾以构成地价之原因甚多,价格之涨落,收益之多寡,环境之变迁,银根之松紧,均足以影响土地之价值。加以调查标准之不统一,估计手续之繁难,陈报心理之怀疑,亦足以使良法召致恶果,时贤非议之,故于

---

① 周世彦著:《整理田赋与厘定田地等则》,载财政评论第七卷第五期,三十一年五月出版。

厘订等则之时，有以地目土质为主要标准，地价因素为补助因素者。

三、农地与耕地之区别

在中国一般的观念中，农地与耕地无所分别，是一而二，二而一者也。这个观念，是否准确，应加以探讨。土地之分类，如以土地利用之程度为标准，可分为已利用地与未利用地两大类，前者为熟地，后者为荒地。已利用地又称利用地，如依其利用之对象为标准，又可分为农地、市地、与富源地三类。凡地之养力，被人利用，以从事于动植物之生产以满足人类对此种产品之欲望者，谓之农地。地之载重力可以为利用之对象者，谓之市地。凡地本身之构成物，可以为利用之对象者，谓之富源地。至于"农地"一辞，亦有广狭之分，前者包括耕地、林地、牧地、草地等等，而后者则专指耕地一项而言。在现阶段经济组织中，耕地之地位，比较其他各地特别重要，所以在一般的观念中，农地就是耕地，一而二，二而一者也。此种错误观念，在我国更为普遍，土地利用上一切政策之变化，几皆集中于耕地，而林地、园地、牧地、草地，仅占极不重要之地位，我们在国内从未闻有人计划经营牧地、草地者。在内地固有人经营畜牧等事业，但这种事业率为农耕之副业。至于园地之单独经营，在交通便利之都市附近，或有所闻，在内地可谓绝无仅有。因此中国人对于农地的观念，与欧美人迥不相同。欧美人重视肉食与水果，对牧地、园地、草地，特别加以注意。他们利用土地，以草地为标准，于选择土地利用之时，先问该块土地是否适于草地，再行决定。如不适宜，则以他种形态利用之，或作耕地用，或作林地用,再视客观条件而定。在中国内地,耕地利用几成为惟一利用土地之形态,故普通观念中所谓"以农立国",不啻"以耕立国"之别名。"以农立国"的政策,已不适于今日之世界,若谓"以耕立国",更不堪问矣。

中外观念之不同,表现于国家之产品管制。中国粮食部之管理,专以米、麦、面粉、玉米、高粱等谷物为对象,政府负一部分供应责任的,也只限于这几项食粮,因为这些是中国人民的主要食品,消费的数量也特别大,所以非积极加以管理不可。至鸡蛋、肉类、水果等项,不在粮食部管理之内,因为粮食部视这几种为商品,为副食品,与米谷等物性质不同。但在欧美,尤其是英国,这几种粮食部所视同商品之鸡蛋、肉类、水果等等,正是政府所注意之物,其重要性不下于谷米与麦粉。所以在对日抗战烽火弥天之时,中国的有钱阶级,可以天天吃鸡食肉,浪费无节,而在英国富庶阶级所享受的食物,与贫穷阶级几乎无所分别。故观念错误,行为亦错误也。

四、地籍整理

在县地方财政一章中,我们已经把县财政不健全的现象,一一指陈。在收入方面,其病症是在:1. 财源的缺乏;2. 县际间的收数差异。在支出方面,其病症是在:1. 事业费之薄弱;2. 预算外之支出。此种财政,不适合于新县制之建立。故欲推行新县制,或推行地方自治,非开辟县地方独立可靠的税源,以充实地方财政,不足以竟其功。盖县地方之财政收入有限,而支出浩繁,收不敷支,不得不以摊派苛杂等方式,另行筹募以为补充,因而预算外之支出,视为当然,无法统计。此种作风,终非久远之道。为地方自治着想,应将田赋划归县地方所有,而后再加以整理,使成为县地方财政之骨干。但整理田赋,必先厘定田赋等则,以为平均负担之根本工作,亦为整理田赋之首要任务。厘定等则之理由,已于前节说明之。等则厘定之后,必继以整理田赋的工作。

整理田赋,必首先厘清地籍,实毫无疑义。厘清地籍之方法,可包括:(甲)土地清丈或测量;(乙)土地陈报。但频年以来,各省所定整理办法,不失之粗疏,即过于精密。失之粗疏,难达整理的目的;过于精密,又非财力所能胜任。折衷之道,自以土地陈报为迅速有效之方法。土地陈报,肇端于浙江杭县,各省闻风仿效,先后举办,视为整理田赋之惟一途径,期达清厘地籍,充裕税收,平均负担之三重目的。兹将二种厘清地籍之方法,逐一检讨于后,以资比较。

(一) 土地清丈

土地清丈与测量为厘清地籍之治本方法,其要义为实勘田地之面积、位置、房屋、树木、及一切地形地物,皆有准确表明。各户田地测量,并须衔接,连成整图,俾便稽考。其实施方法,可分为陆地测量与航空测量两种,而以陆地测量为通常习见者。清丈完竣,即可举办土地登记,经公告无讹,即可发给土地所有权状及土地他项权利证明书,然后即可据以征收地价税。土地清丈,固是治本方法,其利在准确详明,其弊在需款费时。意大利举办地籍测量,历40年始告完成。法兰西举办地籍测量,费时44年之久,耗款1.4亿法郎之巨。日本历时10年,需款1.27亿元,始克完成。其办理朝鲜土地清册也,历时凡8年又10个月,动员人力先后达7,300余员之多,耗费达2,000余万元之巨,仅完成665,000余方里之土地测量及7,860余万华亩之耕地调查。就此数例以观,可知土地清丈,不是容易办到的,其中困难有非吾人所能设想者。中国幅员如此之广,举行清丈,恐非百年所能竣事,而经费之浩大,更非今日之财力所能负荷。我国面积20倍于德法,50倍于朝鲜,30倍于日本。据德国一位专家估计,测完本部十八省土地,需时40年,需款8万万两(银两)。实际上此数不免失之过低。姑认此数足敷应用,需时如此之久,何以应目前迫切之需要。

王安石曾一度行过土地清丈,就是他新法中的《方田均税法》,其目的无非在整理地籍,充裕税收,与平均赋税。所谓《方田法》,就是清丈田亩法,也就是经界法。孟子曰:"仁政必自经界始",经界不明,其乱必多。土地之整理登记,如人之有户籍,善治者必先清此二籍以为施政凭藉。故王安石以东西南北若干步为限,称为一方:一因在一方之内,土壤地质相差不远;二因便于稽查;三因便于发给户帖(等于今日之土地管业执照),所以谓之方田。所谓均税,就是清丈完毕,即根据地形地色,并参照土壤的肥度,把地分为五等,规定税则。沃壤良田税重,薄田税轻,对不生产的田地则予以免税,称为均税者以纳税负担甚为公平也。这种措施,对国家可以清出土地,充裕岁收;对人民可使赋税负担公平,铲除有地无粮,有粮无地,或田多粮少,或粮多田少之弊。可惜这种良法推行不久,遂归停顿。推厥原因:1.用人不当,吏治不良,固其失败之一因,或严行刑法,或多惹词讼,或奸民欺隐,或官吏诛求,税未及均,民已大扰。2.地主阶级深惧隐匿之地将被清出,反对最力,又是一因。3.人才缺少,技术过于粗略,亦招致失败之一因。其最显著者,莫过于时间问题与经费问题。土地清丈,我们在上面已经说过,是最费时间最耗国帑之一件大事。王安石欲以匆匆十二年之短促期间,完成这件伟大的工作。乌乎可。

(甲)关于土地清丈之技术问题

假定中央决定办理土地清丈,首应分下列三种步骤进行:(子)办理土地重划;(丑)办理土地测量;(寅)办理土地登记。兹分述其办法如次:

(子)土地重划——查原土地法第十八条之规定:"因一定区域内之土地,其分段面积,不合经济使用者,得由主管地政机关就该区域内土地之全部重行划分,并将重划地段分配于原土地所有人。"其划分办法,如附图一,先就原有道路(如图中之 ||)、河流、堤堰、沟渠等经久不变之标志,分成面积适中之各区,如其地段太大,则可参照土地法关于土地重划各条,开辟新农道(|),重为划分,如图中7、19、20、21及35、36等区是也。倘面积太小,可以与邻接地段合并,将原有道路拆去,如图中36、35右端有一狭长之地段,拆去原有道路(▓),分别归并于36与35二区。重划之后,即挨次编号,终制成图,是为市县各区形位图(附图一)。

(丑)土地测量——附图一为市县各区形位置。此图确定以后,然后逐区测量,求得亩数,再按其种类,划成单位方格,例如水田以2亩为一单位,旱田以5亩为一单位,市村林牧渔矿等地另定。单位划定以后,不能再加分割,其零数不及一亩者则归并于邻接之地,其超过单位一半以上者,则另行独立为一单位。附图二系根据附图一之某一区放大,图中每一方块即为已经划定之单位,单位与单位间建筑农道、桑柘、石桩等物以为界限。然后将所有方格挨次编号,绘制成图,是为市县某区地号图(附图二)。

(寅)土地登记——各区清丈完毕,划定单位,挨次编造清册,成为某市县第某区地号基本簿(如附图三)。此簿按照每区地号次

附 图 一

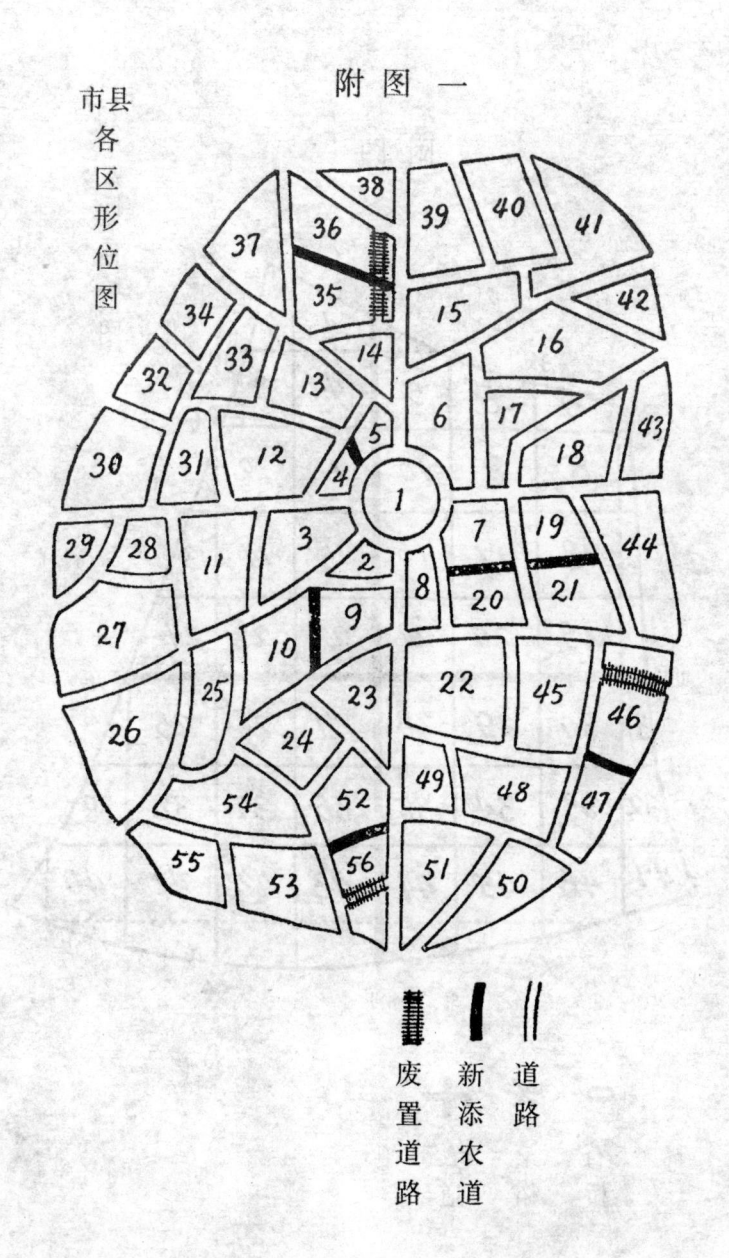

市县各区形位图

道路
新添农道
废置道路

附图二

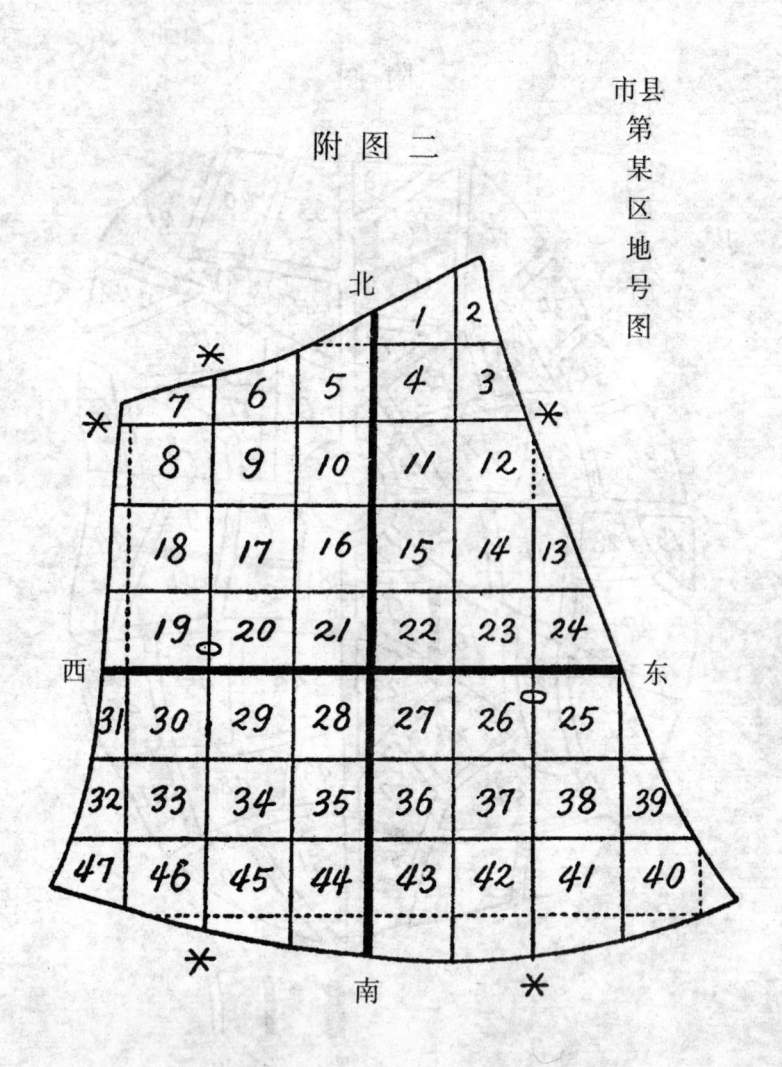

市县第某区地号图

北 — 西 — 东 — 南

石桥　桑柘　农道

序记录,每号之下,即记其种类、等级、面积、价值、附属物等情形,弁以各该区地号图,再将各该区地号图汇订为一册,弁以市县各区形位图,是为市县土地基本簿。然土地之状况时有变易,故土地之记录,亦须随以变更。附图四某市县第某区地籍簿,即所以适应此项需要。此簿即将地号挨次造册,详记地价地主姓名及税额,始将地户粮三者归在一起。其地价一项即系根据基本簿而记入,用作粮册或抽税之根据,弁以各该区之地号图,为市县某区地籍簿。地籍者即土地属于何人之意。土地一经转让以后,地籍纪录即须变

册面

　　某市县第某区地号基本簿

　　　　　　　附　图　三

	地号	种类	等地	面积	价值	附属物	备考
内	第三号	水田	上	2亩	150.00元	柳树5枝	
	第四号	旱田	中	5亩	150.00元	沟渠	
容	第五号	荒田	下	5亩	30.00元		
	第六号	渔田	中	4亩	80.00元		

册面

　　某市县第某区地籍簿

　　　　　　　附　图　四

	地号	地主	籍贯	住址	得地年月	旧主姓名籍贯	地价	税额	地权状况
内	第一号								
	第二号								某年月日当于张甲管业
容	第三号								某年月日赎回
	第四号								

更,故地籍册系以散页订成,以便更换。但换下之纪录,仍须保存;倘有抵押等情,只须记入地权状况之下即可,不必更换册页。

上述四图系先后连贯,第四图根据第三图,第三图根据第二图,第二图则根据第一图。其因重划及清丈所发生之问题,如何措置,在土地法中亦已有相当规定。兹分述于后:

(乙)由清丈重划而发生之种种问题

(子)土地重划后之补偿问题——土地重划以后,即举办土地陈报,令该区内土地之土地所有权人提出文契,审其虚实,如皆相符,即照土地法第二百二十一条之规定,照其原有亩数,在可能范围内,依其原有位次,分配以相当之单位。倘其亩数不相适合,照土地法第十九条之规定实行补偿,因土地重划之后,对于原土地之所有权人,不免有损益之处。譬如将王姓之地,划入李姓,则李姓应以相当代价补偿王姓。查土地法第十九条之规定:"前条重划地段相差之面积,应由增加面积地段之所有权人,补偿于减少面积地段之所有权人。"譬如附图二中,第二号王姓之地有一部分划入于第三号李姓之地;又如第四十二号李姓之地,亦有一部分划入于第四十一号王姓之地;如价值相当,适可抵充;如有差额,照土地法第二百二十二条之规定,可以现金或其他相当代价补偿之。

(丑)土地清丈后之所有权确定问题——中国土地,因久不清丈,原有记载,不足为凭;亦有年久失册,无从查究者。今若办理清丈以后,不免发生下列问题:

1. 如清丈所得之亩分,超过于地主所申报者,其所余之地,如何措置?譬如王姓有田一块,申报7亩,而清丈所得,却有10亩。所余之亩如何措置?

2. 无契之地,经清丈而发现,应如何措置?

吾人现在为免除种种纠纷起见,主张既往不咎,故对于第一点,清丈所得之亩分超过于地主所申报者(即测丈溢出之地),所余之地,仍归原主所有。对于第二点无契之地,经清丈而发现,占有者虽无契据,亦仍归其所有,以示既往不咎之意。其未经占用,且无地契者,一律收归公有。于地号编定以后,每一单位,各给地券,作为土地所有权之凭据。地券颁给以后,老契一律作废。故清丈土地,对于农民只有好处,没有害处,必为彼等所欢迎也。

从此之后,各区土地单位,不能再加分割。譬如某甲有一单位之地,遗与二子,只能为二人所共有,或专给一子而以其他相当财产分给其他一子。日本对于土地面积之最小限度,亦有不能再加分割之规定。英国土地专归长子继承,亦即限制土地分割之意也。

此法苟能见诸实施,则田赋不致逃走,因土地卖买,必须推收过户,更换地券。譬如王姓之地,卖于陈姓,则王姓之地券注销,予陈姓以新券。苟无地券,土地所有权,便无保障。故人民卖买土地,自不得不向政府登记。如此则地户粮三者可无拆散之患,(今日之情形,知其户名而不知其地在何处;或知其地而不明其主人为谁;或按契索地而地已不在,各自拆开。)而地税之负担,亦不致有轻重,盖课税均将以地价为根据也。

地价之决定,一面根据地主之申报,一面根据调查员之估定,互相比较,酌定一标准地价。根据此标准地价,课以 1% 之地价税。至于土地登记,必须于清丈以后,始可办理。盖恐地主以多报少,为其所欺,故必须先办土地清丈,而后方可办理登记,而后确定地价标准。

综计此法好处厥有二点:

1. 地、户、粮可以归纳一起,按地可以得户,土地税不能逃走。

2．土地产权可以确定。譬如某甲有地10亩而其契据上只载6亩,此多余之4亩产权本未确定。今经清丈以后,国家正式承认其所有权,故其产权,因以确定。又无契失册之地亦然。确定土地产权,可以免除私人间之许多纠纷,减少许多讼事,社会亦可赖以安定。盖讼事于公于私,皆无好处,于公则社会为之不宁,于私则劳神伤财,皆为害也。

此办法固佳,但有一大缺点,即费用太大是也。例如浙江杭县办理土地清丈,计所费一百数十万元(银本位时代之银币)。依此推算,如办理全省清丈,需费当在1万万元以上。现在浙江省政府欲筹措银币百万元,尚觉不易,何况1万万元？故此法虽佳,费用太大。杭县办理清丈,其费用每亩摊到8角5分;政府既无法筹措,人民更无力负担。在目前情形之下,此法恐难推行。盖测量有航空测量与土地测量之分。欲施行航空测量,则感于采购航测仪器及材料之困难;欲施行土地测量,则感于大小三角及图根等测量手续上的繁重,化费时间之太久,筹措经费之困难。因此现在办理地籍整理的各省,几无一不采用治标的土地陈报。但因中央无适合实用之统一办法以资依据,故各省当局仁者见仁,智者见智,见解互异,立场不同,遂产生各式各样的方法。结果多告失败,而这许多人力财力掷同虚牝。且过去的办理土地陈报,是以人民申报为标准,故有多报、少报、漏报、冒报、虚报的弊病,政府无法控制。此种办法害多而利少。浙赣等省土地陈报,即坐此弊,结果良否,人所共知。虽后来稍加变更,如浙省的丘地编查,但效果仍等于零。

第六章 田赋(续)

四、地籍整理(续)

(二) 土地陈报

陈报是治标之策,以其需费较省,故实行较易。兹再分别讨论之:

(甲) 浙江办理土地陈报之结果

浙江首先办理土地陈报,其目的亦无非在增加税收,然结果仍归失败。考其所以失败之由,约有四端:

(子) 土地陈报无先例可循。其时民政厅长为朱家骅氏,朱氏以青年秉政,勇于任事。土地陈报为国民党整理土地已定之方策,朱氏遂毅然行之。然此事既无先例可循,又乏办事人才,结果一无所成。此政府方面之缺陷也。

(丑) 当时浙省地方自治,方具雏型,各地均已先后成立村里制。顾农民知识程度太低,村长里长,多有目不识丁者,不知陈报为何事,又恐赔钱,不敢承办,欲其举事,盖亦难矣。

(寅) 当时农民对于此事,观望不前,颇多怀疑。又须缴纳陈报费,每亩1角2分,更为彼等所不愿,故多有延不陈报者。

(卯) 农民以知识程度太低,调查表格,不知如何填法,而当时所定之调查表格,亦有未妥之处,其询问事项有为农民所不懂者,无从填报;有为农民所不肯或不愿填报者;诸如此类,不一而足。

当举办陈报之初,原以七月为限,期限一到,政府下令紧催。村里长为搪塞政府命令起见,命村人糊乱填注,缴与政府,亦有派警前往督促者,村里长更不得不急于潦草塞责。多数村人不免闭门造车,自行杜撰。陈报结果,浙江之田较原有纪录多出1,700余万亩,其不足为信,盖可知矣。据杭县鄞县海宁三县陈报亩数较测量所得者为多,此为不可能之事。陈报之不可靠,又可见矣。此土地陈报失败之处一。又有许多陈报单,只有亩数,而无承粮户名,故地虽多出1,700余万亩而税不多。此土地陈报失败之处二。陈报单既不可靠,当然不能据以确定陈报者之产权。产权不确定,种种纠纷仍不能免,且负担不平问题亦不能解决。此土地陈报失败之处三。于是当初种种计划,均成泡影。综计先后从其事者122,800余人,所费300余万元。结果但见劳民伤财,一无成绩可言。故欲求根本解决,总非清丈不为功。然以费用浩繁,无法举办,故不得已而求其次。土地陈报本为最简捷之一法,而浙江行之已失败。前车既覆,各省遂具戒心,不敢起而仿行矣。

(乙)各省办理土地陈报之结果

土地陈报,手续简易,费时短而需款少,可应目前之急需。至三十一年举办者遍十三省,完成者达400余县。加以第三次全国财政会议,对办理土地陈报原则,重加认识,限期完成。现在是项工作,已由腹地推及边区。就土地陈报所得各项成果,如业户真实姓名、住址、土地面积、地价、坐落等项,编造丘领户册与户领丘册,其新赋额俟税率改订后算明记入。至改订科则,依土地法之规定,田赋赋率以按地价1%课征为原则,其他一切正附税等名称一律取消。惟据修正办理土地陈报纲要所载,改订科则一项,由中央主管机关另行制定,似有放弃按地价征课之意,吾人亦如是主张。

在抗战期中,欲求速效而省费,自以办理土地陈报较为适宜。但在战时罗致陈报人才,极不容易。又以物价高涨,经费支绌,业务效率,何堪求全?故全国陈报现虽告一段落,而其成果如何,殊待研究。据吾人所知,各地办理土地陈报所得结果,发现错误。兹将其较为普遍者,列举如下:

(子)姓名错误——或将业主姓名填错,或将佃户姓名列为业主,或有名无姓,或姓误名符,种种错误,不一而足,致征税或征粮通知单无法发出。

(丑)亩分错误——在平地而行测量,错误不致很多,但后方各地山岭起伏,道路崎岖,而丈量人员技术不精,往往仅凭保甲人员口讲指划为根据,或竟以目测定田亩之大小。此种人员的报酬与测地之数量成正比,测地愈多,报酬愈大,致演成地少亩多的现象。其他错误更为重大。例如1.同一丘号之地,丘册列为7亩,户册则列为3亩,经勘丈实为5亩。2.同一丘号原为5亩,被道路截为二段,编查者竟作为二丘,每丘5亩。3.丘地亩数填写错误,如3亩误写3分者。

(寅)地类错误——将毫无收益之荒山石岩,列为坡地,或一目望去,种有农作物,而不知下年即将休闲,仍与荒田无异,今视同熟田,计亩升课,至征收田粮时必无法缴纳。况此种毫无收益之土地多为贫苦者占有,常至一二千亩之巨。若根据此种测量而计算田赋或改征实物,必起莫大之争执与纠纷。

(卯)等则错误——若干县份办理陈报,只着重地目地价,而不注意土质、收益、与产量,致将土质极劣之地亩与产量甚多之地亩,列入同一等级,同一科则。此种情形在山间更属多见,因山地与平地比较，山地科则之订定，更不易求得公允。因为两丘毗连之山地，其收益往往大不相同，故订定科则，比平地更加困难。

（辰）地界错误——二县交界地带，或插花地亩，往往有二县重复编查，或两县均漏不编查，地籍不明，征赋困难。[①]

以上系在抗战时期欲求速效而省费办理土地陈报所犯之种种错误。笔者是浙人，请言浙江办理土地编查之结果如何。

自变更财政收支系统以来，地方与中央划分财政界限，田赋之收入，大半划归地方政府，故田赋之收入为各县财政惟一之大来源。际此财政山穷水尽，对此税源，无不寄以绝大希望。但浙江三十五年度的收数，截至罚金期起，仅有六成强，实为浙省财政上之一严重问题。推厥原因，则在土地编查失实。——据一位从粮政有年的经验家说，浙江省办理土地编查之后，以成果而言，殊得不偿失。少数县份，虽粮额增加，而一般县份，非特减少应征承粮面积，而经界经此编查，更为不明，业权纠纷尤甚。今之粮户几十之七八，咸以编查错误为词延纳，即挨户执行，亦不可能。若干大户，咸乘编查时化名分户，就是一户化成数户乃至几十户，堂名化名，或人已亡故，名仍未改，或子女未生，预立粮名，即未出生小孩，亦入户管业。繁复诡秘，不可究诘。真正的粮户姓名，藏在征收人员的胸中，甚至连他们也不知道。于是粮户得以拖欠税款，员警得以侵渔肥己，隐匿脱漏，飞洒诡奇，都由粮户无的名而起。凡此皆属于粮户分散的流弊。如欲革除，必须办理总归户（详后）。

反之，穷无立锥之户，竟册列良田百千亩，殊属滑稽。如此赋

---

① 见赵既昌氏著：《田赋征实政策之运用与改善》，载财政评论第十一卷第六期三十三年六月出版。

籍,穷富倒置,难以起征,亦属必然。于是渠主张恢复旧有赋籍鱼鳞册,虽测绘欠准,形式欠雅,但因历代保管,控制严密,在全无办法之中,固不失为征榷上之大体依据。似可一面实施彻底整理地籍,作根本之改革,但在新地籍未能确切完成以前,不妨沿用旧籍,斟酌损益,以免新旧脱节。今兹纠纷,反而延滞改革之实施。如不再从速整理,将愈乱愈甚,数十年后,将无粮可征。表面上地政逐渐推行,但人财两缺,往往因陋就简,有其名而无其实。

四川一省的情形,亦与浙江相同。财政部曾于三十一年度内,普遍发动已办竣土地陈报各县市之复查更正工作。因为陈报编查事项,如发生错误,即应办理复查更正工作。此项复查,以业户提出证件自动申请为对象。每一户柱发生错误,即由当地田赋管理处派员前往土地所在地点实行勘查。所以财政部曾于三十一年度内有普遍发动之举。但因赶办不及,实际上已于当年利用陈报成果者,全国不过23%。四川一省前后办竣105县,而三十一年利用成果征实者仅8县,所占比例最低。究其原因,并非完全由于陈报错误,或科则不平,要以地方士绅之阻挠为最大原因。盖陈报结果,大粮户过去所匿陋之赋额,悉被清出,表面上负担增加甚大,实际多系狃于积习,希冀永远有田无粮,或田多粮少,遂举陈报中某项小错误,张大其辞,不惜多方呼吁,要求暂缓施行。川省以外,其他各省亦多此种情形。如中央对于少数士绅有所顾忌,则多数中级以下无势粮民永无获得平均负担之希望。

(丙)土地陈报有益说

但财政部的官吏,有以办理土地陈报为整理地籍之良法者,谓:"田赋原为按亩征收之税制,惟以吏胥之舞弊,地籍之散失,形成粮多田少,或田多粮少之现象,致人民之负担,显失公平。办理陈报以后,全县地籍,洞悉无遗。在粮多田少者,自可剔除其不合理之重累;在粮少田多者,自可使其负应负之负担;平衡负担之效,由此而见。又因查明无粮或未报升黑地之关系,亩额增溢,故可改订科则以减轻人民之负担,而省县赋税反见充盈。此均为办理土地陈报之利益。各县试办以后,颇得事实上之证明。例如河南之陕县,办理陈报后,溢出地亩68万余亩,改订科则时,减轻人民负担达65%,而省县盈收37,000余元。又如安徽之当涂,办理陈报后,溢出地亩28万余亩,改订科则时,减轻人民负担达29%,而省县盈收11万余元。余如江苏之萧县,湖北之咸宁,莫不呈同样之情形。办理土地陈报之利益,既如前述,足证政府以此为整理田赋之中心工作;各省亦先后举办,风盛一时,信非无故也。"[①]

(丁)总归户

我国田赋是以收益额为对象,采比例制,即不采累进制,实有背税制上纳税人负担能力之标准,且与近代进步之税法不合。在征收法币时代,弊害尚未显著,迨征币一旦改为征实,连同随赋征购与带征县级公粮之后,其弊更属显明。在抗战时期,粮价继续高涨,地主的收益,较战前增加了若干倍,而田赋仍照以前的税额缴纳,实在使国库大受损失,地主太占便宜。因此为平均国民负担,增加国库收入,并使政府可以直接控制一部分粮食计,乃于三十年秋季起改征实物。虽征实之后地主负担稍稍加重,然按比例制征收,无法适用累进制。盖粮户分散,不能贯彻一个粮户一张粮串的主张。吾人深感小粮户之负担加重,生活堪虞,甚至征购完罄,无法维持一家食用;而大粮户于缴纳各种粮食之后,仍保有巨额粮

[①] 见高秉坊著:《近年来我国税制之改革》,载财政评论第二卷第二期。

食,造成此辈高抬粮价囤积居奇之机会,不仅影响粮价黑市之波动,且易将其负担全部转嫁于消费者。在国民经济上讲,社会财富分配日趋于不均。此种情形,不平孰甚。中央办理土地陈报,原求实地、实户、实粮为目的,借以贯彻一户一串之主张。可惜开办之初,未能注意及此,以致事倍功半,不能解决粮户分散的难题。其所以不采用累进征税的办法,因业户善用化名,承粮与产业分散之恶习。每一大户之地亩总额与总收益额,查明至不容易。过去如福建等省摊派公债与派购余粮,有以土地为标准者,已发现大粮户化整为零之事实。若中央强制执行累进制,恐粮户分散之现象,更为普遍,则利未见而害已著。三十一年度实际真正办理累进者,仅皖省之县级公粮,但仍系依查登大户亩数为标准,并非根据田赋册籍。依财政部三十二年所颁"办理各县(市)业户总归户办法",其规定有下列二项:

(子)编册——办理总归户时,先就征粮底册所载之业户姓名住址土地面积(或收益),土地坐落,乡镇及应纳赋额等项填注于业户总归户册上,一户一页,必要时得径填注于田赋通知单上,一户一单。

(丑)归户——按业主住址所属之乡镇分别汇集,复按姓名笔划多寡为序,并将其姓名相同之业户依次汇集,再与征粮底册按户校对无误后,即分别装订成册(以一乡一册为原则,并缮造业户姓名索引表附订册首),据以缮造征册。

此项办理总归户办法,极不彻底,其缺点有二:1.依征粮底册所载粮名为归户标准。如业户于陈报时即用化名或其继承人之名,归户时无法校正,故户名必较保甲户名为多。2.此种就册归户方法,不能表示地权分配之实况,故无法利用为累进征赋之依据。惟一功用,系将业户较前略为减少,征收费用与手续比较节省而已。

三十二年度财政部复制定全国各省市举办业户总归户推进办法,其中要点之一,为总归户查对之依据,规定:1.总归户与户口册名不符,且确系同一户口时,应以户口册名为准,将总归户册名更正;2.同一真实业主之土地而总归户册上分立两个以上虚伪户口时,应详细查明,以户口册名为准,并入同一真实户名之下。此项推进办法,明定以户口册名为查对归户之标准,已能补救承粮户名分立多户之缺陷。倘能切实办理,而各县市户口册籍,又能十分精确,则总归户目的或可达到,户地粮三者可能密切联系,不致脱节,但因经费有限,收效甚鲜。

我国田赋,承几千年的旧制,积弊甚深,无可否认。弊在粮民的,为隐匿脱漏,欠税不缴;弊在征收员的,为飞洒诡奇,盗串侵渔。凡此皆是赋税上的大病。办了总归户之后,赋籍与户籍密切联系,有户必有粮,有粮必有户,可以利用保甲组织散发通知,催征粮赋。政府知粮户为谁,粮户知赋额之多少,经收人员无法从中渔利,所有种种积弊,可以铲除殆尽。此外尚有一事值得吾人深切注意。现在征收人员,拥有大量粮串,当主管长官交代时,往往以人力不敷周转,财力不能担任,无法彻底盘查,不得不留用原有人员,继续保管。因此管串员以久任斯职,甚至父死子承,他们明知无人会来彻底盘查,遂造成盗串侵渔的大弊。此整理田赋之消极作用也。

清除积弊,既是消极作用;运用土地政策,才是积极作用。办理总归户以后,地权分配状况了如指掌。大地主若干,中小地主若干,不在地主若干,皆有蛛丝马迹可寻。今后征收累进税,重课不在地主税,收买土地,扶植自耕农,均不致无所依据。

(戊) 户领丘册(即总归户)与丘领户册

譬如土地陈报,由政府制颁条例,限令未经依法整理地籍之地区,不动产所有人,必须申报其土地之面积,建筑物之数量,及其价格,与所在地点,并呈缴原证明文件。登记机关依其申报,核对原证件无讹后,换发新管业执照,原证件即注销。凡私人之不动产逾限不申请登记者,以无主论,收为公有。不动产之价格,由业主人申报,本难免其低报价格,以期逃税。为防止计,可以规定:1.政府得依其报价收买,另行标卖;2.地租之价值不得越过申报地价10%。如此规定,业主欲多得地租,不能多报地价。如少报地价,政府一面可以公告收买,一面公告标卖。买卖之间,政府不必有所支出。业主知政府不难买卖其产业,不致匿报其价格。不动产登记,除由业主申报外,尚可令保长陈报。业主申报,系申报其所有之一种地产在某一地点,或其所有之各种地产分散在某某等地点。此以户为经者。待编纂成册,即为户领丘册,亦即总归户册,为田赋累进税之惟一的依据或主要张本。至于保长陈报,则异于业主的申报。保长只陈报其保内各种地产,分别属于某某等业主。此以地为经者,即为丘领户册。以丘领户册与户领丘册互相核对,如发现错误,可以立即改正。业主决不敢隐匿不报,因为如有隐匿,就丘领户册,即可查出。大地主之地产,往往分散为数保数乡,甚至分散于邻县境内。有了丘领户册,则匿报之弊自可减少。每一区域登记完竣,即按保公告各种地产之业主姓名、住址、及土地面积与其价值,同时鼓励人民秘密告发申报不实不尽之处。

(己) 推收

我们在上面已经说过,要厘清地籍,有治本与治标两种方法:治本的方法,为清丈或测量;治标的方法,为土地陈报。但无论采用何种方法,必须办理土地移转登记(即田赋推收)。何谓土地移转登记(或田赋推收)？凡依法取得产权之受让人,如由买卖、交换、赠与、合并、分析、继承等行为取得者,或由设定典权而取得者(如承典人),或由变更典权而取得者(如回赎典当之回赎人),均应于一定限期内向办理推收机关申请登记。此种登记,俗称推收,其用意在将粮额从原业主之承粮户内剔除,并将此原额归并于新业主之承粮户内。如新业主向未立柱承粮,则应另立一柱。但推与收是两种不同的手续。有仅推而不收者,如免赋除粮;亦仅有收而无推者,如升科复粮。土地产权移转之登记,实为整理地籍之必要条件,否则土地清丈或土地陈报,难收地籍永远确实之成效。

办理推收之机关,接到申请书后,即将证件付审查。审查完毕,即实施查勘,即派员持同申请书等件前往土地所在地点实地查勘丈量。查勘丈量所得结果,即为推收过割之依据,就是依据查勘丈量之结果,将有关户地粮各项在丘领户册与户领丘册上,逐一分别改正,并通知业主投完契税,发给新管业执照,原缴旧照即予注销。推收办理得当,可使户、地、粮三者永不脱节,永远保持地籍之真实。故欲整理田赋,必先整理地籍,而整理地籍,当以推收过割为要件。但未办土地陈报之县份,不发给管业执照,只于契纸上加盖"某年某月某日推收讫"戳记而已。但实际上真正遵守法律办理推收者,恐不如吾人之所想像。请参照下节(契税太高影响推收)。

五、契税税率高罚则重影响了推收

依照土地法,对土地应征收地价税,以期达到理想的税制。但土地法虽颁布已久,尚未普遍实施,故田赋与契税尽管是过渡的财源,尚不能立即取消。迨土地清丈后,即发管业执照,无须官印契据,该时契税方可取消。故契税之准用时间,还相当长久。不过无论何党执政,土地政策之实施,是时间问题耳。故开征契税法规,不称"契税法",乃称"契税条例",就是表示暂时的意思。契税条例,一时既不能废止,那么其实施的功用,实有检讨的必要。

在第二次全国财政会议以前(二十三年以前),契税虽定为卖六典三,而各省税率,多不一致,且于正税之外,随契附加,竟有与正税相埒或超过之者。又按原条例,对于罚则逾期不投税者,除纳定率之税额外,并处以应纳税额 10 倍之罚金。匿投契价者,除补投短纳税额外,按其匿报之多寡,处以税额 2 倍至 16 倍之罚金。此种重税重罚之结果,不惟税收短少,且影响及于推收过户,田赋亦受其累(请参照"推收"一节)。于是二十三年第二次全国财政会议案内决议整理办法,其要点如次:

(一)契税正税税率,以卖六典三为最高限度,其在限度以上者,缩减为卖六典三,在限度以内,悉仍其旧。

(二)契税附加,以正税半数为原则,其在半数以上者,缩减至正税之半,未达正税半数者,悉仍其旧。

(三)契纸费每张 5 角,卖典一律。

(四)推收因与契税同时办理,一面纳税,即一面办理推收。

(五)逾期及短匿之契,分别处以递加罚金。惟罚金最高额,不得超过应纳税额,其有特殊情形者,并得免罚。

(六)未税白契,定期准予投税免罚。

以上决议办法,经由财政部呈经行政院通令各省市遵照奉行,于是各省卖九典六,卖六典三,卖四典二种种高低不一之税率,大体已趋一致,而其正附税收入最高额,全国约达 30,118,600 余元。

所谓卖六典三,是从价征收的,固富于弹性,但一般业户希图取巧短缴,把地价少报,致公库损失很大。为纠正此弊,契税条例特有标准地价之规定。凡白契所填业价(地价)超过标准地价者,照其实际业价纳税;若少于标准地价者,则照标准地价课税。同时规定短价罚锾办法,以控制短报业价者。就法律看,似甚周密,然狡猾业户,又善于取巧,在契上不填业价,不填亩积,不填立契日期,企图短税。此种风气,在湖南最盛。主办税务人员,对于"三不填"的业户,不能为有效的制裁,因在契税条例中未定有有效的制裁办法,所以执行业务人员,除婉劝业户补填外,别无他法。

业户不填业价,目的在:1.企图短税;2.希图逃避短价罚锾。因为业户所填业价,大抵较实际地价为低,依契税条例之规定,应处短价罚锾。如不填则可完全避罚。不填亩积之目的,在使业户人员无从核定其地价填税额。因为业户不填业价,税契职员可根据其亩积,照最高标准地价课征之。如连亩积亦不填,仅填几丘、几块,或填几石、几斗田,含糊不清,便无从核定其地价填税额。税契职员若问他有几亩几方丈?他便答以"乡村土地未经测量,不知道究竟是几亩几方丈。"这种答词,虽是掩饰,亦是事实。因此税务人员至感棘手。如派人下乡实际测量,不但无可派之人才,且无指定之预算,只得因当地之实际情形,订立因时制宜的暂行办法。不填年月日,可以避免逾期罚锾。依契税条例之规定,凡产权移转在3个月外投契者,即须处以逾期罚锾,因此一般业户,为逃避罚锾,多不填日期,至投税时,始填不逾限日期,损失税收,实非浅鲜。

六、限田制

总归户如不易办到,则田赋征收累进税,亦无法实现,于是有倡议限田制者。因为如能限制地主占有地亩的数量,则累进征税制不能实行,亦不致招致很大的恶果。总归户的目的在实施累进制,使纳税之负担平允。限田制之目的在实行耕者有其田。两者之作用虽不同,然有相互关系。实行限田制,可使田赋累进制之需要减轻不少。所谓限田,就是以法律规定地主所能占有的最高土地数量。超出这个限度的田地,必须出售。第一次大战后,东欧各国创设自耕农,曾采用限田政策,而以罗马尼亚的规定最为详尽。凡地主之地,在 100 公顷以下的,可以保留原有的田地亩数;若超过 100 公顷以上的,则可保留之数以法律订定之。如所有地为 150 公顷,保留数为 138.6 公顷;如为 200 公顷,则可保留 165.7;如为 400 公顷,可保留 224.8;如为 1,000 公顷,可保留 284.9;如为 2,000 公顷,可保留 324.6;如为 10,000 公顷及以上,只可保留 500 公顷,则 500 公顷是最高的限度。罗马尼亚政府依据这种规定,将地主让出的田地备价收买,再分售与农民。此为创设自耕农之直接法。除罗马尼亚外,采行直接法而奏效者,尚有捷克斯拉夫、南斯拉夫、保加利亚、希腊、波兰、芬兰、立陶宛、爱沙尼亚,以及拉脱维亚等国。此外尚有一种间接法,即地主让出之土地,由贫农自行购买,所需的资金则由国家以长期低利分期摊还的方式贷予之,间接创设自耕农。行此法而收效者,有爱尔兰及丹麦等国。无论所用的方法是直接或间接,要皆"照价收买"而已。

但在中国欲施行限田制,窒碍甚多:一因国情不同,不但土地尚未整理登记，个人田亩之数量无从查悉，土地权并未如东欧各国土地之集中，大地主不多。纵能限制，大多数地主亦不致受何影响。二因东欧之所以成功，大抵由于土地面积甚小所致。我国幅员太广，耳目难周，困难自多。且自汉以来，限田之议，时起时止，卒不能见诸实施。因一旦朝廷决定限田制办法，地主竞卖，田宅奴婢，价值暴落，权贵地主，交受其害，遂出而反对。况土地登记，极不完备，即欲实行，亦不能望其成功。

七、合作租佃制

有一位学者以为此外还有一个有效的办法，就是利用"合作租佃"，由佃农分区组织农业合作社，"所有公有私有土地，除了自耕的以外，一律以法律规定，须由农业合作社集体承租，再分别租给佃农社员耕种。佃农向合作社纳租，合作社向地主纳租，同时代地主向国家完粮，使地主与佃农个人不发生直接关系，从而消灭地主往日凭借优越地位对佃农施行的一切剥削。同时国家的赋税，亦不容易逃避。同时规定农业合作社有永佃权，地主对于土地，除了收取合理的地租与出让以外，不能任意处分，例如撤佃、营葬、划分等，从而使佃农得从事土地改良，悉心经营。农业合作社亦得视需要情形，实行土地重划，充分利用，以达最高限度的生产效率。就地主说，其土地已完全被资本化，基于土地私有的一切特权，已不复存在，然后国家的一切土地政策可以透过农业合作社，推行无阻。例如推行多年而未普及的减租政策，到那时只要一纸命令传达农业合作社，就可由社以集体的力量，予以确实而有效的推行，地主固无力量再加阻挠。"① 这位学者确认合作租佃是解决现行佃制问题的核心,亦是土地改革的起点,其终点当然是土地国有。

　　与这个合作租佃制相似的一种制度,已于三十六年三月在福建施行,但遇到了很多的难关,不易一一冲破。原来福建的土地改良,在三十一年开始,目的在扶植龙岩自耕农。龙岩在战前曾为共党占领甚久,田地已被分给农民。二十一年十九路军收复该地后,又实行所谓"计口授田"。既然是计口授田,则出外经商做工的,以及士兵与公教人员,当然亦可分得土地,所以增加了不少农户。这些农户,决不能全体都成为耕者,其不能亲耕者,只得将田转租出去。俟国军占据龙岩以后,就在龙岩为地主致力,把农田还给业主。但佃农把田已占有了多年,已划分了多次,岂肯俯首听命把田交还业主呢?双方斗争,异常剧烈。除共军占据时间较短的6个乡镇,完全恢复原来的佃租关系以外,其余的地方业权,虽大部分恢复,但租额已大大地减削了,最高的不过四成,最低的则只一成。但有若干分得土地者,已把土地转租或转押给别人,故地权真如治丝益乱,纠纷特多,便促成了"扶植自耕农政策"的试办。依国民政府的规定,扶植自耕农者,有甲乙两种办法:甲种是由政府划定一个区域,征收全区土地,再放给农民。乙种是由个别的农民自己向政府申请贷款,购买土地。在龙岩试办的,是甲种办法。从民国三十二年起,经过五年的时间,总算把全县25万亩耕地分给31,000余户农民,平均每户只得8亩。龙岩这个办法,无非是承认已成的事实,并非一个改革。在分田行得最彻底的地方,对业主稍给一些

---

　　① 梁朝琳氏著:《论我国土地改革的重点起点与终点》,载经济评论第三卷第三期。

补偿,每亩从4,000元至10,000元不等。在农民方面,捃多注少,略予平均而已。至于技术工作,亦并不十分困难,惟测量估价贷款发照稍形繁重而已。这个办法不适用于租佃制度完全恢复了的6个乡镇之内;它们的纠纷就多了。为救弊补偏计,只得予以变通办法:即1.地主及其家属具有耕作能力,请求自为耕种者,准与一般农民同等享受,请领耕地之权利,并得就其自有耕地内领回耕种。2.凡老弱孤寡,须依其土地为生,而无耕作能力者,得酌留必要之土地,暂缓征收。这两条办法,使"均田"的原则破坏了。无论如何,有不彻底之嫌。

均田制在龙岩虽算勉强成功,但不能令人满意,因为改革一县的土地要费5年的工夫,则全国2,000多县,更非短期内所能完成。况一家8亩,依然是零星细碎的小农场,所获收益,除完粮纳税之外,恐不足以保农民生活不落在水平线之下。虽政府已有预防土地移转的办法,仍恐无法使农民久保其产权。

由以上所述,可知龙岩这个办法,不能推及于福建其他各县。于是福建省政府有"保农产合作社"之创设,简称"保农社",目的在使各县每一保的种田人,不分自耕农与佃户,组织合作社,把一保的土地向地主租过来,其利甚多:1.有了合作社,可以实行减租,地主亦不能任意撤田;2.有了合作社,租田不必再缴押租;3.有了合作社,地主出卖之田,可以先由合作社买下来;缺少现款时,可用合作社名义请县政府向银行借款;4.有了合作社,零星分散的田地,可以告诉县政府和地主重新划分,不但种起来方便,也可以节省时间,增加效率,而地主亦不吃亏;5.有了合作社,便可叫合作社代完田粮,在农民省去麻烦,在政府田粮不致落空,在政府方面,这是最大的利益;6.有了合作社,便可得到政府方面许多帮助。保内如有荒地，亦可以由社领来耕种，免缴田粮8年。

　　福建保农社的内容，大致如以上所述。在省政府以为比较龙岩"扶植自耕农"的办法切实，是"由减租到均田，由小农经营到集体经营的桥梁。"本章所讨论的，着重在财政方面。凡与土地分配，土地经营有关的各种问题，均不在讨论范围之内。今日田赋之最大的弊病，就是有田无粮，有粮无田，田多粮少，田少粮多的种种不平。至于土地分配不均，当然是更大的不平，当另行讨论。保农社代缴田粮，则无论如何，地主地价及税款可以合并起来，将户地粮三者放在一起，逃税之弊或可以革除。言财政，此为莫大之利。

　　保农社的办法，自三十六年三月开始实施，规定每县先试办一保至三保，但也有几县试办四保至十保的。现在统计全省67县市，共组织142社，社员23,000人，耕作面积11万亩，其中佃自地主者，约60%。省政府为扶助这些保农社，向农民银行及福建省银行洽定农贷11.6亿元，各县亦有追加合作资金至6,000万元者。[①] 但好事多磨，首先遇到省参议会的反对；各地地主也公开反对，暗中破坏，而行政人员亦阳奉阴违，敷衍塞责，对业务并不十分关切。至三十七年三月，已核准登记成立者，有福州等六县市，已申请登记，因手续未合饬令更正者，有南平等九县。可见许多市县政府，并不重视这件工作，省府主管部分，亦只从手续上着眼，不就实际情况加以考察和指导。在地主方面，更是怨声载道，有谓县政府故意同他们为难，才选择他们那一保，而在办统一订租的时候，更是阻碍横生，大多数地主都拒绝签约。有些地方，如在闽西，地主是拥有数百甚至数千武装的土豪，政府对他们亦无可奈何。

---

　　① 详见《福建的土地改革》一文，载三十七年三月十八日菲律宾华侨商报。

尾　语

本章第五节讨论契税税率高,罚则重,影响了推收。第二次全国财政会议议决之整理办法,拟将契税与推收同时办理,一面纳税,一面办理推收。但因税率太高,罚则太重,令人望而生畏,故索性延不纳税,亦无从办理推收。因而重税与严罚,不仅影响了税收,且妨碍了新税制之推行与发展。考契税之性质,实是一种不动产转移税,似与已往德国征收之不动产转移税相似。今后应就原有契税条例,减低税率,彻底改善征收方法,仍不失为一地方良好税源也。

复查整理办法第五项定延税与匿税之罚锾最高额,不得超过应纳税额。这一规定便予狡猾业户以无限期延纳之机会,盖逾限3个月,与逾限三年三十年应受罚锾的处分,完全一样,故恃势依强之业户,索性不投税。